李达全集

汪信砚 主编

第三卷

人民出版社

国家社会科学基金重大招标项目
"李达全集整理与研究"（批准号：10ZD&062）最终成果

国家出版基金项目
"《李达全集》（1-20卷）的整理、编纂与出版"最终成果

目　　录

产儿制限论（1922.10）

中国关税制度论（1924.10）

第一编　关税制度之沿革

第二编　关税制度之特质

第五编　关税制度之影响及将来

产儿制限论[*]

（1922.10）

---

* 《产儿制限论》由日本安部矶雄著、李达译，1922 年 10 月商务印书馆将其作为《新时代丛书》第六种出版，并于 1928 年 8 月再版，两版内容相同。该书的"译者绪言"曾被收入人民出版社 1980 年 7 月出版的《李达文集》第一卷。——编者注

原　序

我因研究社会问题,而确信人口问题是很占重要。社会状态无论怎样改良,同时人口增加,社会仍旧是在贫穷生活的状态。二十年来,我早就想到社会问题的根本解决是在于人口问题,不过因为时机未熟,所以至今还未发表——虽然去年3月在拙著《社会问题概论》上发表了一点。近来我国人民思想发达,对于任何言论都取宽大态度了,所以我特将这个重大问题提出于社会,希望大家来批评。我这部书,对于凡有从伦理和宗教的见地来反对产儿制限的应有的意见,我都详细说明了,同时又曾从许多方面研究了这问题。这个问题,在欧美各国已是讨论很多的问题,在我们日本不是也有慎重研究的必要吗?这部小著,不过是把原案提出于国民之前罢了。若因此而引出许多赞成或反对的议论,于社会问题研究上实是有益的事情。

第十三章"新马尔萨斯主义运动"中所述关于英、法、荷、美的事实和统计,多取材于去年夏天我在布哇时读过的桑格夫人所著《妇人及新人种》一书,特在这里声明。

安部矶雄

译者绪言

美国新马尔萨斯主义大家桑格夫人来华以后，产儿制限问题，很引起许多人的注意，赞成的固大有人，而反对的究居多数。他们所以反对的原因，大概不外为旧道德旧习惯所拘束，不懂得产儿制限的真意义。这种人我以为有用文字来唤醒他们的必要，所以我特意把日本安部矶雄氏最近所著的《产儿制限论》译了出来。这部书从一切方面证明了产儿制限有实行之必要，实是有系统、有研究而又能说服反对者的著作，我想读了这书的人必发生很大的感动。

其次，再发表我对于本书的一点意见。据我所见，本书所述，有三点是可以补救现社会的弊病的。

第一，资本主义治下的无产阶级男女，只有生育的本能，没有教养的资力，他们若果能实行限制产儿，确是缓和生活艰难的有效方法。

第二，资本主义之发展，是剩余劳动培养而成的，无产阶级男女果能励行产儿制限法，不为资本家生产劳动预备军，也可以限制资本主义发展到一定程度。

第三，因育儿而陷入种种不幸境遇的，以无产的妇女为最甚，在儿童公育，母性保护未实现以前，伊们若能实行产儿制限，确可以免除许多精神的、物质的苦痛。

我是赞成产儿制限的，我承认产儿制限是社会问题的临时补救方法，然而我不承认这是社会问题根本解决的手段。马克思派社会主义者所以不赞成产儿制限，是因为不肯用这种消极的、姑息的手段，忘却根本的改革社会的目的。马尔萨斯的人口论是依据百年以前的生产组织立论的，近年来，生产力发展得可惊，所谓食物增加率不及人口增加率的法则，已经根本不能成立了。现在的生产制度,利用过度的人口编制劳动预备军,有事雇用,无事解雇,所以人口过剩实是资本制度存在的一个条件。而在另一方面,食物货品,过度生产,过剩的食物充满资本家的仓库,过剩的人口欲望充饥而不可得。食物与人口的关系,要由生产与分配的制度来决定的。贫穷与失业,正是这种制度的产物,不从事铲除这种制度,而提倡产儿制限,放任这种制度不顾,平心而论,本不能说是彻底的办法。将来社会主义的社会若能实现,儿童归社会公育,妇女受社会保护,妇人生子的苦痛便减除了;一般人民的智识增高,都能理解善种学的旨趣,粗制滥造的子女当然不会产出了;生产分配的制度改变,思想道德都随着进步,谁也不会把妇女当作育儿机械看了。

这样说来,马克思主义者努力创造新社会的运动,确是根本解决社会问题的方法,较之新旧马尔萨斯主义者肯定资本制度的主张,当然更有效力。

然而处在这旧社会未倒、新社会未兴的过渡时代,无产阶级往往因生育过多,酿出许多精神的物质的苦痛,我们若果能到贫民窟去宣传产儿制限的实行方法,也可以拯救这班不幸的人们。所以我主张随时向贫民宣传产儿制限法,同时更要唤起他们阶级的觉悟。

李 达

1922 年 6 月 12 日于上海

第一章　新马尔萨斯主义是什么

一、旧马尔萨斯主义的主张

（一）马尔萨斯的人口论

18世纪末叶，英国经济学者马尔萨斯著了有名的《人口论》。他的学说，传播虽广，而为说明新马尔萨斯主义的意义起见，首先要知道《人口论》的概略，所以我在这里把这学说的重要部分略为介绍一下。马尔萨斯用科学的方法，说明了食物增加的比例和人口增加的比例是大不相同的。他说食物的增加是等差级数的，人口的增加是等比级数的，这就是他的出发点。这即是说食物是以2、4、6、8、10的比例增加的，人口是以2、8、16的比例增加的，所以人类终究要感觉食物不足的痛苦。通世界各国历史看起来，人类因食物不足以至于饿死的实例实在不少。若是以前既然有了这样的事实，那么，将来也会常常有这种不幸发生，这是人人都能想到的事。所以马尔萨斯说要免除这种不幸，必须讲求防止人口增加的方法。

（二）人口增加防止法

据马尔萨斯所说，防止人口增加，有两个方法。第一是增加死亡率，例如战争、瘟疫、食人、杀婴之类。大家都容易知道，用这些方法，多少总可以防止人口的增加。不消说，用这些方法防止人口增加，决不是可喜的事情。这些方法，纵然不能说是不道德，确是人类的不幸。所以马尔萨斯又告诉我们一个最道德的防止方法。第一方法是增多死亡率，第二方法与此相反，乃是减少生育率。生育率怎样减少呢？马尔萨斯鼓励我们延缓结婚，或者过独身生活。没有赡养妻子的资力而结婚，未免太不负责任，所以我们应该有了经济的准备然后结婚才是。如果无论到什么时候,还没有经济的准备,就只好过独身生活了。马尔萨斯所说的大概如此。多数人若都能依他的教训实行起来,的确可以防止人口的增加。

(三)马尔萨斯的禁欲主义

上面所述的学说,到某种程度为止,现社会也是这样实行着的。此次因欧洲大战,直接间接失掉生命的达两三千万人。又两三年前,因西班牙流行疫症而毙命的也有数百万人,这是我们还能记忆的新事实。然而战争和传染病,随着文明的进步而逐渐减少,这是毋容疑惑的。所以我以为将来能够防止人口增加的最有效的方法,还是马尔萨斯所说的道德的方法,即是延期结婚或者过独身生活。从实际上说来,我们现在的结婚年龄,似乎已经显然地延缓了。同时欧美各国过独身生活的男女,数目也似乎渐次增加了。然而马尔萨斯自以为是道德的防止法的那个方法,如从结果上看起来,或者不如说是不道德还要适当些。要而言之,马尔萨斯所主张的是禁欲主义。禁欲主义若能实行,本来真是可喜的事,但禁欲主义无论在何时都有失败的历史。在中世纪欧洲各国,做宗教家的一大资格是过独身生活,可是很巧的遭了失败了。在我国的佛教方面也遇着过同样的事实。把性欲节制到一定程度本来是必要的事情,若要把性欲完全禁止,不特是不可能,反把人类引到不道德的方面去。

二、新马尔萨斯主义之主张

新马尔萨斯主义之主张

新马尔萨斯主义之所以提倡,是因为旧马尔萨斯主义的禁欲说终于失败的缘故。现在无论什么文明国,差不多可以说对于男女问题都大失败了。现社会文化的程度固然要比先前的社会为优,而对于男女道德的一点却是完全不能解决的。文明各国,努力要用一切手段,扑灭娼妓和梅毒,而据现在的情形看来,却似乎完全无效。所以一方面若是延期结婚或过独身生活,他一方面,娼妓必会增加,这乃是当然的结果。新马尔萨斯主义也和旧马尔萨斯主义一样地力说有防止人口增加的必要,但是防止的方法,却极力反对结婚延期或独身生活。防止人口增加,对于个人,对于社会全体,都是必要的事情,而欲用禁欲主义达到目的,却完全失败了。所以新马尔萨斯主义,毋宁是奖励各人至好是早婚。现在青年男女所以延期结婚,决不是踌躇着夫妇生活问题,最大的理由,还是怕了生育。若是能够用人为的方法限制生育,而且人人若都了解限制生育并不是不道德的事,那么,无论什么人,不是都没有延期结婚或过独身生活的必要了吗?要而言之,新马尔萨斯主义,实在是要用人为的方法,实行节制生育,以防止人口的增加的。经济上若有能力养育多数小儿而不觉困难的人,不一定要实行节制生育的。无产阶级的人,结婚后几年,经济上若有了准备的时候,才生育子女,在父母方面,在子女方面,都是大大的幸福。所以旧马尔萨斯主义是主张结婚延期的;新马尔萨斯主义是主张生育延期的。又旧马尔萨斯主义在某一点是奖励独身生活的,新马尔萨斯主义,也因为经济上及其他理由也许奖励终身生育延期的。要而言之,旧马尔萨斯主义依自然的方法防止人口增加,新马尔萨斯主义要依人工的方法防止人口增加。所以新马尔萨斯主义要比旧马尔萨斯主义合理些,彻底些。以下再分章逐段说明。

三、新旧马尔萨斯主义之共同点

马尔萨斯主义一贯的道德思想

单说起产儿制限,或许个人对于他有一种反感,但我们却要知道新旧马尔萨斯主义实有一贯的高尚的道德思想。马尔萨斯在他的人口论上,虽然发表过种种议论,而他的目的明明是要使英国人得个大教训。英国人中不假思虑贸然结婚的人,实在不少。其结果,只是多生子女,而不能给以相当教育。马尔萨斯看了这种事实大为愤慨,因此勉励英国人重视为父母的责任。不能给子女相当教育时而生出子女,是何等不负责任的事情。这样看来,人口增加一事,不特是国家的重大问题,而且是对于个人有直接关系的重要问题了。新马尔萨斯主义在这一点也和旧马尔萨斯主义相同。子女唯有为父母所欢迎的时候,才有生出的权利。换句话说,父母不欢喜子女出生的时候,就没有生子女的权利了。照这样说,放任生育,听其自然,便是大罪;用人工方法节制生育,喜欢生子时才生子,乃是为父母的大责任。所以看了新马尔萨斯主义的一面,似乎太注重唯物的立场,但是进而考察他一方面时,就晓得这是把最高尚的道德教训给我们人类了。

第二章　对于生育的迷想

一、多产之弊害

（一）多产之苦痛

有许多人，对于生育，似乎抱一种迷想。若果对于生育有正当的理解的话，像现在生活上最感痛苦的人，也不会生出多数子女来了。若照这样，那么，许多人偏要生出自己不能教育的子女，并且以为生子不教是平常的事情，这又是什么理由呢？据我所相信的，生育完全是超出人力以上的偶然事情一种思想，似乎支配着多数的人心。对于生育毫无知识的人，都以为生育是由于自然力的作用，这本是普通的事。固然，人力是不能自由生子的。所以自然要生下来的子女，人力也不能使他不生下来，像这种想法，并不算奇怪。子女唯天所授，人力无可如何，现在许多人都是这样想。结果，生子之多，令人惊异。他们因为不能养育这些子女，不能不过悲惨生活。于是他们无可如何，只好委诸天命了。他们虽因多产之故，发出绝望的呼声，却都把这当作是天命来听从了。我先年到美国旅行时读过一种新闻，那新闻上有一段可骇的记事：说有一个在17岁时结婚的妇人，以七年生八子提起了离婚诉讼。七年生八子的妇人，将来还能生多少个，谁也不能预料，大概总可以生十四五人以上罢。做父母的遇着了这种事，还可以委诸天命听其自然吗？我在布哇又有一个可信托的人对我说：有一个霍尔特加尔人，生27人，死2人，余25人都长得很健全的。一个妇人生27子，是否可喜的事，这是我们不能不仔细想的重大问题。我近来又听见一个新闻记者说：东京市某贫民窟，有一对穷夫妇。其妻最初生儿一人，后生双胎，后又生儿一人，后又生双胎。小儿无被可盖，就用蚊帐放入大的碎布之内当作被盖之用。若是有相当资产的家族，他们照这穷人家那样生出多子,于父母、于子女,总不能说是大不幸了。

(二)多产与母体之健康

多产一事,不但是要从经济一点考察,而且要想到这事对于母体也非常危险的。若说生子是自然的事,那么,妇人不会因生产而损害健康了。但日本妇人多有因生产损害健康,甚至有丧失生命的。而多数人现在还对于产儿制限一事怀疑或者发生反感,这大概是根据他们的迷想而起的了。世间上,普通称多子者为享子福的人,这句话是对生活安全的人说的,穷人不能适用。在生活没有余裕的人看来,多子并不是幸福的原因,反是他们的重负,是他们的不幸。

二、承认多产的理由

(一)多产与家族主义

我国的家族,在我想来,也是使我们反对产儿制限的一个主要原因。家族主义的势力,在现在,多少也还可以认定的,但在以前数十年,家族主义却不能不承认他是很有势力。据先前的家族主义看来,家长有扶养一切家族的责任,所以属于家族的个个人,就某种意义说,都受有生活的保障。像现在这样各自取得自己的生活费的事,在先前的家族制度中,差不多没有,所以双亲对于子女的义务观念没有现在这样强。例如年少的长子结婚时,他住在父母家里,他们的生活是受了双亲所保障的。少年夫妇若是生出子女,这子女不由父母所养赡,乃由做家长的祖父母养育。尤以士族阶级,收入有一定,生活有倚靠,子女多少并不算什么大问题。士族之中本来也有许多阶级,所以他们之中,贫穷的人,还是处在要考虑产儿制限问题的境遇之内的。但其中较为富裕的士族,和现今的富豪一样,不感觉生活问题的痛苦,产儿制限一事,他们不放在眼中。士族阶级之外,富裕的家族,也实行着极端的家族主义,普通两三对夫妇都是一家同住的。像这样情形,一切家族,都仰共同财产生活,所以人人都没有节制生育的必要,而且也没有想到过节制生育一事。到了现在,我们对于家族主义的想法,似乎显然改变了。固然照前面所说的一样,家族主义,在现在也还有势力,但个人主义已是盛行了,所以我们不能照先前那样对于生育漫无节制。现在许多人,对于生育还有一种大迷想,实是家族主义养成的。

(二)多产与天才

对于生育的迷想,还有一个原因。据先前许多人的见解,都以为子女越多,内中产出优秀人物的机会也越多。据我所见,现在怀这种见解的人似乎颇多。他们以为产儿制限,有妨止产生优秀子女之虑。他们说,若采用我国先前所行的方法,考察了产儿的健康状态或别种情形之后,助长那健全的,窒杀那虚弱的,那么,要得优秀的子女的机会必然少了。然而就现在的道德思想说起来,已生的子女,把他窒杀,这是我们所不承认的,所以我们不就两者之中选择其一了。即如论者所说,要多得优秀子女,就不能不多生子女。照这样,优秀子女之数,多少固然要增加些,而同时劣等子女之数,也不容不增加了。若采取这种方法,我们除了照现在这样无制限的生育子女以外,就没有方法了。所以我们所取的还是第二个方法,即是产儿制限。有些人或许要担心产儿之数越少,优秀子女之数也是少的,但我们相信,产儿之数越减少,母亲的身体越能维持健康,同时越能用全副精神养育子女,而优秀子女比现在也要增加了。

(三)多产与贫民阶级

人穷儿多,成了我国的俗话,所以我们可以充分想象到古时贫民阶级也是为多产所苦的。就是现在,事实上贫民阶级的子女也比有产阶级的子女多。我们以为多产是贫民阶级的大不幸,而世人的意见却有与我们相反的。据他们说,贫民阶级为子女受苦是暂时的事实,暂时若能忍耐,他们可以比较的早日减轻重担。即如他们的子女到了十二三岁就可到工场做工,或者替人家领小儿,不但能够自活,并且可以增加双亲的收入。这种话还不能为贫民多产的事实辩护。从父母的方面看来,他们的重担,比较的或者要减轻些,但从子女的方面看来,就很可怜了。他们不能受充分的教育,从十二三岁的时候为始,已经不能不自谋生活了。双亲没有自觉,结果要受生活的苦痛,本可说是应该的,至于他的子女却因为父母没有理解,遂陷入悲惨境遇之中,岂不是惨酷的命运吗?持此以辩护贫民多产,完全没有理由,我毋宁把这种辩护当作罪恶看待。

三、否认多产的理由

（一）对于产儿制限的无识

如上述对于生育的迷想，是因为不懂得产儿制限的缘故。不懂得产儿制限的方法的人，当然对于产儿制限在道德上应否承认的问题也不懂得了。关于这点，智识阶级的人比贫民阶级的人多少总要好些，但这不过只是比较着而言，其实智识阶级中，对于产儿制限也缺乏知识，实可骇怪。智识阶级中人若有要得到知识的意志，那么他们要知道产儿制限的方法，不过一举手一投足之劳罢了，可是不幸他们没有这种意志。他们为什么对于这种重大问题采取漠不关心的态度呢？我相信这个原因，在于旧道德的伟大的势力。属于智识阶级的多数人，还被旧道德所拘束，关于性欲教育，不愿说，也不愿考虑。至于说产儿制限的话，他们就是听了都要胆寒。殊不知产儿制限不但不是不道德，反是道德的，假使这一类人充分懂得这一点，他们的思想会要立刻改变。智识阶级的态度一变，贫民欢迎产儿制限无疑了。为什么呢，因为他们比无论什么阶级还要感觉得产儿制限的必要。

（二）产儿制限的要求

在人们为旧式道德所拘束的时候，虽生多子，亦委诸天命，沉默无言，到了他们一旦接触新道德思想的光明，他们对于多产的苦痛，都要发出悲鸣来。去年夏天，我在布哇曾讲演过新马尔萨斯主义的伦理，当地侨民听了这篇演说，而多产一事遂成了重大问题。我归国之后，布哇侨民写来好几封信，他们都申诉多产之苦，求我救济。现在人类对于生活问题，都看得重要。生活本是我们正当的重大问题。多生一子，一家族就发生重大的生活问题。布哇日侨达十万数千人，他们之中，每年要生五千人的子女。像这样高度的生育率，在文明人是觉得很稀奇的。至于当地侨民怎样的感受多产之苦一事，单把该地砂糖和黍的耕种地视察一下，就可以完全知道了。我有一晚，在霍诺尔附近耕种地讲演过新马尔萨斯主义，和几位代表恳切地谈过话，内中有个二十三岁的青年，他有弟兄八人，似乎很感着多产的苦痛，他对我说："我亲弟兄有八人，我已决心不多生子了。"我对于这位青年,实在给了他无限的同情。

(三)旧时代的产儿制限

我国人民到现在还对于产儿制限似乎漠不关心,而不知维新以前,已经比较自由地实行了产儿制限了。维新以前的人口,差不多只是现在人口的一半,或者在现在的一半以下,当时的产业还很幼稚,一部分人因此常为生活艰难所苦。在这种情形中应该要做的事便是产儿制限了。在维新以前,道德、宗教固然也是反对产儿制限的,但是这种反对力,对于生活艰难,差不多没有效验。当时行的制限方法是堕胎杀婴。在当时,这些方法,确能够维持了人口与食物的调节,这是社会学者所公认的。但是我在前面说过,窒杀婴儿是我们的道德心所不承认的。堕胎最损害母体,所以我国法律,严重地禁止堕胎与杀婴,犯者要受相当的刑罚。各文明国家,也常常有用堕胎手段行产儿制限的,而我们对于这种方法,却始终反对。新马尔萨斯主义,决不赞成采用那样不道德而且有害的方法。现在文明各国所行的方法,极其简单,不但是无害,而且从道德上看来也不受攻击。新马尔萨斯主义所以普遍地为世人所欢迎,就是为此。

第三章　新伦理观

一、性的教育之缺乏

（一）旧道德

旧道德不仅反对产儿制限，即使关于一切性欲问题所议论的事情，也是不承认的。男女关系，也不问他的正当与否，总以为其中都含有不纯分子，所以现在的教育，总教人绝口不谈性欲问题为最安全方法。结果，我们从小学到大学所受的教育，关于性欲的智识，可说是完全不能得到。要而言之，凡关于性欲的事都以为可耻的。我国人民，被这样的谬误思想所束缚，也无怪其把性欲问题，一概都埋没在秘密之中了。性欲问题为什么可耻呢？若说滥用性欲，固然有可耻的理由，而在性欲用得正当的人看来，男女关系，决不会有什么可耻的道理。从这一点看，我们也不能不把关于性欲教育的思想完全改变。现在政府当局，好像把性欲教育从我们的教育组织中除去了，这实难免使我国青年男女要陷入大危险之中的。

（二）性欲与食欲

性欲与食欲之间虽略有不同，而两者之间，在某一点却有共通的处所。先前的人，以为两者之间似大有区别，现在的人却与此相反。性欲也和食欲一样支配人心的大要求，这是两者的共通之点。我们要适当地满足我们的性欲，而且对于自己对于他人并没有什么可耻。饮食过度，也演出丑态，既损伤自己品性，对人也是可耻的。那么，我们将来，何尝不可用同一见地来观察性欲呢。若果这样，我们若把性欲教育等闲看过，当然是大大失策了。我们在学校教育中，也有学习关于饮食的卫生法的机会。纵然我们不能充分学习，也可以趁种种机会,征询专门家的意见。更就中央政府和地方政府关于卫生的种种设备观察一下,我们国民明明对于饮食的卫生是十二分注意的。然而对于和食欲同其性质的性欲,却没有什么教育的施设,岂不是大相矛盾吗? 我以为我们以后应该要打破旧习惯,而大大地努力于性欲教育。

(三)性欲制限

性欲卫生是最重要的问题,而我国人民,却显然缺乏这类知识。性欲卫生第一应当讲的是性欲制限。饮食过度有害健康,性欲亦复如是,性欲滥用,不但损害自身健康,并且给子孙以坏影响。据我听见专门家所说,我国男子似乎很滥用性欲。未婚青年男女滥用性欲,似乎也不少,而已婚者之中对于性欲制限毫无智识的人,似乎也多。男子即在平时也有必须制限性欲的,譬如在女子月经期内,在产后七星期内,都是最宜节欲的时候。

(四)防止梅毒蔓延

第二应当要说的性欲卫生是关系于梅毒方面的事情。梅毒是世界共通的传染病,这种传染病的可怕,这里无须再说明了。这种梅毒我们本应用一切方法扑灭他,可是我们前途的一大障碍,就是缺乏对于梅毒的知识。若是我们给青年男女以相当智识,使他们知道梅毒怎样可怕,梅毒怎样会传染,并且传染之后怎样疗治,那么,多数男女对于梅毒,总可以晓得警戒了。我相信这是防止梅毒蔓延的最有效方法。然而被旧道德拘束了的教育家,以为使青年男女得到这种智识是一件最危险的事情。政府当局或者相信性欲教育败坏风俗亦未可知,但我们确信若把性欲问题秘密不问,反是今日风俗所以颓废的一大原因。

二、产儿制限的是非

(一)从伦理上发出的反对论

关于性欲卫生尚且受顽固者的非难,说到产儿制限也无怪有许多人持异议了。反对论者所说的有种种不同,而大体上在下述一段意见却是一致的。

生子是顺从于自然的法则的,所以用人为的方法限制生育的人,便是违反自然法则的人。而且除了生子一目的以外,单为性欲结夫妇关系,便是完全逞兽欲了,与下等动物何异? 这就是他们的论点。据我所想,多数人对于产儿制限所以踌躇的,完全是因为受了这旧式道德论所支配。假使有人不结夫妇关系而节制生育,必没有人能够反对他,若是一面满足性欲,一面节制生育,那么,这中间似乎有和我们的伦理思想相矛盾的。这一点或许是反对产儿制限的最有力的意见。但这种反对论,究竟是否像许多人所想象的有力的意见,我们想比较详细地批评一下。

(二)恋爱与后嗣

我们首先要研究的,恋爱的目的究竟在什么地方。有许多人或者以为无意识的生子当作结婚的目的亦未可知,但对于此点,还有充分讨论的余地。下等动物结雌雄关系,似乎专以延续子孙为目的的,至于人类,除了延续子孙的目的以外,还有一个重要的分子。在我们看来,恋爱一事,和子孙继续同是结婚的大目的。下等动物之中,多少和恋爱相类似的事实也许是有的,而恋爱却可说是在我们人类中发达起来的特质。这一点造出了人类和下等动物的差别。下等动物依本能而行动,所以雌雄关系的目的可说是完全在于生殖。其结果,下等动物,分春季秋季,定期结雌雄关系,并无所谓恋爱的那种高尚特质。再简单地说,下等动物的雌雄关系,完全是肉体的。至于人类,有恋爱的特质,所以夫妇关系单是肉体的一句话是不适当的。恋爱固然是精神是感情,而精神的欲望,也要由夫妇关系方能满足。所以把恋爱完全解作精神的东西,我以为是对的。人类有下等动物所没有的恋爱,所以结夫妇关系明明不是单为延续子孙的。以上所述,不单是理论如此,即从实际方面看也可以证明出来。青年男女当热烈地恋爱的时候,差不多没有工夫想到子孙身上去。像这种实例实在不少,在他们看来,结婚的目的可说是专在于恋爱。本来个个男女都愿生子的,但在结婚当时,恋爱一方面,反是有力的原因。总而言之,说结婚目的专在继续子孙的话是错了,我相信不如说结婚目的在于恋爱与继续子孙两事更为适当些。

（三）子孙继续无望的时候

不以生育为目的而继续夫妇关系的人,若说是自然的反逆者,若说是道德上的罪人,若说是妄逞兽欲的人,那么,我们就该要觉到这里有种种不合的情形要发生出来了。若有人过了十年以上的结婚生活还不能生子,那么,他们依旧继续夫妇关系也不要紧吗?经过十年或十五年以上还不能生子的人,不能不及早觉悟到生育的无望了。固然多少也有些例外的,而多数人却不能不有这样觉悟。像这种夫妇若还继续夫妇关系,就可以说他们是滥用性欲了。为什么呢,因为他们在没有延续子孙的可能性的时候,还结起夫妇关系。反对产儿制限的人,能够攻击这种夫妇是滥用性欲,是妄逞兽欲的吗?

（四）没有生育时的夫妇关系

其次,我们还要考虑到下述的事实。妇人到了四十四五岁以至 50 岁的时候,普通是要失掉生子的可能性的,若照反对产儿制限的人所说,达到 50 岁以上的夫妇若还继续夫妇关系,在道德上应受非难的了。这种议论,不但是无常识,而且是全无智识。我们相信恋爱是结婚的第一个目的,就是没有生子的可能性的时候,也不妨继续夫妇关系。若是这样,一面节制生育,一面维持夫妇关系,并不是违反自然,也不是滥用性欲。

（五）产儿制限不是卑怯行为

对于产儿制限,还有一种反对论,说产儿制限是很卑怯的行为。若是有限制产儿的必要,从最初起延期结婚不好吗?若是结婚后发生了限制产儿的必要,就在那时期内完全断绝夫妇关系不好吗?一面继续夫妇关系,一面又节制生育,实不过表示意志薄弱罢了。所以产儿制限破坏了青年男女的克己心,使他们变成了意志薄弱的人。以上是反对产儿制限的人的常谈,也不过是旧道德的表现。若把他们所说的话显明地表白出来,结局就是禁欲主义。若有人用强的意志彻底行禁欲主义,确是很痛快的事情,但是人类社会中有无这种实例还是疑问。古时的圣人,为了禁欲之故,也不知受了几许的烦闷。古往今来,能够实行了有真实意义的禁欲的人,究竟有多少呢?千人中只有一人,或万人中只有一人所能做到的事,想要求多数人来实行,实是很惨酷的事情。前面已经说过禁欲主义之失败,人类历史早已证明了,所以有进步思想的人,决不赞成那种无理的要求。有人因为要证明食欲和性欲之间大有区别,引了下述的一段事实。食欲不能经过长期间的禁止的。人若有数日或数星期禁止食欲,就会生病,至少也损害健康。但性欲不是这样。无论怎样长期的禁欲,可说是完全无损于身体的健康。所以不制限性欲的人,无论由那一点看,都要说他是意志薄弱的人。这是反对论者的意见。但我们以为禁欲和制限之间大有区别。制限性欲,最为重要,无论什么人都不可不实行。而禁欲却全然是别的问题。就使禁欲一事,于我们健康上没有什么弊害,而抑制性欲一事,无论什么人都难办到的。因此,我们要使青年男女慎重性欲的滥用,同时要给他们满足性欲的途径,这是重要的问题。要怎样方能使他们满足性欲,这层在第十一章还要详细说明,这里只说到这点为止。

三、生活之保障与性欲之满足

(一)政治家应解决的两个问题

现社会最重要的问题,是怎样才可得到生活保障。据我所见,多数人常苦于生活艰难,对于将来的生活,很抱不安之感。今后政治家应当向着保障国民生活的理想进行才好。现在的政治,大部分的努力都耗费在国际关系那样对外的政治,但我相信今后的政治必专在对内,同时要致全力于生活问题而无容疑。然而随着生活问题的解决而发生的,自然是性欲问题。我们决不能单以生活得有保障即为满足。像现在这样结婚延期举行,独身生活增加,决不能说社会就安宁了。得不着衣食的满足和性欲的满足的人若越发增加,这就是不平分子增加的意思。不平分子增加,于社会有怎样的危险,人人都容易想象而知。我确实相信今后政治家的职务,在于解决这两个问题。

(二)禁欲主义之失败

提倡产儿制限,决不是因为意志薄弱。我们知道禁欲主义,发生了许多弊害,所以想用产儿制限把这种弊害除去。世间若果有能够彻底实行禁欲主义的人,我们或许没有倡导产儿制限的必要了。然而绝对实行禁欲的究有几人?若不能使他们得到性欲的满足,就会要陷入种种弊害。同性爱就是其中之一。卖淫也可说是这种的结果。此外如变态性欲,也是从极端禁欲主义发生的。我想若是人人都能想到这种弊害的流行之广,我们宁可设法使达到一定年龄的青年男女能够满足性欲还要好些。但男女若实行早婚,必附带一个产儿制限的条件才行。道德决不能要求人家做那难做的事情。我相信我们当然的职务还是满足个个人的要求,同时教人适宜地节制自己的欲望。

第四章　由宗教观察产儿制限

一、《旧约》与产儿制限

(一)《圣经》之教训

前章已就对于产儿制限的伦理观说过了,现在还有从宗教的立场研究这问题的必要。因为许多宗教家也和伦理学者一样,对于产儿制限有不少的误解。无论哪种宗教,似乎都不愿承认产儿制限,尤以基督教,好像完全有反对的意见。从基督教的精神说来,没有敢于反对产儿制限的理由,但《圣经》中多少有些否认产儿制限的语句。自来一般基督教徒,至少没有承认产儿制限的。要而言之,宗教家的意见,也和前述自然论者的意见相同,也相信产儿制限是违反自然的法则的。自然论者把提倡产儿制限的人叫作自然的反逆者,同样,宗教家也把他们叫作违反自然命令的人。人人都知道的,《旧约》第一卷记着说:上帝造出天地,最后造出亚当、夏娃一对男女,祝福他们说,"生育呀! 繁殖呀!"这些神话,本来不能说是基督教的主要教理,但信徒心中总存着一种迷信,以为人类的繁殖是由上帝的命令行的。莫尔门宗派为谋人口繁殖要承认一夫多妻主义,这虽是很滑稽的话,却也是根据《旧约》中的神话而来的。正统基督教虽反对一夫多妻主义,而为人口繁殖计,宁愿赞成的。

(二)自然之法则

然而我们不加批评,不能容纳这种神话。假使拿这种神话做标准来决定我们的生活问题,就会生出怎样结果来呢? 在野蛮时代,反觉得人口稀薄不好,所以人口繁殖变成宗教的信条,并不为怪,到了现在已是文明世界了,还有把这种神话当作信条的必要吗? 我们要解决重要的生活问题,最好利用那个时代的一切知识来判断。若必要知道上帝的命令，与其在《旧约》等书中去追求，不如由我们对于自然去追求，比较贤明得多。

（三）生物之进化表示什么

我们对于生物进化的知识，颇为进步。我们把生物由下等动物进化到人类的历史一看，就可以看出那里有比《圣经》上的更为明瞭的神意。下等动物之中，昆虫鱼鳖，一产数百千的实例，令人惊异。就是小昆虫，一产数百卵也不算奇事。所以下等动物的生殖力最大，若是这些种族不被别种动物所扑灭，不出十年，他们的族类，会要完全占领全世界了。下等动物中最繁殖的以鱼类为最。鲢鲟鲱鱼之类，生殖之多，尽人皆知，鲟鱼一次产卵 8 万。下等动物虽有多少不同，普通都是多产，这种事实人人都知道。但是动物逐渐进化而成为高等动物时，在种种变化发生之中，生子减少，也是显然的事实。尤以人类比别的动物，繁殖力显然要少些。就是人类之中，野蛮人和文明人之间也有多少不同之点。普通人类，每次生子一人，有的也生双胎。有的时代，我们的祖先有一胎三四人，有的时代一胎生六人。现在的男女都有二乳，但有些人还留着生过六乳的痕迹。就从这一点看，也可以想象我们的祖先是多产的。照这样看，我们人类从下等动物进化到人类的时代以至于现在，其间我们生子之数，似已显然减少了。表现在这样生物进化之上的神意究竟怎样呢，说起来明明是对于动物的多产加了制限了。换句话说，上帝从创造生物的当时起已是留心限制多产的了。我们只看看这样的生物进化，就相信产儿制限不是反对宗教的教训，还是服从上帝的命令的。

二、基督之教训与产儿制限

（一）基督之教训

《旧约》的神话，作为别论，《新约》之中，处处也见着似乎间接稍为否定产儿制限的话句。例是保罗的教训中有云："想着灵魂的事是生命，想着肉体的事是死。"间接地考察起来，产儿制限一事完全属于肉体的，所以没有成为基督教内的问题的价值。又如基督的言语中也有下述几句话。"你们可不必劳心去忧虑那吃的、喝的、穿的事情。"这句教训,基督教信徒常常记着的。据基督教的意见,上帝保障着我们的生活,我们人类没有为衣食住担忧的必要。若确信这种教训,产儿制限完全变成无益的杞忧了。若是上帝保障一切人类的生活,我们用这种愚见行产儿制限完全是不信仰的结果了。照这样想来,基督教否认产儿制限也不足怪了。然而我们究竟要彻底实行基督教的教训呢?或者照我们所相信的去实行产儿制限呢? 这是我们不能不想一想的重大问题。

(二)基督时代与现代不同

基督教的教训,作为个人的信仰,确有伟大的力量。就是我们感着生活艰难的苦痛时,若能用热烈的信仰,仰赖上帝的恩惠,我们因此可以得到大大的慰藉。但拿这种信仰属望于一切人,也和拿禁欲主义要求于一切人一样,这是可能的事吗? 现在的时代和基督的时代大异其趣。先前的生活极其简单,所以苦于生活艰难的人也极少。反之,我们的时代,在种种意义说,是很复杂的,因而我们的生活形式也跟着复杂起来了。尤其是在个人主义发达的今日,人人都要用自己的力量取得生活费。所以我们多数人,就是一天也不能把生活问题置之度外。就是无论怎样信赖宗教的力量,我们还是不能超越生活问题。若是基督还出现于现代,我想他的教训多少也有些变化。文明国的大都会,有贫民窟存在。他们的生活实在悲惨,一天也不能忘记生活问题。若是基督教训那些贫民说,"你们可不必劳心去忧虑那吃的、喝的、穿的事情",我们总觉得这是滑稽了。要之,基督教的教训在那个时代是适合的,而且对于现代的中流阶级或上流阶级也许能深深地感动他们,而对于不能超过生活问题的贫民阶级,差不多没有意义。所以基督教徒因为有这些教训以为必须反对产儿制限,这是大错了。

(三)自然的产儿制限

我们在现社会中有提倡产儿制限的必要,到了远的将来,还有产儿制限的必要与否,这是大令人怀疑的事。从生物进化的立场考察起来,将来的人类,即不用人工的方法限制生育,也许要自然地限制生育的。据以前的经验看,多吸取营养分的,而且得受高等教育的阶级,普通生子的颇少。这恐怕不仅是因为上流阶级用人为方法行了产儿制限罢。假使生物越进化,繁殖力越减少若是事实,或许要失却繁殖力而自然地实行产儿制限了。我相信人类是能够达到这种理想的时代的,但在现今这样过渡时代,不能不采用相当的方法,而采用这样的制限方法,就是增进人类多数的幸福,丝毫也不违反宗教的精神。

(四)性欲与宗教

基督教对于产儿制限所以取反对态度,至少也取冷淡态度的,实因为基督教也和一切宗教一样,也是把性欲当作罪恶看待的。基督教以为性欲是卑劣东西,视为罪恶,这事《圣经》上处处都表现着。保罗禁止寡妇再嫁。基督也称赞过为宗教过独身生活的人。基督教本不是绝对的禁欲主义,而事实上却同情于禁欲主义,并且赞美禁欲主义的。就某种意义说,基督和保罗过独身生活是一件不幸事。假使他们是高远的宗教家,同时又过了结婚生活,他们对于性欲也许有正当的理解。若果这样,基督教或许能够把关于男女关系的优秀的教训传给世界人类了。然而基督的时代,从政治上观察起来,决不是平和无事的,所以负宣传宗教大任的基督和保罗或者不得已要过独身生活。我不分什么基督教和佛教,对一切宗教,都望他们对于性欲有更适当的理解。把性欲当作罪恶看,是根本上错误了。

世人滥用性欲因而生出罪恶的事本是难免的,若因此而视性欲为罪恶,就矫枉过正了。宗教的任务在使性欲净化,决不是否定性欲的。

(五)基督教的中心思想

看了《圣经》上所表现的断片的教训,即以为基督教的精神反对产儿制限,本无足怪,而从基督教的一贯的大精神看起来,并没有什么一定要否认产儿制限的。基督教的中心思想可用一个"爱"字来表现。所谓"爱",即是爱上帝、爱人类,爱人类即为人类谋幸福,也和为自己谋幸福一样。若为同胞的多数人类谋幸福算是基督教的大精神,那么,基督教对于产儿制限没有什么可以反对的理由。因为产儿制限的目的,并不是性欲那样的问题,乃是为父母和子女谋幸福,同时又是为社会全体谋幸福的。

（六）贫穷与产儿制限

我们论产儿制限的是非，首先要详细研究现代社会的状态。我国青年男女从 15 岁到 25 岁的，约有数百万人，他们的年龄，论理都应该受中学教育和大学教育的。但实际能受中学、专门、大学的教育的，百人中不过三四人。这样看来，可知大多数青年男女差不多都是在无知无识的状态而跑进社会上来的。这类人即是构成生活艰难的贫民阶级的分子。我们本来知道贫穷是世界共通的社会的疾病，而欲救治这种可惊的疾病，最大急务是使青年男女受中等和高等教育。但是要怎样教育多数青年男女呢？这是很困难的问题，若像现在这样，做父母的毫无觉悟地生出许多子女，这种教育还是不能实行罢。多数贫民，连衣食都不能供给，还要给以高等教育，这简直完全不可能。产儿制限之所以提倡，完全因为救济贫民的困难。若是人人都制限产儿，都给子女以相当教育，这不但于子女为大幸福，即于父母也是大幸福，社会也可因此大受其利益。照这样能够使各方面得到幸福的产儿制限法，果真违反宗教的精神与否，我想是容易判断的了。

（七）宗教家与医生

单由宗教家反对产儿制限一事也可以知道宗教家对于贫民生活是比较取冷淡态度的。一般宗教家都不注意重要的生活问题。他们太过于注重精神生活，不知不觉就有轻视物质生活的倾向。从他们的立场看来，产儿制限完全是物质的问题，也无怪他们的态度冷淡，甚至于要反对的。但我们不能因此把宗教家的责任付之不问。英国有大为新马尔萨斯主义尽力的医学家托里斯特，著了《小家族》一书，说了下面一段话：英国反对产儿制限最力的两阶级是宗教家和医生。但据某保险业者所调查的结果，实际上实行产儿制限最多的人也是宗教家和医生。这事说来或者很奇怪，仔细想想就觉得很平常了。大概宗教家是过穷生活的命运，所以实行产儿制限在生活上是必要的。医生虽不感着生活的苦痛，却知道多产有害于母体健康，所以产儿制限在卫生上实有必要。这两阶级的人，自己一面实行产儿制限，却一面对于人们倡反对意见，是何道理。宗教家大概怕了舆论，所以反对产儿制限罢。医生唱反对意见，大概是由自己的职业的见地而来的,因为世间生子越多,他们的生意越好。

(八)伪善的行为

托里斯特所说的话若是事实,现在的宗教家和医生实可说是怪物。自己实行着的事禁止他人实行,未免太没道理了。尤其是宗教家,表面上反对产儿制限,暗地里却自己实行着,这是何等卑劣的行为。这即是《圣经》上所说的伪善之尤。医生为自己利益反对产儿制限,也是决不可以承认的。他们之中,多数人或许不知道他们所提倡的会生出怎样可怕的结果,殊不知已是间接地把许多小儿送到地狱去了。

第五章　产儿制限的各面观

一、产儿制限反对论之矛盾

产儿制限之承认

反对产儿制限的人，似乎多不留心他们的议论是很不彻底的。他们之中多有拿旧日习惯反对产儿制限，而不知他们所说的多为感情所制，合理的地方很少。我们知道过去和现在，实行了产儿制限的事实不少。反对的人若见到这种地方，决不会否认产儿制限罢。我因为要使他们了解产儿制限的合理，在这里充分说明一下，他们虽然大大地攻击产儿制限，却决不是绝对的反对论者。他们忘记了自己也有承认产儿制限的时候。在某种时候，就是他们也不能不承认产儿制限。换句话说，他们有时反对产儿制限，有时承认产儿制限的。要而言之，他们对于产儿制限没有定见。所以结局他们是妥协论者，是折中论者，是投机论者。现在我把理由说明出来。

二、保护母体与防止恶遗传

（一）保护母体

产儿制限在怎样情形才被承认，我们略略一想，就可知道了。假定这里有个妇人，伊因身体不甚康健，生产时非常苦痛。幸而小儿虽能产出，而医生的诊断，却宣告伊下次若再怀妊，定于生命有危险。在这种情形，这妇人和伊的丈夫，应该采用什么方法呢？若还随便怀孕，这妇人的生命一定难保。不然，若要救伊的生命，除了产儿制限，就没有法子了。极端的禁欲主义者，对于这种情形，或许要劝他们禁欲，这话与其说是无常识，不如说是惨酷还适当些。

我想处到这种境遇行产儿制限，谁也会承认这是正当方法，至少也不得不承认罢。像上面所述这种假定，实是常事。即使医生没有明白宣告，身体虚弱的妇人为谋安全起见行产儿制限，对于丈夫、对于自己、对于儿女，都是一件大幸福的事情。我国因生产丧失生命的妇人颇多，男子不能不再婚，于子女，亦属大不幸。假使虚弱妇人能行产儿制限以保全生命，我们的家庭，也不会有继母继子那种不幸事实了。

（二）五官不全的子女

我曾经听见过下述的一番话。有某妇人杂志社，接到过一位读者的来信。那个妇人，接连生了两个五官不全的儿女，伊恐怕又要生出和这一样的第三个来，所以要请该杂志社指示伊限制产儿的方法。我想这种实例，在我国必定很多，这也是承认产儿制限的最明白的处所。生出五官不全的子女，于父母最为不幸，即于子女自身也非常可怜。像这种不全的子女，若偶然地生下，也不定是做父母的责任，但他们已生出了两个这样的，那就决不能随便过去了。若是对于儿女很负责任的父母，到了生第三个的时候，就不能不认真想想了。遇着这种时候实行产儿制限，丝毫也不违反宗教和道德的教训，倒反与宗教和道德的精神一致，这一点我想谁也会承认罢。又如生了低能儿，做父母的也有采取同一态度的必要。在这种情形，生活问题，还不算重要，所以无论是谁，对于产儿制限，不会不承认的。总之，产生不全的子女，或产生低能儿，于子女、于父母、于社会全体都是大不幸，所以我相信实行适当的产儿制限法，并无不合理的地方，多数的人也不会有反对意见。

（三）遗传病

第三要说的，有遗传病的父母，也有害怕遗传恶病于儿女而行产儿制限的。若有人自己知道有一种恶遗传病而终生过独身生活，我们不能不敬服他的牺牲精神。但若有人在结婚前不知道自己有遗传病，到结婚后才知道，那么，他究应采取什么方法呢？或者有人答道，在这种时候该取的手段，只是离婚或禁欲，我却以为与其离婚或禁欲，不如实行产儿制限还是最上的方法。在这种境遇中行产儿制限，我想多数人必然承认的。欧美各国，有禁止有遗传病的人结婚的法律,这究竟是理想的手段与否,实是我们大家要研究的问题。世人对于产儿制限的成见,假使能够完全扫除,那么,对于有遗传病的人,不是也可以许他结婚么? 结婚是人生一大幸福。若夺去了人生这种大幸福,不是过于惨酷么? 所以至好还是用产儿制限法,使有遗传病者也得安心结婚,才算是根本地解决了性欲问题。

(四)母体之健康

最后我再说一个承认产儿制限的实例。上面所说的三种,都是限于假定父母体弱或有遗传病的时候,所以反对产儿制限的人大概都能承认,但据我所见,也有身体壮健并无遗传病的人有时也承认产儿制限的。强壮妇人略间断一些时就生子的不少。也有些妇人年年都生子的。多产者若只限于强壮妇人还好,但也有虚弱妇人而多产的。这不仅于子女不好,即于母体也很有危险。普通母体生子,一胎非间三年,不能充分恢复身体的康健,所以就母体设想一下,无论什么妇人,都要适宜地行产儿制限法,取得三年间的休养才好。那么,抱这种目的实行产儿制限,也算是不合理的行为吗? 是与非,我们的常识都能容易判断。

三、生活艰难与产儿制限

(一)生活问题

依上述各种情形实行产儿制限,在事实上当然要承认的,反对的人却不曾想到,这完全是因为他们无识和不注意的缘故。无论什么反对论者,我想对于这种情形,决不会有反对的勇气。若果这样,那么,我们因生活艰难而实行产儿制限,若也来反对,不是极矛盾的行为吗? 反对者之中或许有人说,因生活艰难实行产儿制限是一件事,因保护母体或防止恶遗传实行产儿制限又是一件事,而以为两者是大不相同的。他们的意见,或许以为保护母体与防止恶遗传是子女身上及社会上的重大问题,而生活艰难,不过只是个人的问题。这种地方实是很大的错误,我要尽力说明出来。

（二）个人病与社会病

若是社会也和个人一样有特别的疾病，我以为可以将它分为贫穷、犯罪、残废、无学四种。我在前面所说的承认产儿制限的几种实例，不外下述两个目的。第一，母体的生命得以保全；第二，可以不生不全的子女。限制产儿以救妇人生命而不给子女以遗传病，若被承认为正当的理由，那么，因生活艰难而限制产儿，也有可以充分承认的理由了。反对的人误解生活问题之真义，往往有轻视的倾向。我以为人们既然承认因保护母体防止遗传病可以限制产儿，同时也要承认因生活艰难可以限制产儿了。我现在把理由说了出来。

（三）生活艰难与饿死

生活艰难，虽然不直接引我们去死，而贫穷却是间接致死的原因，这是无容疑虑的事实。有些时候，贫穷是致人于死的原因。这原因，我们在小儿之间，极容易看出。贫民中，小儿的死亡率颇高，这明明是营养不良所致。营养不良，不但有损于小儿，并且损害妇人身体。贫民阶级的人，添了一小儿，家族的生活，就发生一大变化。譬如一家三人过活，若添一子，这家族中人的生活费，不得不减去二成五分。若添两个，这家族中人的生活费，就要减去四成。这种事实，于贫民家族有怎样大影响，实是人人都要考虑的问题。单提起生活问题，似乎于我们的生命没有直接关系，到了我们的生活费要减去二成五分或减去四成的时候，我们的生命，也要因营养不良而陷入危境了。所以从前不知生活艰难之苦的妇人，常因生育而危及生命，以及穷人因儿女增加，营养不良而危及生命，其结果是相同的。照这样看，在这两种情形中实行限制产儿，都是一样地要承认才行。

（四）生活艰难生出的恶结果

世人若是承认可以限制产儿来防止恶遗传，那么，因生活艰难而限制产儿，也应当加以承认了。将低能儿和不全儿女往社会送，当然不好，但社会病却不止是这两种。社会病还有一种可怕的是无学。贫民阶级生出许多儿女，要给以充分的教育，简直完全不可能。可能的事，或者只是给以衣食为止，多数只不过受了小学教育就到社会自求衣食了。照这样无教育地把多数子女送到社会,也和送许多不全儿女到社会去一样,并无不同的地方。我们想想,多数无教育者之中,还要产出许多犯罪者,所以生活艰难必须实行产儿制限,只生育将来能受相当教育的子女,方为幸福。这样看来,反对因生活艰难限制产儿的人的议论,明明没有什么确实根据了。

第六章　从善种学观察产儿制限

一、人种之进化

(一)国民之实力

将来国际关系,若能圆满解决,或者要采取国际联盟的形式实现世界平和亦未可知。到那时候,国与国之间像现在这样的竞争一定要少了,但在国家的形式还存在以前,多少总有些竞争,这是我们可以预想而知的。只有一层,那时候的竞争,已不是兵力的竞争,而以国民的实力为标准的。腕力较优劣,既然不行,各国民也只有实力的竞争了。这时的重要问题,是国民在体力上究竟优秀与否的问题。军备既已撤废,国家强弱,当然不在人口的多少,而在实质上的优劣。即如现在,有许多地方,人口虽多,却不一定是使国家强大的原因。各人在精神上在肉体上若都占优秀,这不仅是他们的幸福,又是国家的幸福了。国民全体,若都变成优秀人种,对于世界人类也是可喜的事情。近年来善种学的价值所以得世人公认,并非无故而然的。

(二)怎样变成优秀人种

现在,善种学已引起了学者和政治家中一部分人的多少注意了。而他们所最尽力的事,似乎只在法律方面。不单如此,他们所做的事,有许多还是消极的。例如,他们最注意防止恶遗传。欧美各国,也有规定法律,禁止饮酒和犯罪的人结婚。这类法律,固然能够防止恶遗传到一定程度,似于善种学上有多少效力。但要拿这种手段使人类变成优秀,未免太姑息了。我们要防止恶遗传,同时要更进一步造出良遗传。我们久已听见过进化的规则,生物界的进化是由自然淘汰和人为淘汰而行的,这事可以拿许多事实来证明。然而我们却有一种倾向,以为人类之所以变为优秀,多由于自然淘汰而来的。换句话说,就是说人类的进化多由于自然力的作用,由于人为的地方是极少的。结果,大家都把人种改良,委诸自然力,我们自己无须努力了。这种谬误的思想,实在应该打破。我们对于动植物常实行人为淘汰,岂有对于人类自身的事反把他委诸自然力的吗?

二、动植物与人为淘汰

(一)自然淘汰与人为淘汰

依种种事实的证明,我们对于植物常实行人为淘汰。植物本来也因自然淘汰起了不少变化,而受影响最多的,还是人为淘汰。若假以数十年的时期,我们人类可以把某种植物的性质变化到可惊的程度。今日的园艺家,常用种种手段,要使植物发生大变化。我国的橘子,有些橘核很少的,也有没有橘核的,这明明是园艺家努力的结果了。美国有无核的葡萄。羁王树是牛马最喜食的植物,但全身有刺,到现在还没什么用处,据我们所闻,植物学者终究做成功把这种刺去掉了。美国加州的柑子,其形体与我国橙子的性质相同。酸橙子要把它变成甜蜜的柑子,固然要很多时期,我们却不可不知道这是园艺家努力的结果。日本的樱树以花多知名,而其中也有结成好味的樱实的。开花的樱变而为结实的樱,这不是人为淘汰的结果吗? 又如我们看了菊花,看了达里亚花的时候,不能不承认人类的努力在那里表现着。我国的菊花,确由园艺家之力得了可惊的进化。菊花之美,种类之多,谁也容易知道这是人为淘汰的力量。在今日,不但是花的光泽、花瓣的大小,可由园艺家自由变化,就是花的颜色也可以自由变化的。

(二)动物的人为淘汰

动物的人为淘汰也和植物一样。畜牧家常想得优良的家畜,不能不充分注意人为淘汰。若听其自然,一切放任,劣等家畜也和优等家畜一样遗传它的性质,畜牧必常因此大受损失。所以畜牧家在原则上实行的事,只选择优秀种子使其继续生子。饲马的人也常要注意所产出的是怎样种类的马。马之中,也有乘马,有赛马,有劣马,畜牧家必须因其种类,选择淘汰的方法。若是他要得好的赛马,就必须从赛马中挑选优秀的出来,只许这种马继续生子。这些子孙之中,难免也有多少的优劣的,所以就必须选择那最优秀的出来,使这最优秀的继续生子。依这种方法做去,经过数代,就可以产出最优秀的赛马来。这样用人为方法使动物的性质和形式发生大变化,也和植物一样,毫无不同的地方。又如狗,普通的人不假畜牧之力,也可以自由产出所希望得的狗。我们常看见小牛般大的狗,也遇着过比猫还小的狗。狗一类东西,本来因种类而异,但照那样极端的大或极端的小,却是由人为淘汰而来的。

三、人种与人为淘汰

(一)人为淘汰之适用

由以上所述考虑起来,也可以充分了解我们人类实是不可思议的动物了。我们对于动植物,极端地实行人为淘汰。要使动植物变化性质和形状,在我们并不觉得什么困难。我们用人为淘汰法,已经产出了可惊的结果。动植物之中,本来也似乎有因为我们的淘汰而多少有退化,而大体上,动植物的多数,却因人为淘汰而进化了。至少动植物中,也依种种有利于人类的方向变化了。我们依这个变化,已能够较多地利用动植物。如上所述,我们既知自由处理动植物,何以不知使我们自身变成优秀种族呢?俗语说,"灯台底下是黑暗的"。我们一面自由淘汰那关系较远的动植物,却不知淘汰自己,这不是很迂阔吗?善种学的根据,就是这一点。只要努力用改良动植物的同一方法,使我们自身化为优秀种族,善种学的目的就可以由此达到了。换句话说,把淘汰动植物的方法适用于我们自身,善种学的希望就可以达到了。

(二)人类淘汰应怎样实行

人为地淘汰动植物,即是用人力使动植物进化的意思。人为地淘汰人类,即用人类自己的力量谋人类进化的意思。有许多人以为动植物由人为淘汰而进化,人类由自然淘汰而进化的,这并不是事实。本来人类也和动植物一样,到某程度为止是被自然淘汰的,而受影响最多的还是人为淘汰。我们既能够淘汰动植物,何以不能淘汰自己? 总而言之,人类要成为优秀种族,最必要的就是用自己的力淘汰自己。

(三)人为淘汰与产儿制限

然则人类应怎样淘汰自己,我相信除了限制产儿没有别法。普通多以为产儿制限的目的,在于限制女子的数目,这还是第二个问题,第一个问题,还在于得到优秀的种族。我曾经说过几次,要得优秀子孙,以遗传父母的优秀性质为最有效方法。而欲遗传这种优秀性质,必然要实行产儿制限。现在再将理由说明。

(四)生育延期

要遗传优的性质,做父母的应有可以遗传的优秀性质才好。子女是完全禀受父母的遗传性的,做父母的,在肉体上、在精神上,都应该具备完全的条件。但是要把这种条件要求于做父母的,不是有点不合理吗? 这就是产儿制限可以被承认的原因。父母的体质和年龄,大概到什么年龄,方能达到稍为满足的程度呢? 换句话说,父母的肉体的及精神的性质能够安全遗传于子孙的年龄,大概要满若干岁才行? 我以为这是困难问题。有些人说,妇人普通要到23 岁时才有做母亲的充分的资格。这本是单就体格说的,而从大体上说,妇人23 岁,男子二十五六岁时,可以把他们的性质遗传子孙了。假如定了这个标准,那么,20 岁前后结婚的男女,从善种学说来,就有数年实行产儿制限的必要了。我对于早婚,虽然并不反对,而对于早期生育,决不会赞成的。

四、优秀的遗传怎样显现

(一)优秀的遗传

考察遗传优秀性质一事的时候,父母的年龄达到了二十三四岁究竟充分不充分,这是疑问了。由日本古来"头生儿多笨货"一句俗话看起来,这不一定只是父母对于头生儿的教育未得其法。头生儿出生的时候,他的父母还没有充分发达,还不能行完全的遗传,那句俗话的意思不是这样吗? 西洋各国有人说末了生的儿子多有做大人物的,这一说若是事实,就可以说做父母到了生最后一个儿子的时候,因为达到了最圆熟的年龄,所以能行最优秀的遗传。本来男女到了40岁至50岁的时候,达到了最完全的状态,所以由善种学说起来,或者是生子越迟越好。但生产过迟,于妇人身体也有危险,我以为还是以二十三四岁为标准才适当。照这样要遗传优秀的性质,限制产儿实为必要,所以从善种学看,也觉得产儿制限是没有丝毫理由的①。

(二)什么时候才可实行产儿制限

若因为遗传优秀的性质,在某时期有实行产儿制限的必要,那么,我相信我们在许多别的境况中也同样地有实行产儿制限的必要了。从理想上说来唯有父母的健康状态完全而且精神爽快时,才可以把他们的性质遗传于子女。反起来说,做父母的,或者父母中有一人不康健而且精神上感着不快的时候,若是不注意地把这种遗传给子女,其结果就很悲惨了。从这点看,可知应当实行产儿制限的时候,实在不少。就最显明的状况说,生产后母体的健康还没有充分恢复时若又怀孕,不但于母体有危险,即于子女尤属可悲。假若充分注意母体的健康,生育之后,至少三年内非避孕不可。从这种见地说,产儿制限的必要,已是明白的事实了。但实际上对于母体的健康能够这样注意的,似乎很少。这是因为他们完全不懂得优秀遗传的好处。在这种时候当然要采用人为淘汰法的,而多数人却听其自然,毫不注意,所以惹起大不幸来了。产儿制限,对于这种人实是一大光明、一大救济。

(三)健康不良应实行产儿制限

依同样理由,我相信我们要实行限制产儿的时候必不少。双亲之中,若有一人在健康上在精神状态上都觉得不快,决不会有优秀的遗传,所以结夫妇关系时最宜注意。譬如罹了感冒或害了神经衰弱症,或者酒醉了,双亲都有充分注意的必要。在这种时候,必须限制性欲已是明暸,但有时或许也不能实行。尤以健康不良过久时,绝对的禁欲实难办到。从善种学观察,这种时候实行产

---

① 从上下文意思看,这里疑应为"反对产儿制限是没有丝毫理由的"。——编者注

儿制限最为必要。我曾听见过欧美妇人当男子醉酒时,能够充分注意,但不知我国妇人能否有这种勇气。若没有拒绝男子的勇气,那就不能不想想实行产儿制限的事情了。

(四)多产与教育

以上所述,主要地是从遗传优秀性质的见地,显示产儿制限的利益的,我们就是暂且离开遗传一层想想,也不能不承认产儿制限的必要。单就多产一事想,也可充分知道这不合于善种学的原则。我们的义务在使社会增加比我们还优秀的人类。反起来说,我们将比我们不如的子女送到社会里,这恐怕是再大没有的罪恶了。把优秀子女送到社会一句话,是优秀遗传的意思,并且含有优秀教育的意思。但是生子太多的人,对于教育这一点,也太觉不便。譬如有人只有送两个子女受大学教育的资力,若生出四个子女,这四个人就不能得受中学以上的教育了。尤以贫民阶级,多产是一件最苦的事情。做父母的就是要把子女养活,也就非常困难了,若还要给以相当教育,这简直是完全不可能。所以在他们看来,多产一事是重大负担,同时又是子女的大不幸。我们在原则上不能不考虑的一件事,就是生到这世间来的子女都要给以充分教育。若不能给子女教育而生子,这个人可说是完全不负责任了。在多数人不甚了解产儿制限的意义的时代,像这种人固不足深责,但在现代多少有些新知识的人还无觉悟地生出许多子女,即从子女和社会全体的幸福着想,也决不是可以容忍的事情。

第七章　生活问题与产儿制限

一、生活问题为什么重要

(一)对于子女的责任观念

新马尔萨斯主义,主要是在精神的方面,我在前面已经说过几次了。我们想起子女的幸福,不能不限制产儿到某种程度。无论在什么状态,凡生到世间来的子女,都有大受欢迎的权利。若是做父母的既觉得生子是一件讨厌的事却还要生子,这未免太不懂道理了。这样说来,新马尔萨斯主义专考虑子女的权利和幸福这一点,完全是精神的事情了。我们在这种主义中,实在可以认出高远的理想来。责任观念强的人,充分考虑他人幸福的人,道德的精神流露的人,当然要赞成新马尔萨斯主义。但新马尔萨斯主义无论怎样是精神的,却不能轻视我们的生活问题。

(二)重要的生活问题

生活问题是我们不可一日闲郤的问题,我们为了这问题,每日要耗费大部分的时间。所以我们大部分的活动,可说是直接、间接与生活问题有关系的。贫民阶级的活动,差不多完全为了这问题。然而有产阶级的人,也决不是与生活问题没有关系,他们为了生活,也要花费大部分时间。他们之中,有的资产充足,对于生活并不感着有不安的地方,可是他们还要为生活问题努力,这真奇怪了。他们之所以活动不止的,不单是要使他们自身的生活安全,并还想到要使子孙的生活安全。照这样,我们每日费许多能力去为生活,恐怕不是人类的名誉罢。不消说,我们不是为了吃才活着的,乃是为了活着才吃的,我们为衣食问题花费大部分的活动,明明不是人类的目的了。换句话说,我们的生活是文化生活,不是衣食生活。但从现在的事实说,我们不能即时移到文化生活去。从现在的经济组织说,我们是不能不为生活问题努力的命运。所以为衣食劳心,是我们不能免的运命,这是我们不能不觉悟的。新马尔萨斯主义对于生活问题,究有什么关系,我想尽力研究一下。

(三)家族的人数与教育程度

家族的人数,直接影响于生活状态,这点谁也容易了解。富裕的家族,不为生活费所苦,所以家族人数的多少,毫不成问题。但属于这个阶级的家族,究属少数,百家之中不过五六家或十家为止。所以别的家族,都不能不时常考虑生活问题。一子增加,就影响于全家的生活,所以产儿制限,在他们看来实有重大的意义。假使这里有一家,父母子女一共四人,他们的收入每月百二十元,这可说是中流阶级的家庭了。父母之外,有子女二人,又能过相当的生活,对于子女,不仅可与以中等教育,或者更可以使受高等教育。但是若又增加一子,一家的生活,就要比以前约略减去两成了。子女若增至四人,生活费就要减去三成三分;子女若增至五人,生活费就要减去四成三分;子女若增至六人,生活费就要减去五成了。生活费这样减少,子女连中等教育都难得到了。这是父母的大负担,同时又是子女的大不幸。子女两人的时候,他们有受高等教育的可能性,到了再增加四个兄弟的时候,连受中等教育的可能性都要失掉了。照这样想,家族人数的多少,在中流阶级以下的人看来,实是不容易的问题。因多产之故,他们的生活程度,不但不能向上,还要向下,其结果连子女的教育都要被牺牲了。

二、生活之标准与生活之向上

(一)贫富的区别

大家记着,我们所论的生活问题,确是一个困难问题。贫富本来是相对的说法,我们想到贫民究竟是什么意义的时候,很难于明白答复。生活的程度,不仅因都会和乡村而有不同,国与国比较起来,也很有不同的地方。在都会生活视为贫民的人,在乡村或许不一定是贫民。我国过中流生活的人,由美国的生活程度看来,或者竟算入贫民之列。而且生活一种东西,各人所想的各有不同,有些人自己过着贫民生活,并不觉得怎样。这样看来,我们拿什么标准,区别贫民阶级和别的阶级呢?

(二)国民生活的最低程度

研究生活问题的学者中,近来也有论及国民生活的最低限度一事了。据我们的研究,我们要过像人的生活,究竟要多少生活费,若是比较地精密计算起来,我们的问题或许不容易解决。即是我们若能够把我们生活所必需的东西充分计算出来,这即是我们的生活的最低限度。而这个最低限度,就是区别贫民阶级和别的阶级的境界线,这是很明白的了。

(三)最低限度的生活费

要计算最低限度的生活费,究应采取什么方法呢,我想在这里略述一个大概。第一要研究的问题是食物,我们每日的食费究竟支出多少,应当研究出来。据现在专门家的研究,我们每日所要求的营养分,已经算定了。筋肉劳动者和精神劳动者,幼儿和成人之间,所要的营养分当然各有不同,但专门家对此却有精密的研究。食物之外,重要的东西是衣服,这不过只是防寒之用,决不要许多费用。住宅只要不损害健康,就是比较狭隘一点也不要紧。衣食住三种固然是必要的,但我们要过像人的生活,还要求种种东西。人人都要某种程度的相当娱乐的,所以我们的最低生活费之内还要算入多少娱乐费。小学教育是义务教育,虽然不要别的费用,但要授以中等教育,就要相当的教育费了。像现在这样生活没有保障的社会之中,也有想到家族的将来之必要,所以个个人都有加入疾病保险和生命保险才对。因为保险又要缴纳保险金。以上所述各费,都是我们营最低限度生活所不可缺的费用。若是到了将来国家能够保障国民生活的时代,像上面所说的程度的生活,个个人都能办到。政府不许国民降到这种生活标准以下,社会上自然没有贫民阶级了。

(四)贫民阶级之救济

所谓贫民究竟指什么说的,由上面看来,多少总可以明白了。我们决不愿意属于贫民阶级。若是处在贫民阶级之中,那么,我们就不能不行产儿制限来免除这种命运了。但现社会中,贫民阶级占大部分。我不得不悲怜这等人因无觉悟产生多子而堕落于贫穷的悲境。我们知道这些贫民是在无教育的状态,要责备他们,未免过于苛刻了。他们无觉悟的时候,决不能免除贫穷生活的苦痛。贫民阶级应如何救济,这本是最重大的社会问题,若用慈善事业或社会政策的姑息的方法来救济,实在是劳多而效少。要彻底地救济贫民阶级,有两个方法:第一,国家对于国民要保障最低限度的生活费;第二,实行产儿制限,减少他们的人数。第一方法是被动的;第二方法是自动的。从社会问题的见地说,第二方法比第一方法好得多。

（五）生活的标准

我们只是维持生命,也寻不出什么人生的意义。若单以衣食为满足,我们的生活与野蛮人的生活无异了。文化生活一层姑作别论,我们对于野蛮人那种低级的物质生活,决不能满足的。即专就物质生活的见地想想,我们不能不以营高级物质生活作为我们的目的。想起生活向上一层的时候,我们不能不想到生活的标准。我们营物质生活时,生活标准向上一事最为重要。假使生活标准是低级的,个个人就要营这种低质的生活。国民生活,也是多由这种生活标准支配的。无论是国民或是个人,要固守这种生活标准,都要非常努力才行。譬如生长在年支十万元生活费的家庭里的青年男女,他们自己创造家庭的时候,必然要固守着以前的生活标准。若是女子,必定要和资产相当的家庭中人结婚;若是男子,要创造这样一个家庭,必定到自己有相当收入,或者有继承相当遗产的希望的时候才能办到。所以人人要固守着他多年所经验而来的生活标准,正和军人要固守在战场上所占领的敌军阵地是一样的。国民生活的向上,完全要靠各人所有的生活标准一步一步地向上才能成就的。

（六）生活向上与产儿制限

多数青年男女因为要增高生活的标准,或者至少因为要保持生活标准,已经是把结婚的时期延长了。这种方法的错误,我在前面已经说了。以后青年男女以早婚为最安全。要增高或保持生活的标准,最好的方法是实行限制产儿。或者有人要把生活标准的向上当作一种奢侈来反对的,但欲使我们的生活丰富,决不算奢侈。我们的目的在于文化生活,而生活穷困的时候,决不能达到这个目的。我国民之中,有为旧思想所拘束,以为安守清贫正是一种理想生活。尤以有宗教倾向的人之中,这种思想比较地占大势力。他们注重精神生活的结果,自然有鄙视物质生活的倾向,据我所见,这不算是健全的思想。

三、日本农村的人口问题

(一)日本农民生活

我们想到国民生活的时候,不能不想到占国民过半数的农民生活。在都市当中,有许多贫民窟,千数万数的人,都过着悲惨生活,再看看农民生活状态,完全令我们抱悲观。说起田园生活,似乎觉得很适意的,而不知多数农民所过的生活和都会中贫民生活是一样的。我现在略举一点统计,把他们的生活状态表明一下。这些统计,是政府在欧战以前做成的,还不能适合于现状,但因此也可知农民生活的大概。先就农民的收入说,称为地主的阶级,每户每年平均收入 926 元,自耕农户 445 元,佃户 306 元。他们每日食物所费,平均地主每人 1 角 2 分,自耕农夫每人 7 分 2 厘,佃户 4 分 3 厘。此外服物费用,每年一人的费用,平均计算,地主 10 元,自耕农夫 4 元 2 角,佃户 2 元 5 角。

(二)农村问题之解决

过这种生活的农夫,若占我国人口的过半数,那么,我国民普通是营贫穷生活的了。而农民所以过贫苦生活的原因,在于人口问题,这是无疑的事实。我国努力改良农村的人也是有的,研究关于农业政策等事的学者也是有的,但改良农村而用姑息的方法,完全无效。农村的疲弊的原因,全在人口问题,这一点若不解决,农村的穷困到底不能救济。

(三)农村的人口应当减少

据大正四年统计,日本农家共有 5453969 户,占全国总户数 56%。虽说是以农业为本位的国家,而农家户数似乎太多了。半开化国家的农户比日本还要多,而文明国家多数的比例,普通比日本还要少。譬如法国,耕作面积虽比别国较多,而农家户数不过占总户数 42.7%。德国是和日本有许多共通点的国家,其农家户数的比例为 35.2%。这样比较,日本农户明明是太多了。而德国比利时的农家平均有三町步(日本田面积名)的耕作地,日本农家平均只有一町步的耕作地。单看这点,也容易知道日本农民生活是贫弱的了。假使日本农家户数的比例,也和德国一样,减到 35.2%,那么,农家之数应减少 200万户。农家人口,平均每户 6 人,所以日本农村人口比之德国,有 1200 万人是无益而生存的。农村中就是减少 1200 万人,于农村也没有什么不利。而且农村中减少了这 1200 万人,反可说是得救了。假使把这 1000 万以上的人口移到都市中去,又要生出重大的社会问题来了,这样办法,谁也会反对罢。那么,把这 1000 万多人移到外国去,好吗? 这又要惹起重大的国际问题,完全做不到。照这样说来,要解决农村中人口问题,除了产儿制限没有别的法子。农村中人,在知识上、在思想上都比不上都市的居民,他们无觉悟地产生多子,并不足怪。所以要使他们的生活增进幸福,我相信只有用适当的方法使他们知道产儿制限的必要,而目下的急务,同时又要把那方法教给他们。

第八章　劳动问题与产儿制限

一、劳动问题到底是人口问题

（一）劳动者之解放

劳动问题，究竟是怎样的意义呢？劳动问题，方面很多，本难于简单说明，而劳动问题的中心点是在什么地方，这是容易说明的。劳动问题的目的，至少在于谋劳动者的向上，在于增进劳动者的幸福，这一点，我想谁也会承认罢。然欲达到这个目的，劳动者的解放，却是先决问题。劳动者度奴隶般的生活为期已久，现在他们为免除资本家的压迫，已组织起劳动组合的团体来了。资本家有资本，劳动者有团结力和他对抗。拿现在的状况和过去比较，我们固然承认劳动者是向上的了，但到劳动者能抵抗资本家而得胜利的时候，前途还是辽远的。这是什么原故呢？表面上观察劳动问题的人，或者要拿现社会组织一切都于资本家有利的话作为理由，亦未可知。这个本来也有相当的理由。资本家不单是有资本的这种伟大力，而且警察、军队、有时也拥护他们。换句话说，资本家对劳动者斗争时，国家的力，常常为资本家做事的。像这类事，固然于劳动者大不利，据我所见，这里还有一种于劳动者更为不利的障碍物。多数人不是都留心到这种障碍物是人口问题吗？

（二）人口问题

劳动者本是独立自由的人，但他因为要取得生活费，不能不把自己所有的劳动力卖掉。他卖不掉自己的劳动力的时候，就有挨饿的危险，所以不得不早一刻地卖掉它。所以劳动力是一种卖的东西，也和鱼类、青菜一样，是一种有容易腐败的性质的商品。劳动力既然是商品，就不能不顺从经济学上所说的需要供给的原则。劳动者人数越多,就会增加如许的劳动力,劳动力的价值(即工钱)就不能不低落了。所以劳动者的数目若不受制限,那么,要希望增加工钱,简直不可能了。据现在的情形看来,劳动者的数目之多,似乎常在资本家所要求的数目以上。若果这是事实,那么,劳资两阶级争斗的时候,劳动者明明不能得到胜利了。劳动者没有一定要愤恨军警帮助资本家的必要。假使劳动者的人数比资本家所要求的数目还要少的时候,他们的工钱一定要增加,其他劳动条件,也一定要改善的。在这种时候,警察、军队无论怎样拥护资本家,到底不能阻害劳动者的向上发达。要而言之,劳动问题的根底中,还有人口问题在里面。劳动阶级,果真制限人口,必定可以使自己的地位向上。反起来说,像现在这样,劳动阶级人口过剩,无论行怎样的社会政策,都不能改良他们的地位的。我有时是承认劳动者同盟罢工的,我更相信还有比同盟罢工更有效的手段。譬如劳动者若果干起不多生子的同盟罢工来,其效果究竟怎样呢? 我相信几年或几十年之后,其结果必定可以充分表现出来。

二、劳动者的利器

资本制限与产儿制限

若是劳动者的人数比较地少,其结果至于增加工钱的时候,资本家对此也必定讲求相当的处置。资本家本来不一定要在本国投资的,所以本国工钱太高的时候,他们就可以到工钱较低的外国去投资的。换句话说,资本家可以随时限制其资本,所以劳动者对此也要讲求相当的抵制方法。产儿制限,就是对于资本家所行的资本制限的最适当的方法了。

三、劳动预备军与失业

(一)劳动预备军

劳动者人数过剩的时候,这过剩的人数可称为劳动预备军,或单称游军。从劳动者方面说,有游军是大不利,而从资本家方面说,游军是再好没有的便利。当经济界景况很好的时候,连这种游军都可使用;到了经济界景况不好的时候,这种游军可以随时解雇,对于这类失业者毫不负责任的。像这种实例,我们常常在运搬人夫之间看出来。在日本的神户横滨各海港,一队的运搬人夫中,常含有若干游军在内。又如英国,泰晤士河的运搬人夫,人数约有十万,内有两三万是游军。平时有六七万人夫已够使用,有时多数船舶同时进口的时候,至少要用人夫十万。即是有使用游军的必要。像这种制度,于雇主方面是很便利的,而于劳动阶级,就变为再坏没有的制度了。从劳动问题的见地说,这种游军制度,以早日废止为好。那么,要怎样才能改善呢? 据我所见,运搬人夫之数,应以平时的人数作为标准。若是船舶进口太多的时候,规定运搬人夫在普通时间以外做工,对于定时间以外的劳动,加给相当的工资。若用这种方法,游军制度也不是不能完全废除的。不过游军制度,是因为人口过剩之故自然发生出来的,所以劳动阶级若不更进一步而实行产儿制限,就难于彻底地废止游军制度了。

(二)预备兵制度与失业问题

上面所说的游军制度,不只限于运搬人夫的方面。产业界一切方面,多少都行着游军制度的。尤其是从社会全体观察的时候,明明可以认定游军制度之存在。欧洲大战时,日本产业界非常兴旺,劳动阶级差不多全部都有职业。但这不过是一时的现象,几年以后就大生反动了。现在日本和美国,产业界都不兴旺,失业者之数多得可怕。美国失业者达 500 万,有说增加到 700 万的。日本失业者之数还没有精密统计,至少也有 10 万 20 万罢。我们看见文明各国都有这种游军制度,对于现在的经济组织,势不能不表示大大不满意了。

(三)多产与失业

许可游军制度存在的经济组织,断然不可以承认的。但劳动阶级若无觉悟地多生子女,到底不能根本铲除失业的发生。我想提议防止失业的方法,对于外国贸易应加以多少制限。世界各国,都靠外国贸易,把自己的生产品贩卖于外国,而且因贩卖之故惹起激烈的竞争,所以外国来到本国订货的人,若是骤然减少,供给着这种货物的国家,立刻发生经济上的大变动。现在各国失业的人所以如此之多,就因为这个原故。所以为防止失业计,应当限制外国贸易到某种程度,至于想要彻底免除失业的危险,结局仍不能不考虑人口问题。

（四）劳动者人数的制限法

劳动者为谋自己利益讲求了种种方法,要把同业者的人数减到某种程度为止,这是明白的事实。他们的人数若超过一定程度,他们的工钱要受不少的影响,所以为谋防卫自己利益计,当然要限制同业者的数目。我们看看劳动组合的历史,就可以明白这种事实。中世纪时,是没有现在这样劳动组合存在的时代,只有称为基尔特的劳动组合。那时候的基尔特,不是劳动者的组合,实是工头的组合。他们自己都是小资本家,用几个职工和徒弟,自己和他们一起做工。那个时代的徒弟,若不受工头七年的指导,学习那种职业,就不能称为职工。这种徒弟制度,在现在看起来,似乎很不合理,但从当时限制职工人数的见地看来,却是很有效的方法。这样看来,可知劳动者从古就知道留心人口问题了。只是他们还没有攫到劳动问题的真髓。换句话说,他们已知道要求把许多年月训练徒弟,借以限制职工的数目了。

四、劳动问题的根本解决

（一）劳动组合

现在的劳动组合,不比先前那样,要求许多年月作为训练徒弟之用。他们限制同业的人数,另用一种别的手段。劳动组合的大部分,关于会员的资格,似设有比较严格的规定。组合的人员不能在一定工钱以下做工,所以没有一定程度的劳动力或劳动能率的人不能加入劳动组合。甚至有些组合要求二三百元的入会金的。这可说是完全拒绝新入会者的手段了。

（二）劳动组合排他的精神

今日的劳动组合中,排他的精神,实在颇为强烈。我们在欧美劳动组合所见的,属于组合的劳动者不愿意和组合以外的工人在同一工场做工。他们本来也有多少辩护的理由。因为属于组合的人员若和组合以外的工人在同一工场做工,到了罢工的时候,就有许多不便。假使组合以外的劳动者不和他们共同动作,这种罢工,十有八九终于失败。我们对于这种理由要给以多少同情,也要了解劳动组合员,是受排他的精神所支配的。设定严重的入会规律,使愿入会的人难于入会,同时又要排斥组合以外的工人,这真可说是违反民治的精神了。在某种意义说,劳动组合这种东西,近来越发有变成独占的团体的倾向了。在德谟克拉西盛行的英国和美国,也见有这种事实,真是不幸了。但是一想到这种排他的精神,本来因为保护自己的利益而生的,那么,我们对此就不能不取宽大的态度了。劳动者自己设组合,拥护自己的利益,在现在的经济组织上实是不得已的事情。在激烈竞争流行的今日而采取绝对的开放主义,或许危及自己的生活,多数劳动者用种种手段限制同业者的人数以谋独占一种利益,也不一定是可以非难的事。但劳动阶级若彻底地考虑自己的地位,他们不是可以找出更容易的救济方法吗?对于同业者的人数而加以制限,完全是姑息的手段。劳动者若真感觉同业者的人数有限制到某种程度的必要,他们为什么不更进一步讲求限制人口的方法呢?我看见劳动阶级不涉及根本问题而单讲枝叶问题,实是大大的遗恨。

(三)农业者阶级与产儿制限

我在上面从劳动问题的见地已经把产儿制限的必要说明了,我又在前章说过,农业者占我们全体劳动者的二分之一以上,所以论劳动问题时不能把农业阶级置之度外。若能采用一种手段,对工业劳动者和农业劳动者宣传新马尔萨斯主义的福音,那么,我相信他们一定可以得到大幸福。

第九章　国际问题与人口问题

一、欧洲战争与人口问题

（一）欧洲战争之原因

看一看欧战以前的德国的状态，就可以知道此次战争之所以起，决不是偶然的事情。欧洲战争的原因怎样，人人的意见都不一致。也有把战争的原因归诸单一的事实的，这也不适当罢。欧洲战争这种大事变，内容复杂，原因亦多。而其主要的原因之一就是人口问题，谁也不会有异议的。我要把德国人口的增加，列在惹起此次战争的原因的第一位。德国人本来有一种强烈的优越欲望，有一种野心，以为德国是有统一世界的天命的。但根本问题，还是急需解决的人口问题，世界统一的话，不过是表面上的口实罢了。

（二）德国人口之增加

德国最近几十年来人口急速增加，这是谁也能够看出的事实。德国本来是以农业为主的国家，近来早已不能赡养全体的人口了。因此之故，德国采取了奖励工商业，输出制造品于国外以谋赡养过剩人口的方针。但这些方法，对于过剩人口，还不能给以充分的衣食。所以德国就感着有到海外觅殖民地输送过剩人口的必要了。取得殖民地有两种益处。第一，可以输出过剩人口；第二，可以获得贩卖本国制造品的市场。据登布尔博士说，过去 25 年间德国的人口，增加得非常可惊，到了最近，实在陷入了穷窘的状态。因此德国就要到海外觅殖民地，而欲到海外觅殖民地，就要获得海洋上的势力。但是德国要达到这种希望，就有一种大障碍物，这大障碍物就是英国。德国在过去数十年间把英国当作理想中的敌手，努力扩张军备。这就可说是惹起此次战争的大原因。假使德国在几十年以前讲求了人口限制的方法,此次欧洲战争或者不至于发生了。

(三)法国为什么不是欧战的主动

若是战争单为优越欲、复仇心和斗争心而起,法国为什么不变成欧洲战争的主动者呢?为拿坡仑招来悲惨的败北的普鲁士,已于1870年的普法战争复仇了。依历史的顺序说,法国此次应当向德国复仇了。然而德国常用攻击的态度,忙于军备,而法国却常取受动的态度。即是应当复仇的法国常是受动的,而在防御地位的德国,反取了发动的态度。单就历史的见地观察这点,似乎很奇怪,而从人口问题观察一下,就知道这是当然的结果了。法国最近数十年来,实行着人口制限,并不想到有向海外发展的必要。假使德国也和法国一样不感着人口问题的苦痛,也决不至赌一国运命引起此次的大战争来了。这样看来,人口问题常是国际间纷扰的原因无疑。

二、日本的国际问题

(一)日本的对外问题

现在日本也和德国处在一样的境遇,也不得不费心解决人口问题了。说日美问题,说日华问题,都不仅是有关系各国之间的问题,并且是多少要累及世界各国的国际问题。但这样重要问题,结果还是与人口问题有关系的地方居多,谁也容易了解的。我国人口增加的比例,每年六七十万人。我们常向世界辩明日本人不是好战的国民,而欧美各国看见我国人口增加的情形,常抱不安之念。我国要怎样处分这过剩的人口呢?欧美人拿着猜疑的眼光,以为日本若是寻觅殖民地,不论是满洲,是蒙古,或是西伯利亚,都要借侵略主义扩张领土的。我们虽然怎样辩护日本人不是好战国民,而现在的人口问题已是这样,所以使世界各国发生不安之感,也是当然的了。我国若不断然讲求限制人口的方法,果能放弃对于满洲、蒙古和西伯利亚的领土的野心吗?我对于这点,不能不感着不安了。

（二）排日问题之原因

我国所惹起的国际问题，不仅在东亚方面，即在美国，也成了很烦恼的问题。太平洋沿岸问题，一面可说是劳动问题，他一面又可说是人口问题。加州日侨之数虽不过六七万，而他们的繁殖力的可怕，也是一个被排的理由。尤以布哇地方，日本的人口问题视为非常重要，这事我们须要记着。现在称为文明国的第一流的国家，普通生育率，每千人中不过 30 人，而布哇地方日本人的生育率，每千人中达 50 人。因此布哇地方的美国人，对此大有不安之感。他们将来对日本采什么态度，现在不易说明，至少在布哇生出的日本人以及以后生出的日本人不能完全和美国人同化，这一点颇惹起重大的问题。目前美国人之间所考虑的问题是：布哇的政治像现在这样归中央政府直接管辖呢，还是另外作为一国实行自治制呢？美国人的性质当然是喜欢自治制的，可是到了实行自治制的时候，占多数的日本人都得投票权，政治上或许有压倒美国人的危险。若照现在这样归中央直辖，虽然可以抑制日本人的势力到某种程度，却永远不能实行自治制度了。若是生在布哇的日本人能完全和美国人同化，要施行自治制，比较还容易些，但他们若是依然要维持日本人的特色的时候，布哇的政治一定要纷扰了。住在太平洋沿岸的美国之日侨约有 10 万，布哇的日侨约 11 万。区区 20 万人移到外国，已经惹起了现在这样的国际问题，若是把我们每年多生的过剩人口六七十万都移到外国去，一定要惹起更多的国际问题了。这究竟是我国所采取的好方法吗？

（三）国际问题与人口问题

为人口问题所苦的实例，我已就德国和日本的事举例说明了，世界无论什么国家，早晚都要劳心于人口问题，已属明晓。南美、澳洲那种土地广大的地方，或者还不至有人口过剩之虞，到了将来，总要陷于同样的运命。那么，无论什么国家，不是都要看看德国、日本的实例，预先觉悟到人口问题之应当解决吗？因人口问题惹起国际问题，并非上策。我们为世界平和计，必须废止这种烦恼的国际关系。而欲使国际关系圆满进行，各国都应该解决人口问题。现今各国的势力范围，都已明白划定，都要注意不侵越他国的境界线。所以国内的人口要限制到本国能够赡养的程度才好。换句话说,本国人口若增到本国国土所不能赡养的程度,便是不道德的行为,便是国家的大辱。若是一个人自己养出不能赡养的儿子,便是不负责任的人,就应受攻击。这种人若因儿多累及亲戚,他就当怎样受人的批评呢?若是国家也和个人一样,把所增加的人口移到外国去,也是同样要受非难的。

三、各国之生育率与文化

(一)生育能率与文化之关系

现在的人把人口增加一事当作国运发达想的,似乎少了,这事果真不错吗?我以为国民兴隆的证据,不在一国人口的分量多,而在乎本质好。试看世界各国的情形,第一流的国家没有高的生育率。人口每千人只生育 30 人以下的国家,以法国为始,英国、比利时、荷兰、瑞典、挪威、丹麦、瑞士等国皆是。每千人生育 30 人以上的国家,如俄罗斯、奥地利、匈牙利、意大利、西班牙及巴尔干各国皆是。德国生育率,在十数年前属于第二组,最近大见减少,现在已属于第一组了。欧洲以外各国,属于第一组的是美国、澳洲和新锡兰。这样看来,生育率高的国家,明明不是一国的荣耀了。若是人口还年年增加,遂至于必须移住到外国去,当然是国家的耻辱了。十几年前,把人口的膨胀看作和国运发展一样,这完全可说是一种迷信。德国人口较多,遂至陷于战败国的运命,所以日本要从速由人口问题的迷梦中觉悟过来。现在若还不讲求限制每年所生的过剩人口的方法,早晚就必须惹起重大的国际问题。

(二)法国与其文化

法国从几十年前以来,已从事防止人口的增加,所以该国人口常在于静止状态。世界各国看了法国这种情形,都嘲笑法国的无智,就是法国人之中也有不少抱着危惧的念头。问其主要的理由,都说人口静止的结果,战斗力显然减少了,这是一般反对者所持的论点。这种对于人口静止的非难,多是从军事上的见地出发的,我从没有听见过有从社会问题来非难的。法国限制人口以来,于他们的生活生出大影响。他们平均以生两儿为标准,所以生活上生出不少的余裕。法国习惯，父母拿遗产传给子女的时候，不分男女，一样均分。青年男女结婚时，两人的财产合而为一，拿来平均分给他们的两个子女，所以就是经过几代，他们的财产只有增加的。法国贫民比别的文明各国都少，并非奇怪。大战之后，德国和英国，因为失业者多，常有不安之象，而法国差不多没有失业问题发生。就看这点，也可以充分知道限制人口增加的国家，经济上是怎样富裕的了。法国人所以比较地能够多有余暇过文化生活，就是为此。

（三）法国人的战斗力

法国人不仅是过了上述那样幸福的生活，即是人人所害怕的战斗力，也并不劣弱。大战之中，法国虽然得了英美的援助，而对抗德国人的主体还是法国人。德国本来休养了几十年的兵力，有了十二分的准备，战斗力当然在法国以上，以法国人口那样稀少，军备又那样劣弱，终究能够和德国人努力奋斗，也可说是一件奇事了。要而言之，一国的实力，不在乎分量而在乎本质。说什么人口少了战斗力也少的话，完全是皮相的见解。

（四）人口与国防

因预想战争而奖励人口的话，不过是空谈。人人本来都有爱国精神，而忍受自己的生活艰苦来为国家生产多数子女的牺牲者究有几人？就是国家，也不能为了国防要求国民多生儿女。国家对于国民若有这样要求，对于生两三子以上的国民，应当助以相当的养育费。不用这个方法，而奖励国民多生子，完全是不可能的事。这事若能见诸实行，我们就不能说明过去几十年德国生育率减少的事实了。像德国那样鼓吹军国主义，奖励爱国心的国家而有生率减少的事实，不是很可惊异吗？

（五）多产是有产阶级的责任

从国防上说，人口增加若最关重要，那就不能不设法照上面所述补助多产的人。若不能实行这个方法，国家就应该用别种方法宣传人口的增加了。要行这种宣传，就不能不以有产阶级为主要的对象。奖励无产阶级的人多生儿女，完全是惨酷的事情。他们已经担负了兵役的义务，多产的责任不能不望有产阶级来负担了。然而有产阶级,实行产儿制限的比较地多,这种宣传有效与否,谁也不能担保。

四、世界平和与人口制限

(一)世界平和与人口制限

要实现世界的平和,免除国际的纷争,世界各国都要实行产儿制限,死心踏地不把剩余人口移到他国去。因此,各国民在几年前开了国际劳动会议,去年又开了华盛顿国际会议讨论了人口问题。美国产儿制限论者,去年11月在纽约开了一个大会,讨议了人口制限的问题。我日前接到过布哇的友人寄来一片新闻,载着去年11月12日纽约发来的一个电报。那电报上说:

当地举行的第一次美国产儿制限大会出席的代表,讨议了维持国际平和的一个要素的人口制限问题。人口增加是惹起战争的主要原因之一,所以代表们宣言:全世界实行普遍的人口制限,是防止国际冲突的唯一手段。

(二)军备缩少与人口制限

我非常欢喜,这种以产儿制限为目的的大会,竟能趁华盛顿会议开会的时候,在美国第一个都会举行了。世界各国政治家,也渐渐认定人口问题的重要了。若要使各国缩少军备,废除军备的时机来到,那么,我们首先就要解决人口问题。纽约市所举行的第一次产儿制限大会,虽然是由个人发起,但这个还是应该由世界各国代表者举行的性质。我相信到了他们公然讨论这问题的时候,世界的平和才开始实现。

第十章　产儿制限与妇女解放

一、贤妻良母主义

(一)妇女的文化生活

贤妻良母主义或者不一定是可以非难的,但若要拿贤妻良母主义限定妇人做那管理家庭教育子女的事,那么,我们就不客气地要加以批评了。教育子女一事姑作别论,现在单就管理家庭一事说说。从现在的生活状态看来,男女之间,便宜上是实行分业的。男子在外谋取生活费,女子在内担任家中种种任务。这种事实,现在的欧美各国人都以为是平常的,但这并不是女子的主要目的。大凡人类的目的,在于享受文化生活,所以妇人又须取得机会耗费时间实现自己的个性。在家庭里从事衣食住等项事务,也并不是什么可耻,若要把这事当作妇人的天职,这不是极端的偏见吗? 管理家庭不过是度文化生活的一个手段,所以花费大部分时间去烹饪洗濯,决不是人所愿干的。所以我们若能够发见可以节省家庭中妇人的劳力的方法,谁也会说这是妇人的大幸福罢。极端地说起来,今日的妇人,若能完全免除炊事浣衣之劳,谁也愿意的。现在我们的经济状态,虽不能使妇人完全从家庭中的筋肉劳动解放出来,但我们理想中的社会若是出现,家庭中妇人的劳动可以减少,其结果,妇人也可以费许多光阴于文化生活了。我们平常倡家庭改良,似乎完全在这点。我们若是发明种种便宜方法,能使妇人每天只耗二三小时经营家务,那么,妇人一定能够享受比现在更高尚的生活了。

(二)育儿年限与文化生活

经营家庭一事,决不是妇人的主要任务,同样,养育子女一事,就某种意义说,也许不是妇人生活的大目的。我在这里特就某种意义说明一下。子女的教育,在现社会中,自然是必须归妇人担任的事,但因此而牺牲一生,这岂是妇人所希望的吗? 子女的教育,无论是妇人怎样重要的任务,而因多产的结果,到40岁以上还要从事教育子女,这也是可称赞的事吗? 教育若是和野蛮人的教育一样简单,那么,做母亲的养育七八个子女,或者比较要容易些。但在文明人之间,须为子女要求长远的年月。若是要使子女得受大学教育,那么,母亲至少要在24年之内为这个儿子费种种的心思。为一个儿子尚且要费长远的年月,那么,生七八个或10个以上的子女的妇人为子女的教育要费40年以上的光阴了。这个究竟是妇人的幸福吗? 无觉悟的妇人或者不知道自己的不幸,而从文化生活的见地说来,却是再不幸没有的事了。

(三)妇人与劳动者

妇人与劳动者之间,共通点似乎不少。劳动者做十小时以上的工作的时候,完全处在悲惨的状态。长的劳动时间,实是束缚他们的铁锁。他们在这种状态之下怎能够获得知识,开扩见闻呢? 他们多数当然是在完全无学的状态之中了。若是资本家要把劳动者当作奴隶般使用,最良的方法,就是增加他们的劳动时间,使他们没有自修时间。同样,男子若要在女子之上握有权力,最好的方法,也是增加女子在家庭中的劳动,同时使伊多生子女。女子越是要求多数时间养育子女,越没有工夫修养自己。这样,女子无论何时就不能对抗男子了。贤妻良母主义若是这样解释,我们非断然反对不可。蜜蜂的团体中,多少是实行分业的,中有称女王的蜜蜂,只生多子,并无别种任务。人类社会中,现在还有不少男子,以为妇人的任务只是养育子女。这若是贤妻良母主义的话,我们禁不住更要憎恶了。

二、妇人的文化生活

(一)妇人的教育与多产

妇人也和男子一样,务以多受教育为目的。教育的程度越高,自己的能力越能实现出来,所以人人因此能得到较多的幸福。又妇人为谋自己独立,更有与男子受同等教育的必要。我们就是看看欧美各国的情形,也可知道教育确是增高妇人的地位的。现在虽然有人以为妇人和男子竞争,于男子不利,但妇人在种种方面若越与男子接近,男子也可得到幸福的。这样看来,男子即为自己的利益计,也应该赞成增高妇人的教育程度。妇人的才能有许多地方并不弱于男子。只不过生理上妇人有许多不利之点,所以多有妨害公平的竞争,这种障碍,我们应尽力助伊除去才好。尤以妇人因多产而受打击的地方不少,男子对于这些地方,也应该表同情的。

(二)社会生活与多产

妇人多因养育子女失掉了自己修养的机会,同时要营社会生活也颇为困难。儿少的妇人,往往能够到社会上做种种的观察,而多子的妇人,就没有过社会生活的机会了。我们的生活不只限于读书。或因社交,或因旅行而取得种种知识的亦不少。尤以旅行,不但使我们得到新知识,并且从娱乐上说,也是最有效的方法。然而有多数子女的妇人,这种特权,差不多完全没有。又如音乐、演剧、活动等,也是使我们娱乐的事,多产的妇人也差不多没有享受的机会。我们想到这些地方,不能不大呼妇人解放。妇人的多数,就这些方面说是受子女所束缚的,我相信解放他们的唯一方法,就是设法限制伊们多生子女。

(三)牺牲的意义

牺牲一事,有时是可以称赞的,而完全忘却自己,也并不是可以赞成的。有些妇人以为为丈夫和子女而牺牲是无上的道德,这似乎是极端的见解了。我们人类都各有特种目的的。无论处什么时候,不能供他人做手段。我们有可贵的灵性,所以他们有可贵的目的。这即是在于尽力发达自己的天性。这也可以说是文化生活。我们爱惜子女,替子女为某种意义的牺牲,本来是可以的,但我们若为子女才存在,那真是极端的见解了。我们爱惜子女,同时我们自己不是也有特别的目的吗? 譬如昆虫,似乎单为生子而生存的,所以说他们是种族继续的手段也不为过。但我们人类,各有各的存在的理由,明明不仅是为继续生子才存在的。妇人若生多数子女,其结果差不多连自己存在的目的都要放弃了,所以妇人解放的第一步在于产儿制限无疑了。

三、母性与健康

(一)母性之发现

有人非难妇人限制产儿是出于妇人的利己心的。那么，限制产儿而使少数子女受充分的教育，同时自己也可以修养，这也可说是利己的结果吗？又有人恐怕奖励产儿制限的结果，将来妇人必完全不愿生子的，这完全是杞人忧天了。妇人的本能上有要求生子的性质的。这就是所说的母性的要求了。大多数妇人当然希望做母亲的，所以伊们完全拒绝生子这一件事，疑非想象得到的。然而也不能说因为伊们有母性的要求，就以为多生儿女更能满足伊们的要求。母性的要求，只要两三个子女就最为满足了，若产生多子就有害于母性的。这种害处，在贫民阶级最甚。做母亲的，只有在经济充裕的时候能够发出充分的爱子之心，至于为生活艰难受苦的贫民，能够欢迎多数子女吗？在穷的时候，还想望发现美的母性，简直完全不可能了。

(二)法国的妇人

法国产儿制限流行颇广，有些人非难法国妇人多有因为保持自己的姿色而实行产儿制限的。这种话也有略加辨明的必要。我常常说过，妇人稍稍间断就继续生子，实有害于母体的健康。若把母体的健康和子女的遗传想想，就可知道间隔一定年月才生子，乃是必要的事情了。若间隔了一定的年月，更能制限生子的数目，于母体的健康，当更有一种好结果。换句话说，若是无觉悟的多生子女，于母体、于子女，都是大不幸。这种不幸，以贫民之间为最甚。既苦于养育多数子女，又感着生活不安的妇人，伊们那种为贫乏和疲劳所烦恼的状态，人们看了，有谁不说这是人生的悲剧吗？然则妇人因维持健康行产儿制限乃是当然的事，我们就没有可以非难伊的理由了。若说为保持姿色而行产儿制限，这本可以证明法国妇人的癖性，但维持健康与保持姿色两者之间有密接的关系，我们差不多不能加以区别。欧美各国人常以姿色和健康两者是一致的东西。在我国多以为美人是蒲柳之姿，而在法国人看来，若没有健康，姿色便没有。这样看来，法国妇人因限制产儿，防止姿色衰老，毕竟不过维持自己的健康而已。

第十一章　男女问题的根本解决

一、迟婚之弊害

（一）迟婚与道德的堕落

现代的青年男女比以前的人多有迟婚的。我国生活于农村中的人,以及属于都市劳动阶级的人也不一定是迟婚的,但受中等教育或高等教育的人,迟婚的却是很多。学生之中,虽然也有在学业未成以前结婚的,而为数甚少。为什么青年男女延期结婚呢,这明明是经济上的理由了。学生之中属于有产阶级的人固然是有的,他们延期结婚,并不是经济上的理由。他们普通的习惯,要在毕业之后才结婚,所以除了遵守习惯的简单想法以外,没有别的理由。现在尚为学生而即已结婚的人,差不多是例外,到二十五六岁结婚乃是当然的事,什么经济上的理由,似乎没有。但是充分的把这原因研究起来,谁也可以发见迟婚的理由是和生活问题有密切关系的。

（二）迟婚的理由

有人虽然充分认定迟婚是因为经济上的理由,而对于经济的原因,却还有错误的思想。男子进到结婚生活时,就负有养妻的义务,这是一般人的思想。这是多数青年所以迟婚的理由。这种理由在二三十年以前,的确是事实,但现在的生活却不同了。现在多数女子,都有谋生活的手段,就是结婚,也没有仰丈夫赡养的必要了。受着高等教育的男子,假使和一个女学生结了婚,他也要担负财政上的大责任吗?妻的方面,若从父兄取得学费,结婚之后,不是也可以要求父兄给伊学资吗?照这样,结婚的青年男女把两人所得的学资都合并起来,随时都可以造出新家庭来。尤以劳动阶级,完全不感困难。他们结婚之后,不是可以共同做工吗? 这样看来,养妻一事明明不能成为迟婚的理由。

(三)子女之出生与生活之标准

然则究竟是什么理由使青年男女迟婚呢? 这不消说,主要的原因是在于子女的出生了。经济上的困难,非由结婚而起,上面已经说了。丈夫决不是养妻子的。假使夫妇共同从事一种职业,或者能够从他们的父兄取得学资的时候,他们共同生活比独身生活更能节省生活费了。但子女之出生,于他们的生活发生大影响。做父母的不能不养育自己的儿女,做母亲的也不能不中止伊的职业。这样,一方收入减少,一方支出增加,他们的生活标准,难免于降低了。多数青年男女很能辨识这些道理,所以自己知道早婚的利益,却还是不得已要迟婚的。

二、早婚之利益

(一)早婚与产儿制限

上述的困难,只要实行产儿制限就容易解决。子女的出生若能延期,个个人都没有迟婚的必要。结婚延期要生出怎样弊害,略微接触到社会的实际的人都易了解。无论什么文明国家,不正的男女关系越发增加了。古来对于娼妓制度,有提出种种改良案或救济案的人,到了现在,娼妓制度不但不能扑灭,就是要减少也不可能了。一面傍观着迟婚的事情,一面要净除男女关系的腐败,不是太没有常识吗? 所以要使男女关系纯洁,只有早婚一法。然欲实行早婚,产儿制限实为必要,所以我相信新马尔萨斯主义是根本解决男女问题的最有效的方法。

(二)梅毒全灭法

传染病中最可怕的是肺病和梅毒。梅毒之流毒于人类,不待多言。多数妇人为了梅毒受苦,多数子女,因此变成废疾,变成低能儿,变成白痴。也有不少变成精神病者,所以从善种学看来,梅毒是人类最可怕的一个敌人。然而梅毒之为物,不是生在男女的不正关系以外的东西,要使梅毒绝根,不得不取铲除男女不正关系的手段。而实行这种手段,务在使青年男女早婚,所以我们结局还是归到产儿制限的根本问题。

(三)娼妓之处分

我们研究根本问题,同时也有研究关于娼妓的目前实际问题的必要。我们的理想在完全除尽娼妓,但这种理想又非短日月之内所能实现,这是我们要充分考虑的。我们常常反对公娼制度,即因为要研究目前的必要方法。从卫生方面看,或者从风纪方面看,许可公娼制度之存在,实是大大失计。换句话说,把这种不正的男女关系,暴露在公众面前,到底不是文明人所能堪受的。我以为处置娼妓也和处置污水沟一样,应该要把她关在社会的黑暗地方。然而要用这种手段铲除娼妓,也是大错。世界各国一切宗教家、道德家、社会改良家,都用了全力废除娼妓,却是没有希望。现在我们已经达到由过去事实学得大教训的时机了。就是:我们的解决法,差不多没有触到根柢,以后无论怎样努力都得不到效果的。

(四)理想社会

要除尽男女间不正的关系,奖励早婚是最适当的方法。但是事事都有例外,青年男女就是结了婚,多少不正的男女关系也许是有的。现在有称为色情狂的一种特别人。这种人结不正的男女关系的事也是有的,若用这点来打消男女早婚的利益,就失其公平了。中国圣人描写理想社会时,有所谓国民都得有适当配偶者的一个条件,我以为这是很卓越的见识。我们的理想社会,在这点是相同的。像现在这样,有贫穷人,有独身者,还说什么理想社会吗?我以为理想社会中,不但衣食住的欲望可以满足,同时性的欲望也可以得到满足。

三、早婚者与产儿制限

(一)早婚者何以有产儿制限的必要

早婚必须实行产儿制限。从善种学的见地看,双亲的健康状态和精神状态若不充分,就要把不充分的性质遗传于儿女。产儿制限,不仅由经济的理由才实行,即为遗传的关系,也是要实行的。前面已经说过,双亲在一切方面都圆熟了的时候,能够把最好性质遗传于子女,所以早婚者在未到一定年龄以前,必须行产儿制限。只要时常注意这点,早婚决不会有害于青年男女的。

(二)早婚与性欲教育

有人恐怕早婚会害及青年的健康,我对这点想详细答复一下。我首先要说的,就是对于今后的男女青年要授予性欲教育。若不授予性欲教育而奖励青年男女早婚,我也恐怕竟要损害他们的康健。节制性欲,无论是青年或壮年都有实行的必要,所以对于这层,必须请托专门家,授他们充分的知识。关于性欲教育,第十二章还要详细说的,这里只说过大概。

(三)早婚的益处

心身还未充分发达的青年男女,也可以奖励他们结婚与否,关于这一点很有人踌躇不定的。若是青年男女之中有人能够把婚期延到心身充分发达的时候,即是能够延长婚期到二十四五岁的时候,对于他们若也奖励早婚,或者有人要说这是有害无益的。我并不是无条件的奖励早婚。若是有人能够用坚强的意志抑制性欲,能够保持纯洁生活到二十四五岁,那么,我对于这种青年男女是表敬意的。但是教育若能充分奏效,社会的境遇若是改善了,多数青年或者可以不受什么诱惑而继续清洁的生活了。无如现在这种社会的境遇中,多有陷于诱惑的,中学生之中都有许多发生不正的男女关系。我们不能不考虑的问题就在这一点。二十岁前后的青年若是结不正的男女关系,不如早日正式结了婚,处处地方都要好些,这就是新马尔萨斯主义的主张。虽然人之能够过纯洁生活与否,看他的意志强弱才能断定,我们不能对于一切人都做一样的要求,或者甲的青年早婚好,或者乙的青年迟婚好。所以我们对于一切青年不能都奖励他们早婚,而自然陷于不正男女关系的青年,不如在 20 岁前后结婚较有益处。

(四)早婚者是否意志薄弱

从新马尔萨斯主义的见地看来,早婚之有利已是无疑,而我们的社会中,对于早婚却有一种嘲笑、非难、排斥的怪习惯,多数青年对于早婚多踌躇不决。但若因此而生出许多不正的男女关系,我们就不能抵抗社会上不合理的习惯,断然实行早婚了。一部分青年男女,或许以为早婚是证明自己意志薄弱的事,这是大错。早婚者果真比迟婚者意志薄弱吗?假使迟婚的人若都是守身如玉的人,早婚者对于他们或许有几分愧色,但他们果真纯洁与否,还是疑问。他们纵然不结不正的男女关系,果能不至限于同性爱,或用别的方法玷污心身而损伤自己吗?表面上过较为纯洁生活的人,却往往作出反躬自愧的行为,像这种人,古来究不知有多少。这样说来,早婚者并不是意志薄弱的人,已可以充分了解了。要而言之,早婚和迟婚,是个人自己问心决定的问题。我们的目的,务必要过安全纯洁的生活,所以为了这个目的有采取最适当方法的必要。

(五)禁欲与修养

关于和以上所述差不多相同的地方,还有略加说明的必要。有人以为青年男女抑制性欲是一种重要修养,务使青年男女迟婚才是利益。这种话误解了修养的意义了。克己的习惯养成到一定程度固然是必要的,但若过度了,反生出不利的结果。我常常看见过严寒天气穿着薄衣服用功的学生。像这样耐寒本可说是一种修养,但因为耐寒而耗费许多精力,于求学便有不利了。我相信不如停止和严寒作战而专心努力求学反有利益。

(六)过渡时代所生的弊害

最后还有一种反对论,说产儿制限并不是应该反对,但达到多数青年男女能够实行早婚,须经长久的年月。换句话说,新马尔萨斯主义彻底实行时,或许没有什么弊害,而在未达到这种理想的过渡时代,产儿制限会要被许多青年男女利用作恶。像这种反对论也有一点理由,但照反对论者所说,在过渡时代果被利用作恶与否,实际上不实行产儿制限不能下判断。但在新马尔萨斯主义最盛行的荷兰,男女的风俗最好。我相信依据这种经验实行新马尔萨斯主义是最好的方法。再退一步说,即使有多少弊害,我们也不能因一时的弊害放弃永久的利益。国民要得永远的利益,应当忍受暂时的弊害。实行新马尔萨斯主义,同时又盛行性欲教育,要防止不把产儿制限做不正的用法,也不困难。

第十二章　性的教育

一、性的教育之要点

（一）性的教育之必要

关于性的教育之必要，在前面曾经说过好几遍，现在再在本章详细说说。关于性欲，或许要守秘密到一定程度，但现在我国教育守极端秘密主义，无论从那一点看，都是很不利益的事。中等程度的教育中，关于植物和动物的生殖都教授相当的知识，所以不能将性的一层完全对青年男女守秘密的。因为这样，我以为关于性的必要的知识，应使青年男女知道一个大概才好。在大众面前讨论性的问题，或许有人说是无礼的事，我却相信这是根本的错误。殊不知将性的问题，秘密不论，只有大弊，于我们并无利益。把关于性欲的事情当作可耻的东西，是完全没有道理的。我以为把这种重大的问题当作卑劣的事情看待，实是大不幸。要之，性的问题究竟卑劣与否，全靠处理这问题的方法怎样以为断。假使教育家用严肃的态度，把性的教育授给学生，青年男女必也用严肃态度来敬听的。我以为这种问题，与其在不谨慎的青年男女之间讨论，宁希望教师在讲堂上堂堂正正讲述这问题。

（二）性欲之滥用

现社会中不正的男女关系所以结合得如此之多，自然是因为迟婚的原故，然而也有一部分是因为我们对于性欲太守秘密主义才这样的。性欲的滥用，明明是多因缺乏关于性的知识而来的。我国男女因无知识之故，损害健康，毁伤品性，罹犯恶病，害及子孙，这实是一件重大事情。前面说过，性欲和食欲，同是与我们的生活有重大的关系。然因食欲而损害健康，毁伤品性者极少，而滥用性欲的人却是不少。这不一定是因为性欲比食欲较为强烈，乃是因为我们对于食欲是常常注意的。我们在种种方面，听见过关于食欲的卫生法，至对于性欲，社会上的态度，完全守秘密主义，所以我们要得到关于性欲卫生的知识的机会差不多没有的。这不是我们的一件大不幸吗？

二、性欲之节制

（一）节制

关于性欲一层我们应当先知道的是重节制。节制一事无论在什么方面都有必要，尤其对于性欲和食欲更为必要。《圣经》上关于节制一事，有恳切丁宁的教训。大家都知道的，古代希腊人最重体育。在阿林配克的竞技中，希腊的青年，演了种种的竞技。长距离赛跑得胜者，受月桂冠之赏。而负有这种名誉的青年，平日都十二分注意自身的健康。他们关于饮食等事，都守着热心的节制。所以保罗在《圣经》上说："一切争胜利的人，事事都节制。"这不消说，节制不仅在饮食，对于性欲，尤有必要。

（二）早婚与节制

照这样，节制性欲若有必要，那么，或许有人要疑心新马尔萨斯主义奖励早婚是违背节制的目的了。其实不然，新马尔萨斯主义奖励早婚，决不是承认滥用性欲，而且是注重节制的。早婚一事，决不是放纵性欲。早婚的青年，更有守节制的必要。关于性的教育若怠于实行了，青年男女或许因早婚而酿出可怕的结果来。我所以提倡性的教育的原因，就在于此。关于性的知识完全没有的青年，完全易为盲目的冲动所刺激。他们动辄有依本能所指导而行动的倾向，所以在某种意义说，他们竟是自然主义者。奖励这种青年男女早婚，也和把锐利的小刀给小儿一样。所以我始终是主张节制主义的必要的。这种节制，不但青年人应当实行，就是壮年人也要实行。节制正可说是文明的象征。野蛮人单由本能而行动，文明人是由理性而行动的。依本能而满足性欲食欲，是野蛮人之常，文明人对于这些欲望是常常加以限制的。像这种制限越是增加，文明人程度越是向上。换句话说，文明是我们人类头脑的结果。不节制性欲,决不能有明晰的头脑。所以我们奖励早婚是拿节制做附带条件的。以后的青年男女,务以早婚为好,但不能不具有不滥用性欲的决心。我们的文明是我们由节制得来的结果,若想到这一点,个个青年,都要过文明人的生活才好。

（三）性欲与食欲不同之点

学者之中,有人说性欲应当看作和衣食住的欲望相同的。我相信这话就某种意义说,是有真理的。我们不能完全废止衣食住的欲望,同样,我们也不能抑制性欲。至少我们知道这两者之中,无论对于哪一种倡禁欲主义都是很不合理的。像古代高僧所实行的一样,要绝对禁止性欲,虽然不是不可能,但这也值不得我们来称赞。绝对禁欲主义,果是人类的理想吗？独身生活果真像某一部分人所说,是人类最高的生活吗？据我所见,禁欲并不是人类的理想,结婚生活也不是凡庸的生活。所以我相信满足性欲也和满足衣食住的欲望一样,也是增我们幸福的必要东西。但节制食欲和节制性欲之间有不少差异之点。食欲是在一定时间内发生的,若不得到满足,不但使我们感着苦痛,而且损害我们的健康。在这点我们感着许多困难,因食欲而损害健康的事也很多的。至于性欲,在要求满足的时候,和食欲有不同的地方。而且在要求不能满足的时候,也并不直接损害我们的健康。尤其是 20 岁前后的青年男女,不但不因节制性欲而损害健康,而且就是绝对的禁欲,也没有什么不利。这样看来,我们必须承认食欲和性欲之间有些地方是不相同的。

（四）迟婚的程度

我们一般的是奖励早婚,而对于某种程度的迟婚也并不反对。青年男子,至少过独身生活到 20 岁为止,也是当然的。若是他们之中有延到二十四五岁才结婚,还能过纯洁生活的人,像这种人也是很好的。我们对于青年男女,并不是采取极端的自由主义的。若是青年男女结不正的关系,就不如早婚为上。若是有人能够延长婚期到一定程度,还能继续纯洁生活,那么,我很希望这青年延期到二十四五岁才结婚。我们对于早婚者,虽然劝他们充分节制性欲,却也怕他们有滥用性欲的危险。因此,我以为青年男女能够过纯洁生活,延期到二十四五岁才结婚,是最理想的事。依我自己的希望说,青年若能够延长婚期到一定程度,这是最有利的事情,但是他若能充分节欲,他就是早婚了也没害处。要而言之,在延长婚期一方面,当然以禁欲为必要;在早婚一方面,也是要实行禁欲到一定程度才好。

三、节 制 与 遗 传

(一)性欲节制与优秀遗传

节制性欲不但于早婚者有必要,就是达到了相当年龄的夫妇也有实行的必要。节制要到什么程度为止,这本是因人而异,而大体上有征询专门家的意见的必要,这似乎也是性的教育的一部分。性欲之滥用,不但有害于身体的健康,即于头脑的活用也有直接的影响,所以结婚者对此不能不注意。尤其是生子之时,节制最为必要。为什么呢? 因为滥用性欲的人所生之子,优秀的很少。若是结婚的目的在于恋爱与继续生子,那么,为父母的不能不节制到一定的程度。尤以从事用脑的职业的人,更有实行节制的必要。我在前面,曾经说过"头生儿多笨货"是因为双亲未充分发达的原故,但有些人的意见和我不同,他们的意见如下:新结婚的夫妇,往往因新生活或新婚旅行而过不注意的生活。他们饮酒比平日的量要多。对于重要的节制一层,或许也不注意的。在这种时机生出的子女,其头脑之劣,又何足怪。这是某种论者的说明,我相信这些话很有真理。总之,要给子孙优秀的遗传,做父母的应当充分节欲才好。

(二)特别的节制

上面所述的节制,在结婚生活的时期内时时都应该实行的,但我们更要知道有一个时期是非节制不可的。无论怎样的结婚者,每月约有一星期非节制不可。又妇人生育之后,约有七星期是要休养的,男子在这时期内,必须实行节制才好。然而我国男子到现在还没有受过正式的性的教育,就是对于这些很明晓的地方也不晓得什么,所以必要的节制也似乎不肯实行的。据妇科专门医生说,罹妇人病者所以多的原因,都因为男子不守节制。这样推察起来,多数男子放纵性欲已到极点了。这也不一定是他们的罪过,完全是因为缺乏了性的教育。下等动物之间是实行着本能的节制的。所以他们在一定时期满足性欲,别的时期都行本能的节制。人类是高等动物,受本能所支配的很少,所以性欲的满足,没有一定的时期。人类若依本能的冲动而行动,必陷于滥用性欲,遂至生出可怕的结果来。所以下等动物由本能而行节制,人类要用自由意志来行节制才好。这事在我们,实是一种大修养。

(三)节欲与环境

我们要充分实行节欲,有考虑境遇的必要。性欲的冲动,本来自然的由生理上发生出来的,但也有因为受外部的诱惑所刺激的。我们固然没有强制地抑止性欲的必要,也没有故意挑拨性欲的道理。我们往往有因微少的暗示发生性欲冲动的时候。听了狎亵语,读了新闻记事,或者读了小说,或者看了绘画,种种的暗示都能刺激我们。我们的修养工夫,务在于避去这些诱惑。其次,我们还有不能轻视的一事,是食物。食物的种类,直接影响于我们的性欲。先前的僧侣,所以禁止肉食的理由,多少也可推测而知了。这样看来,我们决不是倡禁欲主义的了。我的主张,是节欲不是禁欲。这节欲,在结婚的全生涯都是要实行的。所以我主张的早婚,决不是放纵的意思。早婚而能充分的实行节制,早婚不但无弊害,反是青年男女的大幸福。

第十三章　新马尔萨斯主义运动

一、英、法、荷兰等国的运动

(一)新马尔萨斯主义的本源地

产儿制限论之发生以英国为最早。前面说过,马尔萨斯的《人口论》是在1798 年才公布于世的。其后人口问题,在经济学者之间,虽引起了多少的注意,而就马尔萨斯的产儿制限论多所论列的人却是没有的。有名经济学者约翰斯杜华弥勒之父节姆司弥勒,曾论述过产儿制限的必要。他公然地论述这问题,用心很深。他的友人福兰西斯布列司是一位学者,是一个急进的改革家,痛快的提倡了产儿制限之必要。其后 1831 年,出了一个有力的产儿制限论者,他是有名的社会事业家罗巴特涡文之子,名叫罗巴特杜尔涡文,发表了一部《伦理的生理学》的书,书上公然说出了避妊法。后来托里斯特兄弟大宣传产儿制限之必要,其结果新马尔萨斯主义,遂得普及于全欧。1876 年,布拉特罗和冰桑德夫人,散布了关于避妊的小册子,受了法庭的裁判。于是新马尔萨斯主义运动,遂遍传于社会,次年英国产儿制限的实际运动就开始了。

(二)实行了的法国和荷兰

新马尔萨斯主义的理论的方面,英国宣传最早,至于实行的方面则推法国为第一。法国实行产儿制限已久,人口的数目,时常静止在同一的程度。其次实行产儿制限最多的是荷兰。荷兰政府默许人民限制产儿,医师和看护妇,公然用产儿制限法教人。无论什么人,跑到看护妇事务所去,只要些少手续费就可以学得产儿制限的实行方法,或者有时连手续费都不要。荷兰新马尔萨斯主义协会是 1881 年设立的,是阿姆斯特坦市女医雅各布所创办。又在 1885 年设立了关于避妊法接谈所。这是世界最初的试验所。海牙市罗特查斯博士是新马尔萨斯主义协会的书记,终生为此尽力。他又为宣传这种主义养成了 50 名以上的看护妇,这些看护妇到处宣传其主义,因此,荷兰的新马尔萨斯主义运动,其进步非常可惊。今就统计表把荷兰的生育率和死亡率减少的程度表示出来。尤其是幼儿死亡率,已是显然减少,这是我们不能不注意的事实。单就这点看,也可以充分了解产儿制限是于国民卫生上有大影响的。

(三)荷兰的好成绩

阿姆斯特坦市的生育率和死亡率(依人口每千人计算)　　(单位:人)

	生育率	死亡率	幼儿死亡率 (满 1 岁以下)
从 1881 年到 1885 年	37.1	25.1	203
从 1906 年到 1910 年	27.7	13.1	90
1912 年	23.3	11.2	64

海牙市　　　　　　　　　(单位:人)

	生育率	死亡率	幼儿死亡率 (满 1 岁以下)
从 1881 年到 1885 年	38.7	23.3	21.4
从 1906 年到 1910 年	27.5	13.2	99
1912 年	23.6	10.9	66

洛兹特尔坦　　　　　　　　(单位:人)

	生育率	死亡率	幼儿死亡率 (满 1 岁以下)
从 1881 年到 1885 年	37.4	24.2	209
从 1906 年到 1910 年	32.0	13.4	105
1912 年	29.0	11.3	79

（四）其他实例

据以上所述统计看来,荷兰的生育率自 1881 年以来,逐年减少了。同时死亡率也随着减少,尤以满 1 岁以下幼儿的死亡率,减少得异常可惊。1915 年澳洲的生育率,为 27.3‰,同年新锡兰的生育率为 25.3‰,1915 年合众国的生育率为 24.8‰,1913 年德国的生育率为 27.5‰,这样比较起来,荷兰的生育率,到最近更为减少了。我们单看这点,也容易知道产儿制限运动已经充分奏效了。

二、合众国的运动

（一）合众国之禁止令

合众国关于产儿制限运动,占最不幸的位置。当 1770 年时,产儿制限运动,多少也发达了,而纽约市却不知为何设定了法律,禁止人民教授产儿制限的实行法。后来各州都照样制定了法律,甚至中央政府也发布了禁止的法律了。产儿制限在口里说是可以的,至于实行方法,无论在什么地方都不许提倡。新闻杂志及书籍等若有发表实行方法的固然要受禁止,即用通信将方法告人,也当作违背法律看的。若有人违犯者处千元以下之罚金,或处监禁一年。有时罚金和监禁两者都处罚的。一切地方都采进步主义,又许可思想自由的美国,惟有对于产儿制限一事采取这种愚谬政策,不是很奇怪吗?世界文明各国,除美国以外,我没有听见过制定这种法律的国家。美国政府不充分考虑便制定这种法律,实是美国的大不幸。

（二）禁止之理由

为什么美国对于产儿制限采取极端的保守政策,这实在不容易说明。1770 年到现在已有五十多年。当时的顽迷的道德家最占势力,这是我们所能想象的。不充分了解新马尔萨斯主义的精神的人,对于产儿制限当然要生反感。就是现在,也有不少顽固者,以为许可产儿制限就是使青年男女的道德堕落。50 年前的美国人有这种谬见也不足怪了。我又想象宗教家中也会有反对产儿制限的人。就是产儿制限的目的,也还没有充分研究的余暇,就直觉地下判断来制定产儿制限的法律,这不是当时纽约州会议员的心理状态吗?他们或许以为是从宗教和道德的见地下了公平正大的判断的,而不知他们的行为,永远于美国生出不利的结果。英国和法国固不待言,即如德国、比利时、荷兰、澳洲等文明国家,关于这问题也并不干涉,这实是贤明的方法,我们不能不感佩。

(三)桑格夫人

我们要记着,美国有一个热烈的产儿制限论者桑格夫人。伊曾经坐过好几次监狱,现在还为着产儿制限,为着废止恶劣法律,继续运动。伊不仅是宣传者,又是实行家。伊有子女两人,自己证明了好好教育少数子女是双亲的义务。桑格夫人做过14年的看护妇,为视察新马尔萨斯主义运动,曾到欧洲一年。归国之后,伊明知有违美国法律,却一面和两个朋友在布尔克林开了一个事务所,把产儿制限的实行方法,告知附近居民。事务所只有房子两间,每日来客满室,十日之间到那事务所访问的达480名。第十日为警吏侦知,事务所即被封禁,桑格夫人和伊的两位朋友,都被拘于警署。

(四)法庭之判决

桑格夫人所遭的牺牲,决不是无效的。后来法庭中有一裁判官所下的判决,反生出意外的好结果。他就产儿制限的法律,给了一种很宽大的解释。依法律条文中的规定,只有医生遇着妇人罹病的时候,可以把产儿制限的实行法告诉伊。裁判官用极广的意义解释疾病二字,妇人身体稍有异症就算是疾病,医生可以传授产儿制限的方法。像这样判决,医生无论什么时候都可以违反法律,传播产儿制限法了。这可说是缓和美国这种蠢法律的适用,为产儿制限运动开了一条活路。

(五)禁止产儿制限之弊害

美国这项法律的适用,虽然多少得到缓和,若不根本废除,终不能显出产儿制限的利益。很感着有产儿制限的必要的贫民阶级所以完全不知道实行方法,大概因为这项法律的原故。至于美国因这愚劣法律,直接受了什么损害呢,据有些人说,美国每年堕胎之数达百万以上。其中也有因为男女结了不正的关系而堕胎的,也有因为正当的父母为了不能养育子女而堕胎的。人民既然冒着堕胎的危险也要实行产儿制限,国家何苦不公然承认把极安全的制限方法告知他们呢? 为偏狭的道德思想和宗教思想所误而默许这种危险的产儿制限法的美国,无论从那一点看,都有充分受非难攻击的价值。

三、日本对于这种运动的态度

(一)法律之难废

法律一经制定,本来不易废除的。所以制定了愚劣法律的国家,就不能不永远忍受那种恶结果。就是日本,我们也有着和这相同的经验。譬如日本的治安警察法,无论从那一点看,都不能看作文明国的法律。国民的舆论,虽然久已倡议废止,却不易达到目的。国家的法律,固然要有相当的威严来维持,所以新定的法律,不久又要废除它,决不是上策。日本政府所以不容易改变治安警察法,大概是因为这个理由了。若是法律是不易改废的,那么,我们制定法律时,就有十二分考虑的必要了。产儿制限是文明各国中的重要问题,所以对于这层,就是有保守者出来反对,也要大加慎重,不可轻忽制定像美国那样的法律。

(二)日本的运动

从此以后,产儿制限在我国更觉得有实行的必要。我们切望国民早一日地注意这问题。而热心于这种运动的人,对于以后的运动也有充分考虑的必要。我们宣传新马尔萨斯主义,没有举行大大的运动的必要,也没有组织团体的必要。干普通选举运动或干撤废治安警察法的运动时,有务必集合多数人为一致运动的必要,至于产儿制限只要能宣传于各个人就可以达到目的了。组织团体从事显然的运动,必招起保守者的反对,所以我以为新马尔萨斯主义,只要宣传于感着产儿制限的必要的人,就算达到了目的,不如用质素的方法去宣传为上。

（三）警察的谅解

伦敦有许多产儿制限论者，曾经获得了警察的谅解，把说明产儿制限实行方法的印刷物，分配于贫民窟中。我相信我们若实行这种运动，最适当的方法，要得警察的谅解。产儿制限本来于贫民阶级最为必要，我们将来若得到警察的谅解到贫民中分配印刷物岂不是好吗？

四、产儿制限的实行方法

（一）医生与看护妇

产儿制限的问题，易生误解，不是专门家，至好不要说产儿制限的实行方法。以后的医生和看护妇，若充分地研究了这问题，只有他们去传授实行的方法最为适当。我现在知道医生之中有喜欢研究这问题的人，若有人感着产儿制限的必要，我随时可以替他介绍。假使产儿制限能引起多数人的注意，将来医生和看护妇之中研究这问题的人必会增加起来，个个人都可以因此得到许多便宜。

（二）产儿制限的实行方法

产儿制限有种种实行的方法，大概说起来，似乎都是很简单的。把这种方法教人，差不多并不要费力。而且无论是谁，也不应将这种方法独占。荷兰的看护妇和医生把这种方法教人，并不收费，我希望我国的看护妇和医生也是这样才好。话虽这样说，多少的时间和劳力也是要的，收两三角的手续费也不为过。若乘着他人无识而要求多量的手续费，那就是违背了新马尔萨斯主义的精神了。我们希望始终要为人类幸福宣传这种主义，同时要无报酬地宣传这种主义！

附录　生育制裁的什么与怎样

（美国珊格尔夫人在北大讲演，

胡适之教授翻译，小峰、矛尘合记）

今天我在此地能和这许多有思想的青年讨论这个问题，我很惊奇而且很觉得荣幸。此次我因为要赴伦敦的国际生育制裁大会，所以路过中国，想来大家都已经知道，如果世界各国里都没有"生育制裁"的政策，便都不能算是文明国。

生育制裁的问题，是新社会哲学中的一个中心问题，是精神和文化的要求的表征，不只是经济上的问题。而且这问题并不是新发生的，早就发生的了，这便是所谓人口问题，如柏拉图、亚里士多德，在那时便都想设法对于人口的增加加以制裁；但当时的方法是不对的。他们的方法是堕胎和杀婴。现在我们是要以科学的方法来使之不孕，并不是等受孕以后再来堕胎，或是等生出来了再来杀婴。

现在我们且睁开眼来看一看：全世界没有一个地方，是没有贫穷失业和感受其他苦痛的人的，如儿童工作、妇女工作等。曾有人说这些病根，是关于经济的、资本的和生计的问题；也曾有人说是因为缺少宗教和其他道德的缘故。但我以为这问题不是关于宗教的或经济的，是一个生物学上的问题，是因为人口太多的缘故；然而这并不是我的创见。在 20 年前，英国的大文学家大哲学家惠尔斯（H.G.Wells）曾有过预言，说如果对于人口的繁殖不加限制，对于种类也不加限制，将来因此便可以酿成一个空前的大祸。在他说过这话以后的十几年，到 1914 年便发生欧洲的大战。这是因为如果对于生育不加制裁，人口增加的速度是很快的，而智识、科学和经济的进步是不能像人口增加的速度那样快；结果人口的增加便超过了人类文化所能教养的能力，而且因此发生了大祸。不只如此，而且使人类养成一种"妇人之仁"，和自然相反对；自然界中本来有生存竞争的一种现象，则强者优者自能生存，而弱者劣者便应淘汰。现在养成了一种假仁假义的慈悲心理，便不配生存者也生存，不当繁殖者也居然繁殖。种类必是一天比一天地衰弱，而且大祸的发生一定是免不了的了！

现在西方各国关于生育的问题，有一种很怪的现状，可以报告给诸位，使东方的智识阶级有所警戒。西方近五十年来，一般上等社会的人都知道对于人口的增加是要加以限制的；如丹麦、瑞典、挪威、荷兰、德国、英国甚而至于美国在近五十年来已有许多人实行限制生育了——但不是公开的，然而实行的范围只限于上等阶级的少数人，因此无形之中便发生了大家庭和小家庭的两个阶级。小家庭是属于知识阶级的，只有极少数的儿童，而且都是很好的，个个都可以养大，有富裕的财物，可以使儿童们受相当的教育，不致半途辍废，而且可以使他们受高级的教育，做社会上领袖事业，虽说是少数的，势力都很大。大家庭便是大多数的贫苦者；本身很贫苦，对于生育却不加制裁，虽不能教育儿童，但七子八婿，五男二女的却很多，为父的既不能给儿童以相当的教育，为母的又因生计问题而出外去工作，不能抚养他们，所以儿童们夭折的很多，即不夭折也只得到工场去工作。且还有很多死亡的产妇和婴儿；而瘟疫疾病痛苦及种种罪恶，也都由此发生。如美国的统计，每年有 30 万儿童都不到 1 岁便死的，其中有十分之九是因为不能养育而死的。虽曾设立许多医院及看护，对于这种死伤加以救济；然不用根本的解决法，到了明年，在这 600 万的妇女当中仍可以生出 30 万的儿童来死的。要是根本的解决，便当实行生育制裁，从所有的大家庭着手，使都缩减成小家庭。

方说的大家庭和小家庭，其区别是在小家庭的阶级能以人力来制服自然，为自然的主人，不为自然做奴隶；大家庭的方面便是顺从自然的冲动，不加抑制，为自然做奴隶。这是由于智识的深浅而酿成的两种现象。小家庭方面的人，因得了智识的益处，所以儿童也少，家庭也好，很享快乐。他们还用富余的财力，对于穷苦的小百姓们来做种种的慈善事业，但有一件根本的事情，他们是不使小百姓们知道的。这件根本的事情便是裁制生育。他们以为要把这秘密的根本智识宣传出去，是违反上等社会的道德的；所以他们宁肯捐出些金钱来，做这种皮毛的救济。现在且举一个例：诸君谅都知道凡儿童不到他应当工作的年龄而使之工作,在各文明国里都认为一件极不道德的事。美国议会中曾有儿童工作委员会的设立,凡不到工作年龄的儿童都不能使之工作。这在表面上看来,似乎是很慈善的了。然而我以为这是一件做不到的事情。如果不实行生育制裁,却要使不及工作年龄的儿童不做工;如医一种身体内部有微生虫的病,虽把皮外的微生虫烧死,表面看来已经很好,但过了几天,患病的人还是要因为内部的微生虫的发作而死的。若要以表面烧毒的方法,来使不到工作年龄的儿童不做工,等将来还是有一班不到年龄的儿童来做工的。我以为应当使儿童工作委员会中包入了我们生育制裁的主张,或者还能减去些这一类的现象,如果仅仅施行这种表面上的救济方法,则儿童仍是要工作,而这种救济的方法也仍是无益的。要是头痛医头,脚痛医脚,不想法子来根本地解决,那有什么用呢?

最奇怪的现状是:无论何处对于科学的研究,其成功都为社会所承认的。如种花,怎样接枝和怎样的选种,都曾有人研究的,种菊的时候,我们定要选个好种。如种果木,对于桃子橘子应该这样的栽植才好,都设有研究所的,如使橘子没有核,等等。即对于鸡,也曾有费了许多金钱,来研究鸡种的改良,关于这一类研究的成功,大家都承认的,且都以为是应该的。即对于猪鸭牛羊等等的选种,也曾有人来专门的研究,且也很甘心地费许多金钱。但是在世界各国中,尽肯耗费许多款项来设立许多关于鸡牛羊猪……的种类的改良所,却没有一国肯化费一文钱来设立一个人种改良的研究所。即如中国立国已经几千年了,历来都是主张有后的,而且把男子看得很重,没有男子,只有女子,便只能算作无后的,但在这几千年之中,对于人种的选择也没有研究出一个结果来,使要生男子时便生男子;这是一件很奇怪的事情。现在我们要来提倡生育制裁,使人种改良,那些文明国不但不加赞助,且竟出而反对,加以种种的干涉,如监禁罚款等。只有对于鸡鸭牛羊……的种类改良可以设立研究所,研究者可以得到官俸,并加以种种的奖励和赞助,唯独对于研究人种改良的是要反对的,不特不加奖励,反要加以种种的科罚和笑骂,而且在现在的文明国中都发生这种现状。现在我敢大胆地说:人类的增加已经够了,世界文化所能教养的能力,并不是因为没有空隙可以容人,所以关于人类的增加应该加以制裁了。看近来社会上有些失业者,贫穷者和其他感受疾病痛苦的人们的多,便可看出世间的科学和智识,已经不够支配所产生的人们了。

虽然我是一个极主张而且极敬仰个人自由的人,但对于个人生育的自由,我是主张加以限制的。我们现在把生产儿童看作一种义务,看作碰运气的事,我希望将来会成为一种特别的权利:使配生育的人才能生育,而且应有一种严格的裁制。但是究竟用什么标准来定谁是配生育,谁是不配生育呢? 现在约略举出四条来说一说。

第一,凡是身有可以遗传的病的父母不许生育。所谓可以遗传的病,如白痴、神经病等是。这是无须我来证明的,稍有知识的人一想便知道。因为人口是以倍数增加的,如遗传病的人也生育,数百年后,这种病人便要蔓延到各处了。

第二,暂时有重病的人不应该生育。如有肺病和心脏病之类,虽未必遗传,而在医生未证明无病之前,应暂时节制,不能生育:这也不用申说的。

第三,女子至少到23岁才可生育儿童,不能再小。诸君或者要说女子在10岁时也会生壮健的孩子。但我们所要的是好孩子,是母亲的知识发达以后所生的孩子,不只是肥头胖耳就能满足。我主张结婚要早,生育要迟。结婚之后用裁制生育的方法,使男女到配做父母的时候才生育。结婚早了,可以免除社会许多的罪恶。最显著的,是(1)娼妓制度,(2)花柳病。娼妓制度的由来,大抵是少年不愿有小孩,因而不结婚或延迟结婚的缘故;花柳病便可由娼妓传染而来。所以我主张不生育的早婚。

第四,母亲如在过她苦工的生活,没有休息的时间,也不应该生育。因为这种母亲生下的孩子,发育不完全,胸襟也不发展。据苏格兰的调查,十二三岁即在工厂做工的女子,后来一出工厂便和人结婚,未曾休息,所生的儿子,十之九是低能儿。这种现象是应该避免的。我们为人类生子,不是要增加数目,是要增加资格。我们以为人类有了这几种消极的限制,将来产下的孩子一定要好些。

自这种运动发生以来,反对的论调很多;但我们敢说始终没有遇见过一个持之有故,言之成理的论调。所以我现在不对诸位讨论,实在也不值得讨论。我知道诸君很想晓得实行的方面,但这是医学家的专门的问题,我们今天不配讨论。我们运动的目的,是在鼓吹各处设立医院有专门的医学家,用宣传的精神,教给男女们最新的裁制生育的方法。例如荷兰幅员甚小,又处于大国之间,人口问题,非常切要:人口增殖,易与各国发生冲突;所以他们采用根本的解决法,裁制人口。35 年来,国内共设立了 55 处公共医院,用新法教人,使人人有约束生育的能力。这种提倡的结果,成效很大。据荷兰陆军中调查的结果,平均每个男子的身长增高了 4 寸。所以实行生育裁制之后,可使做父母的不生育则已,一生便是好孩子。我们所要提倡的就是在各处设立医院,使男女们能得正当的教训。但是现在还没有这种医院的设立,所以不能不讨论几条裁制的方法。

现在所要讲的实行生育裁制的方法共有三组:

(1)断欲或节欲法。主张断欲的人,以为男女间的关系根据于精神上的爱情,不专限于色欲。故结婚之后是可以断欲的。古代所谓柏拉图的爱,就是这样的主张,现在也还有人相信这个说法。我们能够做到这一步,固然是很高尚,但这个不在我们所欲研究的问题之内,因为他们已得到了解决,并且只有少数人能做到。我们所要讨论的,是要人人都能做到的。

节欲法是根据这个见解来的,就是说妇女每月之内有一个安全期(从月经止后两礼拜,到月经前三天,名安全期),在这期内交媾,不会怀孕,因为卵子都死了。但此说不甚可靠,因为各人的生理不会完全相同。例如这次德国有 5 万退伍的军人,采用此法避免生育,结果只有 1% 有效验。可见此法不甚适用。

(2)断种法。用断种的方法使男的或女的不能生育。这个方法又可分为两种:①用 X 光放射男女的生殖器,使种子变弱,以后虽仍有色欲的能力而无生育的能力。但是这种方法尚在试验的时期,不能有十分的保证。因为受过试验的人,有果然就断了种的,有过了两三年仍旧回复的。现在所要研究的大问题是如何能操纵 X 光。据德国波尔铁马的医学大家霍克的研究,一年后可以成功。使放射 X 光时可有一定的分量,要断欲一年便一年,要断欲二年便二年,可以任意操纵。现在有许多女子很怕生育的裁制,因为受了裁制以后,再要生时不得生。如有科学的保证,要受孕仍可受孕,他们就胆大了。这种注射 X 光线的方法,全无苦痛,并且不是使男女自后无色欲能力,不过把男的精虫女的卵子消化,没有娠育的能力罢了。②外科的手术。这种手术有两种,一种是用于男子的,一种是用于女子的。女子的生殖器自阴户到卵巢有个喇叭管,精虫通过喇叭管和卵子相联合,便能怀娠。倘把这管子割断,精虫和卵子不能相遇,就不能怀娠了。这种的手术极繁重,而功效则甚大;不但能免娠,且能减少疾病,强健身体。男的是割断输精管,输精管割断之后,精液可出,精虫不能出来,仍有性的兴奋而不能生育。其结果是很好的,能使人的身体强健。这两种方法可以叫作军事的行动,用以防止不配生育而要生育的低能和神经病者的生育的。他们不能禁欲,只好用这个方法强迫他们不能生育。这原来是消极的方法,结果却很有益处。德国有一痫者,因防止其生殖,将输精管割断,不久痫病也就好了。这种例在西洋是很多的。现在西洋有许多女子并非因为遗传而要防止,为了儿女众多的累赘,自己愿意到医生处去割。这些话在大半听众都是男子的面前讲亦许不信,但这是事实。我认识的人已经割的有十几位。然这方面是专门的,须经医生的手术,我怕不能普遍。现在再讲第三组。

(3)机械的方法。这方法亦有两种,一种是男子用的,一种是女子用的,都可由个人自己操纵。讲到这个问题,我们总以为不甚郑重。其实男女的性的关系的本身,可以说是高尚,也可以说是堕落,要看我们怎样去用它。我们把它看得很高尚,便高尚了,我们把它看得很下流,便下流了。性的本身并不是不高尚的,也不是不道德的。如果不懂得这点,还不配谈这个问题。所以我们不要存不庄重的态度,这个问题实可作为一个新精神新生活的起点。

男子所用的方法有两种。其一是忍精,即交合时,精尚未泄,便把生殖器拔出。其二是用套子。这两种是很普通的,但是都不甚好。因为这样虽然可以避孕,而不能常用,常用了容易使男子发生神经衰弱的病。男子既不合式,便不得不研究妇女自能操纵的办法。德国医学家发明一种方法,35年来试用很有成效的,就是用橡皮塞子塞住女子的子宫,使男子的精虫和女子的卵不能相遇,可以避免怀妊。这种橡皮塞子由药房供给,可用至两三年,人人可用,家家可用,是很普遍的。如女子的生殖器和平常不同,可以用第二种方法,即以药塞入,使它融解。

塞子宫的橡皮帽是很小的,刚挡住子宫之口,使精虫不能与卵子相遇。懂得这个原理,不一定要用橡皮。在荷兰是用两三寸大的海绵,浸于水或醋内,在交合之前塞于子宫之口。没有海绵，棉花也可用得。

在一百多年前，拿破仑打破德国，兵士到处奸淫。乡下的妇人们，发明了一种方法，用一块熬过的猪油塞在生殖器内，便可不受娠。当时不知道其中的道理。现在经过科学家的研究，方知精虫不能透过油质，生殖器内放了猪油，足以阻碍精虫和卵子之交通。所以第二种方法，即用可可油做成塞子，塞入阴户，既可融解，且也可以挡住精虫。这类的方法很多，懂得它的道理，就随便可以应用。还有很多其他的方法，但因时间的关系，不能详讲了。

我现在总起来说，生育裁制的重要，想诸君一定承认了。我希望在中国也组织一个协会。这次美国派一百个代表，赴英国的国际生育裁制大会，我希望下一次开会时，中国也能派出这许多的代表。简单说，这个问题是新社会哲学的中心。诸君都是少年人，常常梦想革命，梦想社会的改良等等。但人口问题一天不解决，这些梦想都是空的。所以我希望诸君坦白地、老实地研究这个问题，帮助人类造成国际间永久可靠的和平（《录晨报附刊》）。

李达启事*

（1923.1）

　　鄙人别号鹤鸣，此次由沪返湘，专在自修大学担任教职，并未他处就事。昨日各报载审计院公职员人名中有与鄙人名姓相同者一人，系另一李达。兹因各方友人之函询，特登报声明。

　　（原载1923年1月8—10日长沙《大公报》）

---

　　* 这则启事原文无标点，标点系编者所加。——编者注

《新时代》发刊辞*

（1923.4）

本刊是湖南自修大学同人创办的，也可说是同人发表研究所得的机关报。

本刊和普通校刊不同，普通校刊兼收并列，是文字的杂货店，本刊却是有一定主张、有一定宗旨的。同人自信都有独立自强的精神，都有坚苦不屈的志气，只因痛感着社会制度的不良和教育机关的不备，才集合起来，组织这个学问上的亡命之邦，努力研究致用的学术，实行社会改革的准备。虽然自修大学创办伊始，同人的理想还在试验时期，将来成绩如何，不能预告，但是这出发的目标，自信非常正确，若凭着那种精神和志气做去，必有成功的希望的，本刊便是一个实验的标准了。

因此本刊出世的使命实在是非常重要。将来，国家如何改造，政治如何澄清，帝国主义如何打倒，武人政治如何推翻，教育制度如何改革，文学艺术及其他学问如何革命、如何建设等等问题，本刊必有一种根本的研究和具体的主张贡献出来。倘能借此引起许多志同道合的人们从事这种社会改造的事业和研究，那是同人所十二分盼望的。

（原载 1923 年 4 月 10 日湖南自修大学校刊《新时代》第 1 卷第 1 号，未署名）

---

* 本文原标题为"发刊辞"。李达应毛泽东邀约担任湖南自修大学学长期间，创办并主编了该校校刊《新时代》。据考证，这篇"发刊辞"系李达所撰。——编者注

德国劳动党纲领栏外批评[*]

（1923.4）

一

（一）"劳动是一切财富及一切文化底泉源。而有益的劳动,唯有在社会之内,唯有依傍社会才可能;所以社会底全员对于劳动底全部出产物,都有平等的权利"。这一条最初的部分是:"劳动是一切财富及一切文化的源泉"。

劳动并不是一切财富的源泉。"自然",也和劳动一样,是使用价值的源泉(而物质的财富在本质上是由那使用价值成立的)。劳动的自身,不过是一个自然力,即是人类的劳动力底表现。上面所引用的那句话,在一切儿童所用的初学书中都写着的,若把劳动只当作是借助于适当的目的物和手段而显著效果的意思来解释,本来是正确的。但社会党的纲领,却不应使用那种资本阶级的语法,却不应漠视那语句专赖以生意义的条件之存在。若是人对于自然(一切劳动工具及目的物底唯一源泉)的关系,变成了一个所有者,即是,唯有人能把自然当作自己的所有物来处理的时候,他底劳动才产出使用价值,才产出财富。于是资本阶级就有付给超自然的创造力于劳动的巧妙理由。因为劳动而倚赖于自然,其结果,是除了自己的劳力以外别无所有的人,在一切社会状态及文化状态中,就不得不充那般握有外物的劳动条件的人底奴隶。那么,这被掠夺的人,就只能受他人的许可而做工,只能受他人的许可而生存了。

然则我们把这命题任意引下去,请问将要引出什么结果来呢? 那就明明白白要这样说了:

---

　　* 《德国劳动党纲领栏外批评》即马克思所著的《哥达纲领批判》。——编者注

"因为劳动是一切财富底源泉,所以社会底各员除了劳动底产物以外,就不能取得财富。因此,不论何人,凡自己不劳动的人,都依赖他人底劳动而谋生,牺牲他人的劳动,而享乐于文化了。"

但是他们不引出这种结论,却用(in as much as)的接续词,婉曲的提起第二个命题,并且不从第一个命题,而从这第二个命题引出结论。

这第一条的第二部分是:

"有益的劳动只有在社会之内,而且只有依傍社会才可能"。

依第一命题,劳动是一切财富及一切文化底源泉,因而没有劳动,社会就不可能了。但现在却听见相反的话说:没有社会而"有益的"劳动是不可能。

照这样说来,人当然可以说:唯有在社会之内,无益的劳动而且就是有害的劳动也可以成为产业底一部,唯有在社会之内,人可以懒惰过活了。简单说一句:照这种笔法写下去,正可以把卢梭底学说的全部都剽窃到这里来。

此外,"有益的"劳动又是什么?

这名词只能表示那达到人所愿望的,有效用的目的的劳动底意思。照这样说,野蛮人(人在脱离猿猴状态时即是野蛮人)用石子扑击动物,或者摘取果类,就是干了"有益的"劳动了。

第三,再考虑那结论,那结论说:

"而有益的劳动,只有在社会之内,而且只有依傍社会才可能,所以社会底全员,对于劳动的全部生产物,都有平等的权利"。

这个结论真妙!若是有益的劳动只有在社会之内而且只有依傍社会才可能,则劳动底产物属于社会,而除却维持劳动条件,即维持的所必要分量以外,即交付于劳动者了。

实际上,这个命题,常常为一班拥护社会现状的人所主张的。第一,政府及其一切附属物底要求就首先发生了,因为政府是维持社会秩序的社会机关。其次各种私有财产底要求也要发生了,因为各种私有财产是社会底基础。诸如此类不必列举。像这种空虚的语句,明明是可以附会,可以曲解的。只有照下面的意义解释的时候,这条中第一、第二两节之间,才多生有意义的关系。就是:

"劳动只有当作社会的劳动",或者(和那句话的意义相同)"劳动只有在社会之内,只有依傍社会,才能成为文化及财富的源泉"。

这个命题的确是真实的。因为孤立的劳动(适当的物质的条件若是存在)固然能够造出使用价值,却不能产出财富和文化。

但是下面一个命题也是真实的。

"劳动成就社会的发达,因而变成了财富和文化的源泉,依这个比例,而贫困和悲惨就在劳动者方面发达,财富和文化就在非劳动者方面发达了"。

这是过去全部历史不变的法则。所以与其说些关于"劳动"和"社会"的暧昧概括的话,何不如把资本家社会中能使劳动者并且强制劳动者增加社会的诅咒的物质的及其他各条件所以发生的原因表明了出来。

但是实际上,文章和内容都有缺点的这一条,全体都是要把拉萨尔派(Lassallist)"劳动产物全收权"的标语描在党旗上的原故才写出来的。关于"劳动的产物"、"平等的权利"等事,往后再行说明,因为这同样的思想,后面还曾用过稍或不同的形式再引证出来的。

(二)"在今日的社会,劳动机关归资本阶级独占。其结果生出劳动阶级底隶属,便是一切形式中的贫困和屈服底原因"。

这一条是从国际工人协会底规约借用的,而在那"改正的"形式中却弄错了。

在今日的社会,劳动机关归资本阶级独占(土地底独占,实是资本独占的基础)。国际工人协会底规约中和这一节相当的处所,并未曾明示独占者阶级。

我们只曾读过"劳动机关即生活源泉底独占"。而"生活源泉"这句附加语,明明是表明土地包含在劳动机关之内的。

这个改正之所以采用的原因,因为拉萨尔为了一般所通晓的理由,不攻击地主、只攻击资本家的原故。在英国,资本家而握有筑造自己工场的土地的实在很少。

原文第三条是:

"解放劳动者的要求就是:劳动机关要作为社会底共有财产;联合的劳动要协同处理;劳动底产物要正当分配"。

"劳动产物"是什么? 是现实的产物呢,或是那产物的价值? 若说是产物底价值,那么,那是产物的总价值呢? 或者是劳动在所使用的劳动机关上附加的价值呢?

"劳动产物"一语是拉萨尔所使用的暧昧的名词,没有正确的经济的意义。

所谓"正当分配"是什么?

资本阶级不是说现今的分配是"正当"的吗? 又实际上,在现今生产方法的基础上这不是唯一"正当"的分配方法吗? 经济条件不是被法律条件所支配吗? 又法律条件由经济条件而生不是较为确实吗? 又社会主义各派之间,关于"正当"的分配一层,不是也有种种复杂的思想吗?

我们要了解这"正当的分配"一语在这里含有什么意义,应该把第一条和第三条对照一下。第三条揭示着"劳动机关要作为社会底共有财产","联合的劳动要协同处理"的社会;而第一条却说"社会的全员对于全部生产物都有平等的权利"。"社会的全员"吗? 非劳动者(non-workers)不是也包含在内吗? 但是"对于全部生产物的权利"怎样构成呢? 或者只指社会上做工的人员说的吗? 照这样,"社会全员底平等权利"又怎样变成呢?

这仍然是很明白的,所谓"社会全员",所谓"平等权利",只不过是饰词罢了。其本意就是说:在这共产社会中,各劳动者必须领受拉萨尔所说的"劳动底全产物"。现在我们若是把那"劳动产物"的名词当作实际的产物的意思解释,那么,这联合劳动底产物就是社会的总产物了。

那么,从这总产物中应该除去三部分:

第一,补充生产机关所必须的部分。

第二,扩张生产所必要的补充部分。

第三,为预防灾害及天然灾异等事的积蓄金及保险金。

从劳动总产物中除去这些部分,在经济上是必要的;至于分量要依日常的考虑决定,其中又有依大约计算而决定的;却不能说是"正义"的观念所能测算出来。

除了这些部分以外,全产物底其余的部分是充作消费之用的。

但是在行个人的分配以前,还有应当除去的部分。

第一,与生产的劳动必须费无关系的一般行政费。

这一部比之现社会中耗费于这个目的的费用究竟要减少些,而其减少却要随着新社会发达程度而行。

第二,对于某种需要须行共同的补足的部分,例如教育、卫生等。

这一部分比之现社会中耗费于这目的的究竟要增加些,而其增加却要随新社会发达程度而行。

第三,补助不能劳动者的费用等。简单说,就和现在所说的"济贫费"(Poor relieb)相同。

只有到这时候,那纲领(受了拉萨尔派的影响弄狭隘了的)上所熟筹的分配,即分给消费于协同社会中各生产者之间的分配,才能够开始实行。

那么"全部的劳动生产物"已经明白地减为"部分的劳动生产物"了,虽然从私人资格的生产者取去的东西,对于社会一员的资格的本人,还直接间接地给他以利益。

"劳动全产物"一语,一经分析,已经打破了。同样,这"劳动产物"一语,再经分析也要打破了。

在立在生产机关公有基础上的协同社会里,生产者不交换自己的生产物。生产物中所含有的劳动,不表现为生产物的价值,即不表现那生产物所有的物质的性质。为什么呢?因为现在(和资本家社会不同)个人的劳动,已不间接存在,而直接地成为社会底总劳动而存在。于是,"劳动产物"的名词,因为它的语义暧昧,已遭反对,现在更完全失其意义了。

我们在这里要考虑的,不是发展在固有基础上的共产主义社会,乃是实际上刚从资本家社会产出来的共产主义社会。所以那个社会,无论是经济的、道德的、智识的,在一切关系上,都还未脱离那产生它的旧社会的母胎的熏习。在这个社会里各个生产者,在扣除前面所述的那些应当除去的部分以后,都要正确地把他所给与于社会的东西从社会取回来。他所给与于社会的东西,就是他个人的劳动量。

举个实例,譬如社会的劳动日是由个人的劳动时间底总和成立的,各生产者个人劳动时间,就是他对于社会的总劳动时间所提供的部分,即是总劳动时间中他所占的分子。

他于是向社会领取已做若干劳动(由那劳动中除去他对于共同积蓄所做

的部分之后）的证书。他于是拿这证书由消费品的共同贮藏所取回和那劳动量相当的物品。这即是他在另一形式上由社会取回同一的劳动量。

这里，在等价交换的范围内，那和规定商品交换相同的原则。明明是实行着的了。内容和形式其所以都变化的，是因为在变化的状态之下，无论是谁，除了自己的劳动之外，没有可以给与的东西；而在他一方面，除了个人的消费物以外，没有可以作为私有的东西。但是在这些个人的消费物分配于各生产者的一点，是实行着和等价商品交换相同的原则的，即是一个形式中同量的劳动是和另一形式中同量的劳动相交换的。

于是平等的权利——资本阶级权利——还成为劳动的原则，但是原则和实际，在这里早已不生冲突，而其商品交换中的等价交换，也只当作一般平均的法则存在，并不是在个个方面都存在的。

然而虽然有这进步，而这样平等权利，却还受着资本阶级的限制的。生产者的权利与个人所提供的劳动为比例。所谓平等，即是用"劳动"这种同样的测定标准来测定的。

但是某甲在肉体上或精神上都比某乙为优，所以某甲在同一时间内能够多做工，或者做工较能持久；于是劳动若作为测定的标准，就必要计算那劳动底延长或强度；因为除此以外再没有标准了。所谓平等的权利，就是对于不平等劳动的不平等权利。这时候，一切人都是劳动者，阶级的差别也没有了；但是那成了特别天赋的，不平等的个人才能和不平等的实行能力，却依然默认的。所以平等的权利从他的内容说来也和别的一切权利相同，实是不平等的权利。

大凡权利这种东西，从他的本质来说，只有在使用同一标准来测定的时候才成立。但是不平等的个人（因为他们是各不相同的个人所以不平等）也有可以用平等标准来测定的，却只限于从同一视角来观察的时候，即是从某一定方面来观察的时候。譬如我们把一切人都当作劳动者来看的时候，别的东西就不看了，他们的别的性质就忽视了。又如，一个劳动者结了婚，别个没有结婚；这个劳动者底小孩比那个劳动者底小孩多；等等。假设他们都做了平等的劳动量，都从社会的仓库里领受平等的消费物，那么，实际上必定一个比别个要多得些；这个比那个要富些。若是我们要免除这些不合理的事，那么，权利必须是不平等的，而不是平等的。然而这种不合理，在共产社会底第一期中是不能免的,因为那共产社会经过久产之苦以后刚从资本家社会中产生出来的。权利这种东西,决不能比那社会上经济的设备以及因此而生的社会上文化的发达还要达到更高的水平线。

在共产主义社会底更高阶级中,当着各个人因分业而受的奴隶的服从归于消灭,因而精神劳动和肉体劳动的区别也归于消灭的时候;当着劳动不仅为生活手段而其自身反成为第一的生活要求的时候;当着社会底生产力增加,各个人亦能在多方面发展,而一切共同财富的源泉都充分流出的时候——这时候,才能够超出狭隘的资本阶级的境界,社会才能够在旗帜上写着"各尽所能,各取所需"!

我之所以一方面就"劳动全产物",他方面就"平等权利"和"正当分配"等语详细论述的,就是要表出他们所干的两件事是非常奇怪的:第一,就是把那在先前曾有过多少意义而到现在却成了废话的思想当作信条,免强加在本党之上;第二,就是拔除那从前努力在我们党员中树立的现实思想,而代以民主主义者、法兰西社会主义者所欢喜饶舌的权利及其他空理想。

除了上面所论的以外,我还要指出他们过于注意分配而特别看重这问题的一件事,实是一个大大的错误。无论在什么时代,消费物底分配,不过是现存生产机关底分配底结果。但这生产机关底分配,却是生产方法底特质。譬如,资本家底生产方法,事实上,生产底物质的条件属于非劳动者之手,即属于资本家的财产及土地的财产底所有者之手,而民众却只是肉体的生产条件(即劳动力)底所有者而已。生产底要素既然这样分配,这现今的消费物底分配方法当然要随着发生的。

但是,这生产底物质的条件,若归劳动者公有,那与现今不同的消费物底分配方法,当然也要发生了。假社会主义把那从资本主义经济学者那里学来的东西当作真理(民主主义底一部也是一样,把那从浅薄的社会主义者那里学来的东西当作教义),以为分配问题可以离开生产方法独立的来考虑、来处理,因而推论社会主义是专讲分配问题的。但是这些关系底现实的性质,早已完全弄明白了。我们为什么要追溯到往昔去呢?

原文第四条是:

"劳动底解放必须由劳动阶级自己去实行,而和这劳动阶级相对立的一切别的阶级,只有一个反动群"。

这一条的最初一节,是从国际工人协会底规约中起首的文句采取而来的,但是加以"改正"了。原文是这样说的:"劳动阶级底解放,必须劳动者自己去实行"。但是这里却说"劳动阶级"要行解放的。解放什么呢?劳动!这种话谁能懂呢?

更不好的,就是下节的文句,是拉萨尔主义的原形:"而和这(劳动阶级)相对立的一切别的阶级,只成为一个反动群"。

我们在《共产党宣言》中写着:"现在和资本阶级相对立的一切阶级中,只有无产阶级是真的革命阶级。其余别的阶级因大产业底发达而衰亡消灭,而无产阶级却是大产业底特殊产物"。

资本阶级是大产业的维持者,也看作是和封建贵族与中等阶级(都希望维持那旧生产方法底产物的社会的地位的)相对立的革命阶级。所以贵族和中等阶级不和资本阶级混合于一个反动群的。

在另一方面说,无产阶级也和资本阶级对立,也是革命的。因为无产阶级在大产业底地盘上发生,要剥去生产中资本家的性质(是资本阶级所欢喜保存的那性质)。但是那《共产党宣言》上却加上了一段说:"中等阶级……在刚要降到与无产阶级为伍的境地时,他是革命的"。

从这种见地说起来,那种说中等阶级和资本阶级、封建贵族打成一片和劳动阶级对立,而"只成为一个反动群"的话,是很不合理了。

当前次选举时,我们果曾对那班独立的工匠小制造业者和农民宣言过:"你们和资本阶级封建贵族与我们对立,只成为一个反动群"的话吗?

拉萨尔暗记《共产党宣言》,正和他的信徒暗记他的神圣的文章是一样的。但他所以那样胡乱地改篡本文,就是要和敌人的专制主义者及封建贵族同盟来反对资本阶级。

对于上条,还附加着拉萨尔派底格言(因为那是与削改国际工人协会底规约而引用的部分没有关系,与其说是附加,宁可说是用毛发牵引而来的)。所以在这个情形只是僭越,而于俾士麦君似乎不是不快的。

(五)"劳动阶级为谋自己的解放,首先要在现今的国家底坪内作工,但是知道一切文化国家底劳动者共通努力的必然的结果,会成为各国人民底国际友谊"。

拉萨尔反对《共产党宣言》，反对以前的社会主义，从最狭隘的国家主义的立场考虑劳动问题。

劳动阶级若一定要斗争，就必须在□内把自身组成为一个阶级，因而这内国就变为斗争的直接的舞台，这事无须证明都可以知道的。所以在这里，阶级斗争是国民的，这不是关于实质上的事，照《共产党宣言》所说，实是"关于形式上的事"。但是现今国民的国家(譬如德帝国)的"组织"(Framework)，它的自身，在经济上是世界市场的"组织"，在政治上是国际制度底"组织"。若是商人，谁也能知道德国商业即是世界的商业；俾士麦君的伟大，实质上即是存在他那种准国际政策的性质之上的。

德国劳动党究竟把那国际主义归着于什么呢？是归着于"那努力的结果会成为各国人民国际友谊的自觉"么？那句话实是从资本阶级底"自由平和同盟"(League of Peace and Freedom)借用而来；以为这是和劳动阶级在反对支配阶级及政府的共同斗争中所有的国际友谊相等来骗人。而关于德国劳动阶级底事却没有说一句！他们在这样的情形，说要和那本国资本阶级(已经和其他各国资本阶级结合来对抗他们的本国资本阶级)和俾士麦君阴险的国际政策行什么战斗！这纲领底国际的自觉，实际上甚至比自由贸易的团体的水平线还要低。自由贸易的团体，也主张"各国人民的国际友谊"是它们的目标。但是自由贸易者，实际上对于国际化的商业总要做一点事，决不至以那种自觉——一切国民都在本国内经商的自觉为满足的。劳动阶级国际的行动，决不是依赖"国际工人协会"的。国际工人协会是为这种活动而创设中央机关的第一的企图，可惜在巴黎共产团(Commune)失败以后，那国际工人协会所确定的历史的形式就不能维持了。

俾士麦底北德意志(Norddeutsche)新闻底报告是对的，他说：德国劳动者已经否认国际工人协会了。

二

"德国劳动党从这些原理出发，用一切合法的手段，尽力创造自由国家及社会主义的社会;尽力推倒工钱铁则并工钱制度,及一切形式的利用;尽力废除一切社会底政治不平等"。

关于"自由"国家的问题,后段再说罢。

于是德国劳动党在将来就不得不信奉拉萨尔的"工钱铁则"(iron law of wages)了! 纲领上甚至连"推倒工钱铁则并工钱制度"的话都要用的(所谓工钱制度应当说是工钱劳动制了)。若是我废止工钱劳动,我必然废止工钱法则,无论它是铁或是海绵。拉萨尔对于工钱劳动底攻击,差不多完全悬在这种主张的法则之上。所以要证明拉萨尔派底胜利,无论如何必须把工钱制度并工钱铁则一齐推倒。

关于"工钱铁则"的话,人人都很知道,属于拉萨尔的人,总是用这个"铁"字,这是从歌德(Goethe)的"无穷的大铁则"(The great eternal iron laws)的句子借用而来的。"铁"之一字是一个口号;用这个字的人,就别认为正教信徒。但是我若用拉萨尔底印版,并且依拉萨尔所用的意义来容纳这个法则,我必定也容纳那法则的基础。这基础是什么呢? 就是照伦兀(F. A. Lang)在拉萨尔死后不久所说明的,而且伦兀也曾自己宣传过的马尔萨斯人口论(The Malthusian theory of Population)。马尔萨斯人口论若是正确,那么,我就是一百回要废止工钱劳动,也不能废止那法则;因为那法则不但支配着工钱劳动制度,并且支配着一切社会制度的。在这个根据上,五十余年间,许多经济学者都是这样地说:贫困是一个自然的现象,所以社会主义不能废除它,只不过把它弄成普遍化罢了;同时社会主义要把贫困广布于社会之上的!

但是那主要点还是要考虑的。错误的拉萨列派的法则底公式图解,完全撇开不说,纲领中真正可骇的退步,还在下面一段:

拉萨列死后,本党中建立了科学的信仰,就是:劳动底工钱不是像那劳动底价值或价格一般的东西,实不过是劳动力底价值和价格底假面的形式。于是对于劳动底工钱的一切资本阶级的概念,以及从前那个概念的批评,都完全颠覆了。为什么呢? 因为工钱劳动者唯有为资本家、为那随资本家而消费剩余价值的人一部分无报酬地工作时,方能够为维持自己的生活(即是为生存)而劳动。所以资本家生产底全组织,全靠扩张这种无报酬的劳动,即是要延长劳动时间,赶快增加生产力,或用其他同样的手段。所以工钱劳动制度是一个奴隶制度,在这个制度里,劳动底社会生产力发达了,那奴隶愈益困苦,劳动者所得的报酬底好坏的问题,和这个没有关系。但是这种见解若在本党中成立了,那么,大家就是明白知道拉萨列不懂得劳动工钱是什么,不过跟随资本阶级经济学者之后,把外观当作现实,而我们就要回复到拉萨列底教义去了。

这事好像那理解了奴隶底意义并且起来反抗的许多奴隶中——有一个奴隶底心理依然被陈腐的见解所拘束,在那反对运动的纲领上写着"奴隶非废止不可,为什么呢? 因为在奴隶制度中,奴隶底价值不能超过某种卑贱的最高限制"!

本党底代表大大地违背了本党一般的所采取的意见,我们从这种简单的事实推论起来,不是知道他们是怎样……轻率……来起草这种妥协的纲领吗?

所以,那一条项用来作结论的"废除一切社会的政治的不平等"的话可以不用,他们应该说:阶级的差别若是废除了,由那些差别中发生出来的一切社会的政治的不平等就会自然消减了。

三

"德国劳动党为谋展开解决社会问题的途径,要求设立由国家扶助的,并属于劳动民众民治的支配之下的生产合作社。在制造工业方面,在农业方面,生产合作社都要大大地'设立',集合劳动底社会主义组织会要从这些合作社里发生出来"。

这真是与拉萨尔底"工钱铁则"相适应的,预言者底万应灵膏! 他们那样巧妙地倡言"要展开途径"(to Pave the Way)。他们撇开现存的阶级斗争不说,偏要提出"社会问题"的新闻辞句,"要展开途径"来"解决"这问题。而"集合劳动底社会主义组织"不是从社会的变化底革命的过程中"发生",却是从那国家所给与于生产合作社的"国家的扶助"中"发生"的,而那生产合作社却又不由劳动者"设立",乃是由国家"设立"的。建设新社会好像和建设新铁道一样可以用国债建设的,这种思想,真是拉萨列的幻想了!

很……可耻的,"国家底扶助",要放在"劳动人民"民治的支配之下的。

第一,德国的"劳动人民"中,农民比无产阶级占多数。

第二，"democratic"（民治的）一语，用德文翻译起来，就是"folk-rule"（人民支配）的意思。但是"劳动人民底人民支配的管理"是什么东西？况且用这种仰赖国家扶助的要求证明起来，他们还是没有支配力的，也没有成熟到可以取得支配力的程度的劳动人民呵！

俾士（Bucheg）在路易菲里布（Louis Philippe）时代反对法国社会主义底希望制成而为工场（L'Atelier）杂志派的反动劳动者所采用了的药方，我们在这里批评他，未免多事罢！主要的目的，并不在乎采用这特殊的万应药加入纲领之中；困难的事情实在非常普通的，就是从阶级运动底立场回复到教派运动的立场去。

我们说劳动者希望建设合作的生产条件于社会的基础之上（最初的时候建设于国家基础之上），这个意思，就是要努力变更现存的生产条件，和那靠国家的扶助来建设合作社的事情没有共通之点。若是现存合作社不受政府或资本阶级底保护而纯粹是独立的劳动阶级的建设，这时候合作社才有价值。

四

现在论民治的一章了。

（A）"国家底自由的基础"。

我们在第二章见过了，德国劳动党要谋创造"自由底国家"。

自由国家——是什么？

脱出了俗鄙底见地的劳动者，其目的决不是把国家弄为自由的。在德意志帝国，"国家"差不多和俄罗斯底"国家"是一样的"自由"。自由在于使国家从支配社会机关变为被社会支配的机关；而现今国家底形体自由与否，全靠他们能够束缚国家底自由与否以为断。

德国劳动党若要采用这个纲领，就会要表明他们底社会主义的思想，连浅薄的程度还没有达到，为什么呢？他们不把现存的社会（而且这个又应用于将来的社会）看作是现存国家的社会基础（又不把未来的社会看作是未来国家基础），以为国家是有它自己的精神、道德，和自由的基础的独立的实体了。

现在再考察那纲领中对于"现今的国家"、"现今的社会"等名辞错杂的滥用,并考虑他们对于他们所要求的国家的大混杂的观察。

"现今的社会"是资本家的社会,它现今存在于一切文明国家之内,多少也脱离了中世的混合物状态,多少也因各国特殊的历史的发达变其形态,而且多少也发达了。在另一方面说,"现今的国家",经过各个国境而有种种之不同。德国和瑞士不同;英吉利和美利坚不同。所以"现今的国家",实是幻想。

然而形体虽有种种不同,而各种文明国底各种文明国家,都有一个共通要素,就是:这些国家都以近代资本阶级的社会做基础,那种社会底资本主义的发达,其程度虽有种种不同(而这些国家却是立在这种社会之上)结果,这些国家有某种根本的共通性质。在这种意思记起来,我们可以说"现今的国家组织"和将来的国家组织是相反的;将来的国家组织,要在那成为现今国家底根本的资本阶级社会绝灭时才存在。

于是问题就发生了,就是:共产社会中的国家组织,要经历什么变化呢?换句话说,就是:在将来,和现今国家的职能相似的什么样的国家,能够存在于共产社会之中呢?这个问题只能应用科学的方法来解答,若用"国家"的话和"国民"的话,一千遍地结合起来,恐怕离开这问题的解决太远了。

在资本主义社会和共产主义社会之间,从前者移到后者有一个革命的变革时期。和这时期相适应的是一个政治上的过渡期;在这过渡时期的国家,除了无产阶级革命的独裁政治之外没有什么。

然而这个纲领,对于革命的无产阶级专政,对于将来共产社会底国家组织,都没有什么关系。

纲领上底政治的要求中,除了常见的民治的祈祷以外,什么也没有;譬如普通的选举、直接立法、公民权、市民军之类。这些不过是资本阶级民党,自由平和同盟的应声罢了。这些要求,在妄想的夸张的范围内,是已经实现了。但是他们已经实现了的国家,却超乎德意志帝国之外,乃在瑞士、在合众国等处。

这类"将来的国家",就是"现今的国家"了,虽然他在德意志帝国底"埒外"。但是有一点看遗漏了。德国劳动党公然宣言在"现今国家底埒内",即是在他底祖国德意志帝国底埒内运动的(若真是这样,他们底要求大部分没有意义,因为人所要求的只是要求没有得到的东西)。这党有一件主要事不应该忘记的,就是:前面所述的这一切美丽的玩物中,含有承认所谓人民主权一事；所以他们只能在民主共和国中行事的。

因为我们现在（所处的地位不是）要求那种和法国劳动纲领在路易菲里布（Louis Philippe）与路易拿破仑（Louis Napoléon）之下所要求的那样民主共和国；所以若是一个国家，在它的本质上只不过是一个用警察保护的、被官僚盘踞的、已被资本阶级势力限制的，并且用议会主义装饰的，又仍然含有许多封建主义混合物底国家，我们向这种国家去要求那只能在民主共和国中才要求得到的东西，这便是明知故昧的办法，还是设法避去为好。

就是陈腐的民主主义，那般人所承认为是民主共和国中的黄金时代的，而且在他的决定的结论上，阶级斗争只有在这种资本阶级社会底最后的政治形式中才能决战的一事也决不能实现的。像这种民主主义已经是陈腐的了，可是和那种受了一个制限，既被警察所支配又为论理所不许而不努力超拔的民主主义比较起来，至少也可说是大大地进步了。

纲领所用的"德国劳动党要求单一的累进所得税作为国家底经济底基础"这句话，很可以证明起草这纲领的人，实际上是把"国家"二字解作政府的机关，或者把它解作是由分业而与社会隔离的特殊机关的。租税都是政府机关底经济的基础，此外并没有别的。在瑞士现今存在的"将来的国家"中，这个要求早已实现了许多了。所得税预想着种种社会阶级所有的种种收入底源泉，即是预想资本家的国家。所以克拉斯顿（W.E.Gladstone）兄弟所领袖的资本阶级团体利物浦财政改革党（The Financial Reformer of Liverpool）要和德国劳动党做一样的要求，毫不足怪了。

（B）"德国劳动党要求下列各事作为国家底精神的道德的基础"，就是：

（1）"由国家施行的普通平等的国民教育。义务教育。自由教育。"

平等的国民教育吗？这几句话是什么意思呢？我们能够相信在现代社会（在这里只能想作是现代社会）中，一切阶级的教育都能平等吗？国民学校所设备的些少的教育是适用农民和工钱劳动者底经济能力才设备的，那一条的要求莫非要使那高等阶级也强制地受这种教育所限制吗？

"义务教育"。"免费教育"。义务教育在德国实行着；免费教育，只有初等教育在瑞士和美国实行了。

合众国中有几州的高等教育是不纳费的（gratuitous），而实际上的意义，实与上流阶级有利,这高等教育底经费,是从国库支出的。(A)的第五项所要求的"免费裁判",也是一样的想法。刑事裁判,处处都免费。民事裁判差不多都是关系争财产,除了有财产的阶级之外,差不多没有关系。处理讼事也要使用公共的用费吗?

关于学校的这一条,至少应该要求和小学校联络的专门专学校(理论的及实际的)制度。

"由国家施行的国民教育",必须排斥,毋用踌躇。准备国民学校基金;用法律规定教员资格、学科课程,等等;任命视学官[照美国所做的一样]视察法定规律之实行——实行这些事业和任命国家为国民教育者完全是另外的一件事。政府和教会都必须加以排斥,不许它们影响于学校。在德国,实际(我们无需畏难不去谈"未来的国家"——我们已经很熟悉了德国所宣言的未来国家了),国家反大有受国民底粗鄙教育的必要。

纲领的全体上,民治的宣言和乐器的音响一样,却是深染了拉萨列派关于国家的服从的信仰;更坏的事,还要把那灵怪中民治的信仰来侵透它,或者又可说是这两种灵怪的信仰的妥协,两种都是离真的社会主义很远的。

"科学之自由"! 这乃是普鲁士宪法的一条。为什么在这里遇着了呢?

"身心之自由"! 若在现在而有对天王教行斗争的事实,我们很希望那自由主义者想起他们的老标语出来,就是要想到:"各人在不触犯警察的范围,应该成就他的宗教的……[事业]呵!"但是劳动党却应该趁着这机会发表自己的意见:资本阶级"良心的自由",不过就是默认良心底宗教的自由之种种可能形式底信仰自由罢了,而劳动党却要求从宗教的妖怪中把良心解放出来。但是这起草纲领的人,连这"资本阶级"的水平线还没有超过。

我底批评完了,纲领上其余的部分,不能构成这文书上特别的成分。此外可以极简单的处理了。

(2)"标准劳动时间。"

无论哪一国的劳动党,没有受这种暧昧的要求所拘束的,因为处处都已正确地在现时状态之下载明了劳动时间的期限了。

(3)"妇女劳动之限制与儿童劳动之禁止。"

标准劳动时间之设定,除关于工作底钟点和休憩等事外,已包含禁止妇女劳动了。若是这句话比这一层有更深的意思,那就是说从各种特别损害妇女健康或特别危及妇女德性的产业中,把妇女除外了。

起草的人若是有这种观念在脑筋中,应该在这里说了出来。

“儿童劳动之禁止”!但在这里有绝对记明年龄限度的必要。

一般的儿童劳动之禁止,于大产业底存在是不相合的,所以这不过是无益的忠厚的希望罢了。儿童劳动纵能够禁止,若是实行起来,却是反动的。

因为,劳动时间若是按照年龄严密地规定了,适当的儿童保护法若是采用了,在少年时代若把生产的劳动和教育结合了,就可以构成一个变革现社会的最有效的手段。

(4)“工厂,工作场,及家庭工业之国家的监督。”

对于德国,应该有以下的明确要求,即是:监督官只有依法律规定解职;各劳动者都应有告发怠职的监督官的权利;一切监督官都应有医师的资格。

(5)“监狱劳动之废止。”

这简直是应当编入一般普通劳动纲领的要求。无论怎样,劳动党总应该明白这样的说明:劳动不希望(因为怕了竞争)普通囚人像禽兽一般被人虐待;劳动党不希望剥夺改良囚人的手段——生产底劳动家。这还是我们所瞩望于社会主义者的最少限度呵!

(6)“有效的雇主责任法。”

有效的雇主责任法是什么意义,应该还要明了地说明。我现在用口话来说:起草这纲领的人,关于标准时间问题,看遗漏了工场卫生、伤害等工场法了。这种义务法,唯有在违犯了这些规定的时候才能运用的⋯⋯

我说过了,我心安了。

(原载1923年4月10日湖南自修大学校刊《新时代》第1卷第1号,署名马克思著、李达译)

何谓帝国主义 *

（1923.4）

我们从政治上经济上分析中国的乱源，知道扰乱中国的两大障碍物，一个是国际帝国主义，一个是国内武人政治。我们民众要期待统一与和平，要获得自由与幸福，非首先组织起来打破这两大障碍物，绝对没有成功的希望。但是如今还有许多学者先生们只认定武人政治是万恶，却不承认帝国主义有侵略中国的事实，甚至要为帝国主义辩护，说现在的中国已经脱离了侵略的危险了。① 这种言论很足以阻碍被压迫着的中国人民觉悟的动机，我特意从历史上把帝国主义侵略中国的经过说明出来，借以唤起同胞反抗外族的勇气。

我们要知道帝国主义侵略中国的前因后果，首先要知道帝国主义是什么？

帝国主义是由资本主义变化而成的，可说是资本主义的最终形式。所以要知道帝国主义的内容，就要先把资本主义发达的经过说明才好。

大家都知道在采用资本主义组织的经济社会里，资本阶级是绝对以制造商品为目的的，劳动阶级制造出来的商品，不但他们全阶级消费不尽，就是那社会全体也消费不尽的。因为这样，所以资本家才能够把那巨大的财富——商品——集积起来，才能够把商品化成货币来继续发展资本主义。但是资本阶级要想安全地继续集积那巨大的财富，必须把那造出的商品全部卖掉才好。要卖掉那商品的全部，必须有消纳这全部商品的购买人。我们都知道，机械制

　＊　本文亦发表于 1923 年 6 月 29 日《北京大学日刊》。——编者注

　①　作者这样说是有根据的。例如，1922 年 10 月 1 日，胡适在《努力》周报第 22 期发表的《国际的中国》一文中，说当时"中国已没有很大的国际侵略的危险了"，污蔑中国共产党说国际帝国主义支持各派军阀打内战"很像乡下人谈海外奇闻，几乎全无事实的根据"，通篇都在为帝国主义侵略中国作辩护。——编者注

造商品的速率最快,分量又最多,比方工厂最初设在都会地方,工厂中造出的商品,自然先尽都市的人民消费,都市人民消费不尽的商品自然要运到农村地方贩卖了。农村地方在这时还不是自然经济的状态,经济上自给自足,大部分用品以前都是自家造成的,如今这种机器制造的商品,价廉物美,当然可以贩运到这个地方发卖,所以农村地方的自然经济状态就被打破了。这时候消纳都市贩来的剩余商品的农村地方人民,受了这个刺激,便也能集资创办和都市相同的工厂,也能制出许多剩余商品,于是农村地方便脱离了自然经济领域而进到货币经济的领域。都市如此,农村地方也如此,全国都是竞争者,全体国民都有剩余商品了。这时候全体国民若想取得销售他们的剩余商品的贩路,就不能不谋得那有政治意义的外国市场了。

然而外国市场也不是长久可靠的。比方19世纪前半期的欧洲,英国是资本主义产业的先进国,德法等国是后进国,在这个时期,英国的剩余商品固然可以在德法等国销售,但不久德法等国的资本主义产业也发达起来,也有剩余商品了,于是资本主义遇着难关了。这时候各资本主义国家若想觅得贩卖剩余商品的市场,只有两条路可走,一个是夺取海外的殖民地,一个是侵入非工业的国家。在野蛮未开化的地方,当不起文明国家——资本主义国家压迫,自然变成了剩余商品的销场;至于非工业的农业国家,在经济上可以自给,自然拒绝文明国家剩余商品的流入;而文明国家为了延长孳乳他的资本主义,就用种种的侵略的方法,假用国民全体的名义,或者平和的、或者武力地来达到它的目的。这便是资本主义帝国主义化的初期现象。

但到这里又有一个问题发生,工业未开发的国家的人民,对于资本主义的商品是没有什么欲求的,就是有了什么欲求,也没有购买的资力。比方这等非工业国家没有轮船、没有火车,交通不便,因此商品的运费增加,成本加重,价高了无人购买,价廉了亏损资本。所以资本主义国家虽然能够强制地把剩余商品运到非工业国家销售,也得不到多大的利益。于是资本主义国家唯一的办法,便是创造新市场。新市场怎样创造呢?就是用种种方法使这等国家文明化,用种种手段把这等国家牵入资本主义的发达的漩涡。譬如开辟商埠、修筑河道、行驶轮船、敷设铁路、开采矿山、供给借款之类,这些权利,有些是政治的,有些是经济的,有些是诈欺取来的,有些是威吓取来的。这几件之中,尤以敷设铁路为主要,因为这样,这被征服了的非工业国家受了这种种刺激就发生两种现象:一个是需用机械制出的铁货,一个是纺织工业的开始经营。而这类铁货、这类纺织工业机械都是仰给于资本主义国家的。资本主义国家,因为供给工业未开发国家这类铁制品、铁制机械的关系,国内的工业重心也就跟着发生变动,就由纤维工业移到铁工业了。资本主义的产业的重心,到了由纤维工业移到铁工业的时期,那种帝国主义化的倾向和速度越发显明起来。为什么呢?因为棉制商品和铁制商品两者销售的方式完全不同。比方贩卖机器布,英国的人到德国的殖民地去贩卖也可以,到法国的殖民地去贩卖也可以,彼此之间因为利益冲突,竞卖的心思固然是有,而霸占的决战的心思还不会发生的。至于贩卖铁路的铁轨便不同了。因为资本主义国家的铁轨之输入于未开发国家,大概是用一种借款的形式输入的。而供给借款可以获得特别的权利,所以一条铁路线上,只许有一国的国旗在那里飘扬,别国的国旗是不许树立的。英国的势力范围(殖民地或半殖民地)内由英国自己去筑铁路,德国的势力范围内由德国自己去筑铁路,这是天然的权限,绝对不许他国插足。若有一个资本主义国家要想插入别个资本主义国家运销此类性质的铁制商品和铁制机械,除非这国的势力比别国大才行,不然,决然难办到。所以两个或数个势均力敌的资本主义国家,要想在同一地方贩卖此类性质的铁货,只有两个方法:一个是武力的,便是战争,谁国战胜,就让谁国享此项权利;一个是和平的,就是协商,划定势力范围,各自独立经营,不相侵犯。

但在这里又发生问题。各资本主义国家虽然很热烈地要在经济上未开化的国家经营筑路通航等项事业,以便制造商品的需要者,而这类未开化国家却不觉得有什么必要,并且因为自然经济受了破坏,很感受经济上的痛苦,敷设铁路又非巨额资本不办,所以对于资本主义国家这种要求是很难承认的。于是资本主义国家就想出种种调剂的方法,就是:未开发国家的铁路由资本主义国家敷设,筑路借款由它供给,筑路材料及工程由它包办。照这样办,未开发国家不用钱可以筑铁路,资本主义国家就获得了剩余商品的销场。譬如供给1亿元的铁路借款,它就可以运销8000万元的铁轨枕木及车头车辆之类,下余的2000万元即作为办事人及苦力的工钱,它就可以运销许多卫生衣服、草帽、毛巾为苦力所必需的货物,这样计算起来,它在名义上虽投资1亿,实际上却卖出了八九千万元的货物并收回许多回扣及勘路建筑的费用。照这样办,借贷两方面还可以保持相当的平衡,但实际上不是这样。资本主义国家因为投下了这许多资本,只得到百分之几的低息,收入支出合盘计算,仍是得不偿失,它又何乐而为此,所以它又想出一个补偿方法来。所谓补偿方法,就是向借款筑路的国家要求许多权利,譬如铁路沿线附近若干里之采矿权,广大地域之租借权及割让权,国内通商之独占权等类。这三项利权,必须要求明白规定于借款契约之内,有些要求一项的,有些要求两项的,甚至三项一起要求的。但是这种条件是未开发国家所难承认的,不用钱可以筑路,当然很好,但因为借款之故而丧失许多利权,未睹其利而先受其害,当然不愿意,不愿意当然要拒绝了。但外国资本家方面,因为这种国家的人民可欺,利益不能抛弃,无论如何必须取得筑路权,必须强制地供给借款。一个坚持拒绝,一个强制借款,到了相持不下的时候,外国资本家就恃本国政府的后援,利用弱国方面的败类,百方谋此种计划的实现。弱国方面因为此种刺激,就发生排外风潮,因排外而酿成交涉,资本主义国家就利用国民全体对外的口号,兴兵动众演出经济侵略的战争,结果文明国家定得胜利,战败的弱国自然俯首听命,不但送给种种政治的经济的权利,并且赔偿大宗的款项(若是款项难筹,便逼写借字,作为借款)。资本主义国家就拿这赔款做开发这个国家的经费。这便是资本主义帝国主义化的第二期现象。

现代在经济上未开化的国家有多种,有小的,有大的;有在欧洲的,有在非洲的,有在亚洲的,有在澳洲的;有为一资本主义国家的所久占的,有为各资本主义国家所争夺的;有些已经资本主义化了,有些正在资本主义化的。在那已经资本主义化,已为一国所久占的地方,列强已是认为没有余利而不大注意,其最注意的就是那没有完全资本主义化而且正在互相争夺的地方。资本主义若要逃过它的难关,若要掘成它最后的坟坑,便是出死力来争得这类市场。然而这是非常危险、非常重大的事业,要达到这个目的只有两个方法,一个是和平地瓜分,一个是武力地夺取。而和平地瓜分或者易办,武力夺取那就困难了。国家的实力的强弱,便是决定胜负的标准,各国的资本阶级专利用本国人民爱国的心理,往往假用国民对外的名词准备争夺市场的战争,或者一国对数国,或者几个协商国对几个联合国,结果,全世界一切国家都被引入这个大战

103

的旋涡,演出了世界战争,这便是资本主义帝国主义化的成熟期的现象。所以帝国主义是资本主义最终的形式,帝国主义的资本主义、资本主义的帝国主义完全是一个东西(参看 Boudin 著《欧战真因》)。

（原载1923年4月10日湖南自修大学校刊《新时代》第1卷第1号,署名李达）

为收回旅大运动敬告国人

（1923.4）

中国外交的历史完全是帝国主义列强侵略中国的历史,从国民的地位看起来,几无一页不是满载着伤心惨目奇耻大辱的事实,我中华民族若果有抵抗外族侵略的决心和能力以复仇雪耻,不但民国四年5月27日的中日条约要根本撤销,就是海通以后一切含有威胁屈辱的意义的中外条约都应完全废弃;不但旅顺、大连要收回,就是香港、澳门、广州湾、台湾九龙、威海卫及京、津、沪、汉等处租界都应完全恢复;不但一切政治的、经济的特权不许列强享受,就是一草一木之微也不许他们任意采择。

基于这个意义之上,现在澎湃全国的收回旅大运动是确有牢不可破的根据的。我认定这个运动若果有条理、有组织地做去,实有排除外力挽回国运的希望,所以要提出一点意见来敬告国人。

我以为这种运动,第一必须认定一个实际的真正的目的,第二必须采用一个达到这个目的的最有效力的手段,然后才有真意义、真价值;不然,这种运动便如昙花一现,既耗费了无代价的牺牲,且损失了国民的人格。

第一,我们的实际的真正的目的必须打倒日本帝国主义。帝国主义的日本侵略中国的事实,我国人想没有一个不咬牙切齿地痛恨罢。打破中国门户实行侵略主义的固然是英帝国,在鸦片战争到甲午战争的时期,掠夺中国的盗魁,固然也是英帝国;但是甲午战争以后,我民族实际上却被日本征服了,台湾、澎湖列岛、辽东半岛均被夺去,又抢去银2亿,接着俄、法、德、英又强占威海卫、胶州湾、旅顺、大连及广州湾,并夺去种种政治的经济的权利,自经这个时期以后,中国国际地位已降在殖民地之列了。欧战期内,日本乘火行劫,强结二十一条,复勾结我国军阀为乱,供给大宗款项,取得许多筑路开矿及采伐森林的权利,满洲、东蒙古及山东一带,完全变成日本的殖民地,日本在中国夺去的经济上的权利与地位,几完全驾乎英法等国之上,日本竟是掠夺压迫中国民族的第一个盗魁祸首了。华盛顿强盗晚餐会,虽然强迫着日本承认门户开放机会均等的原则(就是要日本开放中国门户,像美国也得在中国掠夺的意思),而实际上日本仍有霸占中国的气势。我中华民族处于亡国的威胁与恐怖之下,名义上虽然是中华民国国民,实际上已变成帝国主义的殖民地人民了。五四运动以来,我国民似乎已经从这被压迫被掠夺的殖民地人民的境遇中觉悟起来,不幸当时没有精密的组织,只因为一时的爱国心驱使,所以不久就无形瓦解了。现在既然借着旅大问题起了这个全国一致的对日运动,就应该根据帝国主义侵略中国的历史,决定先打倒这盗魁祸首的日本帝国,而誓必达到这个目的。

第二,要想打倒日本帝国主义,必须澄清政治,由国民自决来建设独立自主的完全共和国。"弱国无外交","强权即公理",这是资本主义世界国际外交的惯例,想没有一个人不知道的。然则处在帝国主义政治的、经济的压迫之下的中国人此时要起来向日本争回旅大,何异于与虎谋皮? 或者有人狃于交还青岛的故事,说旅大也可以照例争回,也未可知。但这是谬论,我们不可不知道。青岛虽然在名义上是交还我国,而在实际上日本不但没有交还青岛,反得着比未交还以前更大的利益。这一点凡是看过中日关于青岛问题的条约的人都是承认的。青岛重要的土地和财产完全归日人永远占有,并榨去盐业交还费 1600 万元,山东铁路仍归日人管理,更取得我国库券 4000 万元,矿山虽归中日合办,而实则归日本独占。故实际上青岛既未收回,复白送数千万元,人民白白地承认许多赎路的筹款,军阀官僚走狗,却直接间接得到许多发横财的机会,无数老百姓都被他们当作"猪仔"卖了。

现在我们莫再当"猪仔"了。而且这种变相拍卖地"收回"的公式,决不能适用于旅大问题。大家知道么? 就是像青岛那种变相拍卖的"收回",并不是我们国民运动的效力,也不是北京政府折冲的效力,也不是友邦仗义执言的效力,乃是欧战以后由资本主义工业的输入国变为输出国而在中国未曾获得独占市场的美国,妒嫉日本独霸中国的不利而强制日本实行的效力。我们看了华盛顿强盗晚餐会"门户开放"、"机会均等"的协定,便可知道日本这种换汤不换药的退还青岛办法,实在有一种特别的作用的。

现在可不同了,我国民可不要再做那种梦了,新近入伙的美国也决不说公道话了,英法等国都是日本的好伙伴,我们函电吁恳友邦仗义执言的故伎无须再演了! 示威运动只能表示自家对外的敌忾心,决不能引起对手国多大的注意,抵制日货也不过是一时感情发动,工业后进国的中国人民是决不能抵制到底,转眼就会无形消灭的。这样看来,像以前种种已经试行过的方法,现在决乎不能再用,就是再用也决不会有丝毫效力。然则我们怎样才能打倒日本帝国主义呢?"弱国无外交","强权即公理",我们熟读这两句话,必会得到一个很好的答案,就是澄清内政以力争外交。日本人说:"现在的中国,豺狼当道,巫鼠纵横,早已失掉国家的人格,不配和日本交涉什么问题。"

驻湘美国领事也说:"中国人欲收回旅大须建立强有力之政府,若现在的北京政府恐难为力。"这样说来,中国现在并不能算是一个国家,还说得上什么力争外交么? 所以我们国民处在这国际帝国主义和国内武人政治的两重压迫之下,如水益深,如火益热,就不能不奋发地组织起来,干一个国民运动来铲除破坏国内和平的障碍物军阀,建设统一国民政府,然后才能有实力对外,然后才能有实力打倒日本帝国主义,打倒国际帝国主义,然后才能建成独立自主的中华民国。打倒日本帝国主义是我们的目的,推翻国内武人政治是我们的手段,而我们的先务之急,便是澄清政治了。

所以我十二分希望全国人民一致对日的运动能够变为一个有组织、有系统、有目的、有手段的国民运动。扩张运动的范围,延长运动的时期,充实运动的内容,抱定澄清政治以力争外交的宗旨,以打倒日本帝国主义,推翻国内武人政治。

(原载 1923 年 4 月 10 日湖南自修大学校刊《新时代》第 1 卷第 1 号,署名李达)

马克思学说与中国

（1923.5）

一

中国共产党在去年曾经发表一个宣言，据那宣言看起来，他们共产党的目的是在于组织无产阶级，用阶级战争的手段，建立劳农专政，达到共产主义的社会；他们目前的政治主张是在于引导无产阶级帮助民主主义革命，和国内民主革命党派（如国民党之类）合作，共同推翻军阀的政治。

这个宣言出世以后，引起了各方面许多反响，这些反响，据我的见闻所及，大概可以分为两派。一为反动派，他们持反对的态度，说中国产业幼稚，刻下不应提倡社会革命，使中国紊乱不堪。一为社会主义派，他们赞成共产党的宗旨，却非难共产党目前的政治主张。关于这一点，《孤军》杂志、《今日》杂志、《向导》周报曾经反复辩论过，想读者都是知道的。

这样看来，马克思学说之在中国，已是由介绍的时期而进到实行的时期了。我们研究经济学说的人，对于这样重大的事实，似有慎重研究和考校的必要，所以在这里提出"马克思学说与中国"的论题来讨论一番。

本文范围内应该检讨的约分下列三项：

一，目前的中国可以应用马克思学说改造社会吗？

二，假使目前中国可以应用马克思学说改造社会，中国无产阶级应该怎样准备？怎样实行？

三，假使中国无产阶级能够掌握政权，应该采用何种政策？

二

欲研究目前的中国能否应用马克思学说改造社会,首先要晓得马克思所说的社会革命究竟是什么? 究竟怎样实现的? 究竟在什么时机实现?

什么叫作社会革命? 据马克思唯物史观说:

> 社会的物质生产力发达到一定阶段的时候,便和当时的生产关系相冲突,用法律上的术语说起来,就是和财产关系相冲突;然而社会的物质生产力,从前却是在这财产关系里面活动发展过来的。这些财产关系算是从生产力发展的形式变成生产力的桎梏了。从此遂进于社会革命的时代。经济的基础一经变动,那巨大的上部建筑的全部,或是徐徐地,或是急剧地,也就跟着变革了。

由这段文字看起来,可知马克思所说的社会革命,就是使社会的组织完全解体的意思了。

社会革命怎样实现呢? 据上述的原理剖释起来,社会革命乃是由无产阶级举行政治革命夺取政权来实现的。因为在资本主义的产业以前,是小规模的生产,劳动手段归劳动者自己所有,制造出来的物品也是归他自己所有的。到了机械工业发达以后,有产阶级便集中各个分散的手段,举行大规模的生产。这种集中起来的劳动手段本来是社会的,工厂中许多劳动者共同制造出来的产物,本来也是社会的。社会的东西应归社会所有,但当时的财产关系不是这样,这样集中的劳动手段以及制成的产物,却是归资本家所有的。简单说,社会的东西归个人所有了。有产阶级利用这种财产关系,大大地增加生产力,专以生产商品集中资本为目的,生产、交易、分配等方法果能调剂与否,是不过问的。经济恐慌,一次凶过一次,大多数工钱劳动者遂陷于贫穷失业不能自存的境地,中等阶级亦因大资本的压迫而降为无产者,于是社会划成有产无产两大阶级。到了这时候,资本主义生产方法的机器,为自己制造出来的生产力所压迫而不能运动,这便是生产力和财产关系相冲突的表现了。由是生产力和财产关系的冲突,遂变成有产阶级和无产阶级的冲突。无产阶级为自谋生存起见,就发生了阶级的觉悟;由阶级的觉悟演出阶级的斗争;斗争的结局,总是无产阶级得胜,无产阶级就利用政治的权力将一切生产机关收归社会公有,使生产方法、交易方法和分配方法都可得充分的调和;各个人的生存权和劳动权都可得充分的保障。这便是社会革命实现的过程。所以政治组织虽然随着经济基础的变动而变革,而政治组织的变革却较经济基础的变动早日完成。这政治组织变革的原动力实是无产阶级。

所以社会革命乃是由无产阶级实行政治革命,夺取政权来实现的。这是马克思的坚确的信念,他自始至终都抱定这个信念,并没有丝毫改变。读者不信,我可以举出许多例证来。

《共产党宣言》上说:

共产党直接的目的也和别的无产阶级党派一样:(一)组织无产者成为一阶级,(二)推翻有产阶级权势,(三)无产阶级掌握政权。

无产阶级第一步事业,就是必须夺取政权,就是必须起来做国民的主要阶级,就是必须以自己组成一个国民……

我们默察无产阶级的大势,其初只是一些私斗,末后总要爆发起来,成了公然的革命,推倒有产阶级,筑起无产阶级权力的基础。

共产党最鄙薄隐蔽自己的主义和政见,所以我们公然宣言道:要达到我们的目的,只有打破一切现社会的状况,叫那班权力阶级在共产主义革命面前发抖呵!无产阶级所失掉的只有他们的铁锁,得到的是全世界。万国劳动者团结起来呵!

马克思又在《新莱因新闻》上说:

我们不晓得什么怜悯,若是我们的天下来了,断然要行革命的恐怖政治没有什么姑息。要缩短集中旧社会死去的苦恼和新社会诞生的流血的努力,其方法只有一个,便是革命恐怖。

他又在《哥达纲领批评》上说：

> 由资本主义社会到社会主义社会之间，有一个革命变革时期。和这时期相适应的又有一个政治的过渡期，这时期的国家只有劳工专政。

我们看完上面所引用的几段文字，似乎可以看见杀人和流血的惨相，似乎可以听见阶级战争的呐喊声、枪炮声和铁锁声。社会革命历程中所必经的无产阶级政治革命，原来是没有妥协的余地的。

《共产党宣言》是马克思在 1848 年发表的；《新莱因新闻》所载的文字，是他在 1849 年作成的；《哥达纲领批评》，是他在 1875 年（在他死的 5 年前）写好，后来经恩格斯披露的。由此可见，马克思对于"无产阶级借政治革命以实现社会革命"的根本主张，毕生没有丝毫改变。

由以上所述，我们可以知道：无产阶级欲促社会革命的实现，第一步事业便是组织起来实行政治革命。

三

现在我们再讨论时机的问题。

据《共产党宣言》考察起来，社会革命大概要经历三个时期。第一是准备时期：这个时期共产党的工作，首先要"宣传本党的意见目的和趋向"，其次是"组织无产者成为一阶级"。第二是劳工专政时期：这个时期共产党的工作是：（一）"推翻有产阶级权势"，（二）"无产阶级掌握政权"。第三是发展产业时期：这个时期共产党的工作是："无产阶级用它的政治优越权，渐次夺取资本阶级一切资本，将一切生产工具集中在国家的手里，就是集中在组织权力阶级的劳动者手里；这样做去，那全生产力就可以用最大的速度增加起来了。"这三个时期是社会革命必经的历程，各个时期的久暂，全靠各个社会的现状和产业的程度决定的。我们这里要讨论的，乃是第一个时期的久暂的问题。换句话说，就是无产阶级为实现社会革命而行的政治革命，究应准备若干年月的问题。据唯物史观说：

一个社会组织当一切生产力在它里面还有可以发展的余地以前,绝不会颠覆的;又新的比较高级的生产关系,当其本身上的物质的存在条件,在旧社会母胎里尚未成熟以前决不会颠覆的。

照这样说,无产阶级要举行政治革命实现社会革命,务须等待一切生产力完全发展的时候方可实行了。但是一切生产力发展的"余地"之有无,却不是用数学方法可以测量而出的。就是马克思自己对于当时社会的一切生产力有无发展余地的一点,也未能确实地测定出来,据他当时观察欧洲社会状态的结果,他断定社会革命的时机是已经到来了。《共产党宣言》上形容当时社会的经济状况说:

有他的生活、交换、财产关系的近代有产阶级社会,就是惹起这般大规模生产和交换的社会,好像术士念咒召来魔鬼,现在却没有镇伏他的能力了。数十年来的工商史,只是近代生产力对于近代生产方法,对于有产阶级的生存和统治权的财产关系谋叛的历史。证明这个事实,只要举出商业上的恐慌就够了;这种恐慌,隔了一定期便反复发生,一回凶过一回,常常震动有产阶级社会的全部。在这种恐慌的时候,不但当时现存的生产品大部分破坏,连从前造成的生产力也要同一破坏。……社会突然现出回到野蛮的景象,仿佛饥馑骤至,又仿佛举世大战衣食要断绝……这全是文明过度、衣食过度、商业过度的缘故。在社会指挥之下的生产力不能再促进有产阶级财产制度的发达了……

这是 1848 年当时的欧洲经济社会的情况,我们考察当时各国产业发达的历史大略可以说,英国已是纺织工业全盛的时代,其余法国、德国,还在纺织工业的萌芽时代,恐怕比现在的中国产业状况高明不多。但马克思认定当时社会一切物质生产力,已经没有可以发展的余地而主张即时革命了。照这样,中国的现在不是也可以举行革命吗? 如无产时经济社会的进展,出乎马克思意料之外,资本主义竟得到别的避难所而延长生命了。我们追溯当时的景象,马克思的断定所以未中的原因,一是因为当时无产阶级还缺乏巩固的组织,革命战争的勇气,未曾达到白热的高度;一是因为当时有产阶级热力谋海外的发展,夺得广大的殖民地和半殖民地,用文明方法把它们开拓为剩余商品的销场。因为这两个原因,所以当时资本主义竟能继续发展由纺织工业而进于铁工业时代。假使当时无产阶级竟能实现其政治革命,那段由纺织工业到铁工业的历程,必在无产阶级社会之中进展无疑了。所以马克思那种"无产阶级借政治革命实现社会革命"的原理丝毫没有错误,错误的处所乃在于实际应用这原理的地方,即是旧社会中生产力究竟有无发展余地的观察,难得确定。因为这个完全要看那社会的环境和无产阶级的组织与战争的勇气怎样才能决定的。托洛次基对于这一点有一个精确的解释,现在把它引在下边。

　　无产阶级随有产阶级的成长而成长,并且增加力量。由这个见地说来,资本主义的发达,便是向劳工专政前进的无产阶级之发达。但政权移到无产阶级的时日,不是由经济力的资本主义的发达程度如何所能决定,乃是由阶级斗争的关系、由国际的地位,以及种种主观要素(例如传说、能战的勇气和决心等)所决定的。所以无产阶级在资本主义较未发达的后进国中,比之在发达到高度的资本主义国家中能够早日获得政治上的优势。若以为"劳工专政"在一国的技术的及生产的资源之间,有一种自动的相依的关系,便是用幼稚方法理解唯物史观了。这种想法,与马克思主义并无关系。

这个解释很新颖、很透彻,真得了马克思学说的精髓。为社会革命而行的政治革命必须由这种要素决定的。因为这个理由,所以俄国共产党能够借无产阶级巩固的组织和决战的勇气,趁着欧战正酣俄国帝国主义将要解体的时候,蹶然而起打倒本国组织薄弱的有产阶级,建立劳农专政的国家。英美等国社会革命之所以难于实现,并不是什么时机未到的原因,乃是因为无产阶级组织不健全,被黄色的领袖们引错了路,决战的勇气不甚强烈,而本国的有产阶级复利用国际的优越地位,尽量掠夺海外殖民地和半殖民地人民的血肉,延长孳乳资本主义的寿命,但是它的最后的故坑却是已经掘好了。

四

由以上所述看来,我们可以引出以下的结论:

(一)无产阶级为谋社会革命的实现,必须准备着政治革命;

(二)凡是资本主义发达的地方,共产党必须组织无产者成为一阶级,准备政治革命;

(三)无产阶级政治革命爆发的时机,完全由国际的地位和阶级决战的勇气决定。

现在再分析中国经济的政治的情形。中国自两千年前以来,纯粹是农业经济时代,建筑在这种经济基础上面的是封建的政治。两千年间,经济上没有发生重大的变化,所以政治上虽有换朝易代的波澜,而实质上都也是没有重大的变化。自从鸦片战争以后,资本主义便渐渐侵入了中国的内地,中国固有的经济状况全被破坏,遂发生了重大的变化。从此便进于产业革命时代。直到现在,国际资本主义商品畅销全国,本国产业的状况也进到纺织工业的萌芽时代,手工业大受摧残,大多数人民遂陷于工钱奴隶和失业的地位。

政治组织建设在经济基础之上,经济基础变化,同时政治组织当然不适于经济变化的进行。换句话说,经济上既然由农业经济而进到工业经济,同时政治上亦必由封建政治而进于民主政治。所以清朝末年,民主革命党人乘机起来革命,要使封建政治移到民主政治去,以便工商阶级能够殖产兴业,而抵敌外国的侵略。但是中国小工商阶级因为国际资本阶级的压迫,不能发达而成为革命的资本阶级,所以国民党在当时虽然标榜资本阶级的民主革命,而国内起来响应的人却不是革命的资本阶级,乃是一班受了卢梭自由思想的影响以及仇视满清的人们。所以辛亥革命虽然能够爆发起来,而它的本身却是建在感情的基础上面,而不是建在经济基础上面的。感情是不能持久的东西,所以辛亥革命的目的,终于被袁世凯一派封建军阀阻碍了。自是以后,民主派愈欲革命,军阀派愈欲压迫,遂以酿成今日民主派和封建军阀对抗的现象。

其次再讨论国际帝国主义与中国的关系。最近八十年来,中国外交的历史,完全是帝国主义侵略的历史。全国的金融操纵在外国资本阶级之手,全国的铁路、矿山、森林、水运、交通以及许多企业,大半都归外国资本阶级掌握。加以几次的战役赔款以及许多投资的借款,重利盘剥,中国全国的经济生命,全被它们夺去了。此外在中国攘夺的种种政治权利,更是指不胜屈,北京政府间接就被他们支配。一言以蔽之,中国就是国际帝国主义的半殖民地而已。

所以我们由上述国际的国内的政治经济现状,可以把阶级对抗的形势,列表说明出来。

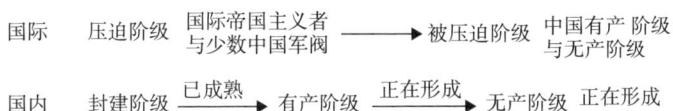

国际　　压迫阶级　国际帝国主义者与少数中国军阀 ——→ 被压迫阶级　中国有产阶级与无产阶级

国内　　封建阶级 —已成熟→ 有产阶级 —正在形成→ 无产阶级 正在形成

代表各阶级的党派是:

北洋正统 ——→ 国民党 ——→ 共产党

由上表看来,可知中国无产阶级经济上受本国有产阶级的压迫,政治上受封建阶级的压迫;有产阶级直接受封建阶级的压迫;而两者又同受国际帝国主义的压迫。前者是三重的,后者是二重的。

中国无产阶级处在这样的经济的、政治的情形之下,中国共产党乘机起来组织无产阶级,企图社会革命,在理论上、在事实上并不是没有确实的根据的。

至于中国无产阶级对于目前的政治运动,究应怎样决定,这一点马克思在《共产党宣言》上并未为中国共产党筹划。若按照目前中国国情,参照马克思在 1848 年替波兰瑞士德国共产党设下的计划,也可以定出一个政策来。据《共产党宣言》说:

> 在瑞士,共产党是帮助急进党的,但也要注意到这党是由法国式的民主社会主义者和急进的资本家两种相反的分子结合起来的。
>
> 在波兰,共产党是帮助那用土地革命来做国民解放主要条件的党派。1846 年,这党曾在 Cracow 发动叛乱。

在德国,对于资本阶级有革命行动时,共产党要和它联合起来同专制的王政、封建的地主及小资本阶级战争。但一刻也不要忘记使劳动阶级明白感觉有产者和无产者敌意的对抗。必使劳动者准备利用资本阶级掌权时必然造成的社会及政治状况,来做对抗资本阶级的武器。也就是准备德国保守阶级一旦灭亡,就立刻和资本阶级本身开战。

我们熟读上面所引用的文字,就可知道中国共产党联合国民党推倒军阀政治的主张,在马克思学说上也是有基础的。只是我在这里要促中国共产党注意的地方,约有下列二项:

第一,中国国民党似乎是一个社会民主的党派,有资本家、智识分子及劳动者的三种党员,共产党至好是影响他们向"左"倾。将来民主革命成熟时,共产党至好引导到无产阶级革命去。不然,共产党应该单独地严整无产阶级的阵。

第二,共产党应注重"组织无产者成为一阶级"的工作,时时要保持独立的存在,免受他党所影响。

五

末了再讨论第一节所提出的第三个问题。

我的朋友李六如先生前天同我谈起一件事,他说:假使中国无产阶级能够掌握政权,该采用什么政策? 这个问题也是我们研究经济学说的人所应当研究的,所以把它列入本文范围之内,说明一下,并质之李六如先生以为怎样?

我觉得一个国家的政策,总要根据当时产业的状况和文化的程度来决定,有产阶级的国家是这样,无产阶级的国家也是这样。马克思在《共产党宣言》上替当时各个进步的国家决定的政策是:

(一)废止土地私有权,将所有的地租用在公共的事业上。

(二)征收严重累进率的所得税。

(三)废止一切继承权。

(四)没收移民及叛徒底财产。

（五）用国家资本设立完全独占的国民银行,将信用机关集中在国家手里。

（六）交通及运输机关集中在国家的手里。

（七）扩张国有工场及国有生产机关;开辟荒地,改良一般土地,使适于共通计划。

（八）各人对于劳动有平等的义务;设立产业(尤其是农业)军。

（九）联络农业及制造工业;平均分配全国的人口,渐次废掉都会和地方的差别。

（十）设立公立学校,对于一切儿童施以免费的教育。废止现行儿童的工场劳动。联络教育和产业的生产,等等。

以上十项政策,据马克思说,只有当时最进步的各国所能采用的,而且只有最进步各国无产阶级执政时所能采用的。若据我们用现在的眼光看起来,其中有些是社会政策,早已被现今各个资本主义国家采用了,而且实现了。但在当时,这些政策必须在无产阶级执政的国家才能实现,可知政策的决定,必须根据当时产业的状况和文化的程度来决定的了。所以马克思在《共产党宣言》发表之后的 25 年(即 1872 年)和恩格斯共著《共产党宣言》的序文里说:

> 过去的 25 年间,事情已是大变了,但这宣言上所开示的一般原理,在大体上还是十分正确的。……至于这个原理的应用,无论何时何地,都依照现存的各种历史的事情而定,那第二节末了所提出的各种革命的方策,完全不足注重了。那里所说的在现在已有许多不对了。按照过去 25 年大工业伟大的发展,以及进步的无产阶级的政党组织,更按照二月革命和巴黎共产团——无产阶级开始执政两月——实际的经验,这个宣言,现在已是陈腐了。

由这几句话看来,可知马克思若在 1872 年时替各个进步国家的无产阶级决定政策,一定比 1848 年时所决定的要进步多了。所以他在 1875 年所著的《哥达纲领批评》上指摘德国劳动党所要求的各项是不彻底的。譬如《哥达纲领》关于"免费教育"及"单一的累进税"的要求,本来是和《共产党宣言》所要求的差不多相同,但28年以后的经济的发展和文化的发达,已是大不相同,而且这类政策已被资本主义国家所采用,无产阶级的政党处在进步的境地做退步的要求,当然是不对的,无怪马克思要加以严格地批评了。

列宁分析俄国的经济进化的要素,别为下列五种:

(一)家长的,即程度最幼稚的农民生产;

(二)小规模的商品生产(出售谷物的多数农民亦包含在内);

(三)私的资本主义;

(四)国家资本主义;

(五)社会主义。

按照列宁的分析来分析中国的经济情形,中国的经济社会正是上述(一)、(二)、(三)三种经济的要素混合存在的状况,三种之中可以做代表的当然是私的资本主义。假使中国无产阶级能够掌握政权,当然可以利用政治的权力把私的资本主义促进到国家资本主义去。那么,将来采用的政策当然可以根据国家资本主义的原则来决定了。

现在试本据马克思学说的原则和中国的产业状况及文化程度,拟定几条大纲于下:

(1)不做工者不得吃饭;

(2)平均地权,开辟荒地;

(3)银行国有;

(4)交通及运输机关国有;

(5)对外贸易国有;

(6)大产业国有;

(7)废除一切税厘,征收严重累进率的所得税;

(8)有条件地输入外资;

(9)中学以下实行免费及强迫教育;

(10)立定保工法;

(11)工人及农人的无条件的选举权及被选举权;

(12)妇女在政治上、经济上、社会上一切与男子平等。

以上只是大纲,至于详细项目就不另举了。

本文所要说的都说完了。末了我还要附带声明的,本文是教室内研究的文字,只是陈述我一个人的意见,至于对与不对,还望海内外同志批评、讨论。

1923 年 5 月 13 日

(原载 1923 年 5 月 15 日湖南自修大学校刊《新时代》第 1 卷第 2 号,署名李达)

中国商工阶级应有之觉悟

（1923.7）

一种政治组织是建设在一种适宜的经济组织上面的。这种经济组织若是变动了，那种政治组织也要随着变动。这是历史进化的公例，无论古今中外任何国家都没有一个例外。

中国是个农业国家，自周秦以至清朝末季，可说是长期的纯粹的农业经济时代。和这长期的农业经济组织相适应的政治组织是封建的专制政治。两千多年之间，经济组织上没有发生重大的变化，所以政治组织上虽有转朝易代的波澜，而在实质上也没有发生重大的变化。

在农业经济时代，中国人民在经济上自给自足，并不仰助于外国，也没有发生过什么利权外溢、经济恐慌的问题。自从中英鸦片战争以后，欧美、日本资本主义的帝国主义侵入中国，中国固有的经济组织，于是开始发生变动。从此以后，机械制造的洋货，挟着帝国主义的势力，征服了中国全土，中国的农业经济大受破坏了。

清朝末年，中国有新智识的官绅和富商大贾都知道欧美各国的富强是由于机械工业的发达，于是也提倡采用欧美的新生产方法，实行殖产兴业。其实资本主义的经济组织，它是要按照自己的模型造成全世界的，中国当然也逃不出这个公例。

新工业的开始发达和手工业的日就零落，遂使中国进于产业革命时代。但是中国早已被帝国主义征服了，经济上、政治上早已形成半殖民地的状态，中国的产业革命是不容易进行的，换句话说，中国这般有新智识的官绅和富商大贾所构成的商工阶级处于国际资本阶级的压迫之下，他们所锐意经营的新式工业是很难发达的。所以中国的新工业，在当时竟没有丝毫的进步。

经济组织既由农业而趋向于工业,同时政治组织,也不能不由封建政治而趋向于民主政治。所以数千年因袭而来的专制政治,不能继续下去了。因此民主革命党人便趁机起来代表商工阶级标榜民主主义,来推倒阻碍新工业发达的清朝政府。可惜民主党派没有商工阶级的支持,势力过于薄弱,致使封建余孽连年倡乱,遂以酿成今日武人政治。民国成立以来,武人割据,鱼肉人民,战时抢掠劫夺来平时搜刮剥削,弄得民不堪命,商工业之不能发展本来是自然的现象。

其次,民国继承满清政府积弱之后,国际帝国主义在华之政治的、经济的势力,更是有加无已。单就经济的方面而言,如外人操纵金融、垄断商业、协定关税制度、在华建设工厂之类,处处都获有优先权利,中国幼稚之工商业,岂能与之竞争?其必遭失败,又何待言。中国人如欲发展工商业,首先要排去外力,推倒军阀,这几乎是天经地义了。

最近以来,商工阶级的分子,已经觉悟到这方面来了。去年12月上海总商会曾经发起一个以罢市要求废督裁兵理财的大会,虽然没有实现,但就其动机而言,他们已觉得军阀乱国之足以妨害工商业而要求秩序与和平了。前月北京政变发生,北洋军阀倒行逆施,陷中国于黑暗时代,各政党、各派别对于时局都没有牢不可破的主张,唯有上海总商会能够毅然决然正式反抗北洋军阀,主张召集全国国民大会解决国是,并组织民治委员作为解决国事的机关,这真是中国工商阶级破天荒的壮举,是他们痛感着民主革命的必要的一个表示,很值得我们特别注意的。

我们可以断言,推倒军阀政治完成民主政治以促工商业之发展,确是商工阶级唯一的重要使命。但是这个使命怎样完成,我以为商工阶级的分子应有下列的四个觉悟。

第一,应当与国民党联合。我们知道1789年的法兰西革命是新兴商工阶级因被封建阶级压住了不能自由发展的一个反动。历史教诉我们说,民主革命是商工阶级做主动的。中国的现况正是这样,所以商工阶级分子应当加入国民党,支持民主的革命,因为国民党的确是一个民主的革命党。

第二,应当与工人携手。中国的工人阶级,方处于国际帝国主义和国内军阀政治的两重压迫之下,他们目前急切地要求还是民治政体所应当许可的集会结社等自由，他们现在所极力反对的是外力与军阀。商工阶级分子应除去上年攻击工人反对军阀吴佩孚的罢工举动的偏见，而和他们携手，因为他们在反对军阀这一点，是和商工阶级站在同一战线之上的。

第三，绝对不与任何军阀妥协。我们知道德意志和日本的军阀是最热心地为本国商工阶级谋利益的，所以这两国的商工阶级常和军阀狼狈相依；至于中国的军阀完全是土匪，他们只知掠夺和剥削，无论本国工商业等怎样摧残，他们是毫不觉得痛痒的。直系军阀是这样，奉系军阀、皖系军阀都是一丘之貉，过去的教训已经使我们明白，这是丝毫不错的。军阀是豺虎，豺虎的外貌虽各不同，却是一样的食人兽。商工阶级若与任何军阀妥协，将来绝没有好处。

第四，应当反抗外力。商工阶级只知反抗军阀，不知反抗外力，这是大错。举个简单的例来说，外人何以干涉中国关税自主权而建立协定关税制度呢？关税会因担保关系而必加干涉，何以又干涉税率的改变，这岂不是很明显地要妨碍中国之工商业的发展吗？外人与华人在中国境内同经营一种工业，同建设一种工厂，而外人方面获利很多，这明明是因为外人在国内享有营业上种种优异条件的原故了。以资本雄厚而又享有营业上优异条件的外人而与资本薄弱且在营业上又处于低劣境地的华人竞争，孰胜孰败，不言可知。这样，就使华人能推倒军阀，完成民治，也决不能和国际资本阶级争胜负。一再就政治方面言，外国政府勾结我国军阀，制造并延长内乱，以便行其宰割的阴谋，如往年日本之于段祺瑞，最近美国之于曹锟、吴佩孚，都是很显的实例。外力与军阀既然这样团结不解，反抗军阀而不反抗外力，实是大大的矛盾。商工阶级应当有反抗外力的觉悟，随时纠正国际共管监督财政等宣传作用。

这是商工阶级应有的觉悟。商工阶级必定要这样地从事民主革命，才有能推倒军阀，反抗外力，组成于自身利益的民治政府，才完成自己阶级的使命。

我不是专为商工阶级说法的，只因现在军阀的跋扈和外力的压迫，特草此文促起商工阶级的觉悟，来造成民主革命的联合战线，完成国民的工作。

（原载 1923 年 7 月 15 日湖南自修大学校刊《新时代》第 1 卷第 4 号，署名李达）

旧国会不死　大盗不止

（1923.7）

　　旧国会代表谁？据我看来,他们只能代表军阀的走狗。他们之中固然不少庸中佼佼的分子,但猪仔们占居大多数,凡是通过的议案,都是猪仔们所赞成的,其结果旧国会的全体只能代表军阀的走狗。现在有不少国会议员,因为拆台的缘故,迁到上海集会了。在表面上他们或许名誉要好些,其实与留京议员也没有多大的分别。留京的分子被曹锟所利用,迁沪的分子被卢永祥所利用,同是一样的被军阀利用,也不过是五十步、百步之差。旧国会的命运已延长至十余年之久了,据我们的观察,中国内乱延长多少年,旧国会的生命也要延长多少年。过去袁世凯利用他们做了总统,现在曹锟又要利用他们来做总统,将来卢永祥乃至张作霖也许要利用他们来增高自己的地位的。结果旧国会存在一日,窃国的大盗必继续发生,所以我敢断然说:旧国会不死,大盗不止。

　　（原载1923年7月15日湖南自修大学校刊《新时代》第1卷第4号,署名李达）

脱了牙的狼

（1923.7）

一

　　当世界开辟不久的最古的时候,狼们不知道过成群结队的生活,只是各自独立奋斗,各自寻觅生活的资料。但这种各自独立的生活,不单是不便利,而且很麻烦,所以后来他们就发明了合群的法子,大家结合起来,互相扶助,一致出外猎取食物,一致抵抗外敌的侵略。在他们这一群里,身体强壮的,个个都出外打猎,猎得的食物,都归全体共同分配,所有年老的年幼的以及喂乳的母狼,都可以不出外觅食;而分食公共食物的份子,若是身体强壮而不出外打猎,便视为公敌,把他逐出本群之外。兽类中猛兽固然很多,却都不知道结团体,至今还是孤立着,狼们现在既然有了团结,那向日捕狼而食的老虎们,也就不能不改变他们的食物的种类了。

　　但是不久,这狼群之中,发生了一个不幸的种子。他们的同类之中,出了一个老饕,这个老饕,食量非常之大,可是性情非常之懒。他最恨的是做工,吃起来却可以抵得三五只狼的分量。他在本群之中,成了一个讨厌的东西,他每日只打些不劳多食的歪主意。他想了许久,就想出一个方法来。他想:假使他们同类的那种尖利的牙子,归他自由支配,他便可以自由获得食物了,便可以不做工吃饭了。不错:狼的牙子,的确是猎取食物的工具,是啮裂敌人的武器,若果取得这种工具、这种武器,那么,狼就和羊一样,可以归他自由支配了。

　　老饕每日总呆想取得同类的牙子的计策,简直是废寝忘餐,弄得身体也瘦弱起来,连眼睛也凹进去了。因为老饕欲望虽然很大,却不见得怎样聪明,这个工作,竟超乎他的能力以外。

有一天,他遇着一个狐狸。这狐狸名叫尖嘴,素来有智囊的称号。老饕于是把这种计划同尖嘴商量,尖嘴听了,摇头摆尾,洋洋自得,便对老饕说道:

"老饕先生!这件事我倒有个很好的法子"。

他所说的好法子怎样呢,就是教老饕想法子多造些铁的牙子来替换同类的狼的牙子,因为这铁牙子比狼的牙子还要坚硬些,别的狼必定都喜欢拿自己的牙子来换这铁牙子,而这铁牙子归老饕所有,这样,老饕不是可以自由支配别狼的牙子,可以自由饱食了。这岂不是一个不劳多食的好法子吗?但是这铁的牙子怎样能够制造呢,这却是一件难事了。于是这尖嘴先生就自鸣得意来包办这件事情。尖嘴有一个猴子朋友,他曾被人类捉去养活了若干年,后来逃到山里来,他学习了打铁的工作,所以知道这制造铁牙子。尖嘴于是出了一张"见票发胡桃百个"的期票,交给那猴子,教他打若干支铁牙子给他,那猴子便欣然承诺了这件工作。

二

老饕得到了这些铁牙子之后,最初只是教那些牙痛的老狼们把痛牙拔去来换上铁牙。但这铁牙子做得很合适,换上去恰和生成的一样,而且比自生的牙子还要坚利些。这个新奇事件传到狼们队里的时候,差不多个个都想把牙子拔去来换上铁牙以便猎取别的兽类。他们于是都来恳求老饕,要他发慈悲拯救他们,都替他们把铁牙装上去。这时候老饕便自命为文明的恩人,为天生慈善家,都无条件地把他们的牙子拔去,替他们换上了铁牙。但是老饕要求众狼对他发誓,承认他的命令。第一,他说不要打猎的时候,大家就应该把铁牙取出归还他,因为铁牙是他所有的;第二,除得了他的许可以外,无论那一个狼都不得任意出外打猎;第三,大家猎得的食物,都要拿出十二之一给他,作为年贡。这三件事,众狼都一一答应遵守了。

这群的狼,雄的共有 13 匹,都欣然承认,暂时相安无事的过去了。有一天,尖嘴来到老饕家里索报酬,可是要求过奢,老饕到底办不到,因为老饕所得的只不过是众狼所得的十二分之一。尖嘴就献计老饕提高年贡额为十一分之一。老饕把十二分之一供给尖嘴外,下余的都归他自己所有。但这时候那制造铁牙的猴子也拿起期票来索还胡桃了。老饕倒非常为难起来,四方寻觅,连一个胡桃都不能支付,他左思右想,只好和尖嘴商量,尖嘴便一口应承,他对老饕说:"这事并不要紧,期票是我出的,他问你时,你要他向我交涉好了。"老饕便依他的话告诉猴子,猴子就拿期票去找尖嘴,尖嘴说:"这期票的确是我出的,可是那个银行现在已经倒闭了。"那猴子说:"已经倒闭了吗? 胡桃一个都没有么?"尖嘴很抱歉的答道:"是的!"尖嘴四处搜索,只搜得一个干胡桃给那猴子,那猴子没法,只好自认晦气走了。

自此以后,铁牙的名誉大好,别地方的狼,听了这个消息都来加入了这个团体。老饕便把胡桃的数目加倍起来,请那猴子替他加造铁牙。那猴子本来是健忘的,如今受了甘言的诱骗,又替老饕造了许多铁牙。于是狼的数目增加到 20 匹,老饕便得了加倍的贡物,同类之中就发出不平的声浪来了。军师尖嘴先生便替老饕请了一名哲学家枭先生来解释众狼的误会。枭先生于是高谈起哲理来,他说:"众狼若不向老饕领用铁牙便不能生存,老饕不向众狼征收年贡也不能生存,双方利害,完全一致,老饕和众狼可说是情同父子,老饕的利益就是众狼的利益。"天真浪漫的众狼们,他们忽然听得枭哲学家这种艰深的哲理,就以为这是天经地义,便也害羞地不鸣什么不平了。

三

到了老饕的儿子的时代,事事都大进步了。老饕的儿子名叫玲珑,他比他的父亲聪明多了,他虽然也是讲利己主义,却不露丝毫形迹。玲珑雇用野狗做警察,聘请野猫做侦探,若是稍有不利于自己的事情,便可以指名逮捕那一个狼来处置他。他又聘用鹦鹉替他办报,又雇佣乌鸦的经济学者编制种种细密的统计,说明世界上所有的狼,只要自己做工就不至没有吃,贫穷便是懒惰者的刑罚。玲珑于是渐渐增加年贡额,众狼所猎的食物要把九成纳给他,他们自己只能分受一成了。

这样一来,众狼们虽说是驯良,却因不能挨饿的缘故,不期然而然地同盟罢工起来了。玲珑趁着这个时候,急命枭先生对众狼说些"俭约"、"安分"的美德的话来劝慰他们,又贿托鹦鹉先生宣传他自己的德政,譬如:"褒奖孝子","旌恤103岁的老狼","捐赠养老捐款","练办警察","建造监狱"以及许多施恩于穷狼的善事等等,几乎连日都登满了新闻的篇幅。

然而这个同盟罢工却不是那样容易镇压下来的,后来玲珑又教尖嘴的高足弟子,装作穷狼的样子,跪向贫穷街上去。这个狐口才非常好,他在几百匹狼的面前,大大地发挥热辩,手舞足蹈,涕泪交流,拼命地讲演了一番,凡是听了这种演说的狼,无论怎样顽固、怎样瘦弱,没有不相信他是真的志士仁人的。

这狐取得众狼的信用以后,便很悲壮的对众狼说道:"诸君!我若不完成我的使命,今生誓不与诸君相见!"于是他带领众狼的代表二三十匹到玲珑的城内去了。

这个消息被野猫探得了,就飞报豺的军队,那豺的军队就在路上埋伏,等那些代表到来便一齐跑出把那些强硬的代表咬死了,把那些怯弱的吓走了。这时候,那个口才很好的狐,便带了一车满载着玲珑吃剩的猫头鼠尾,意气扬扬地回到了那些穷狼的队伍中去了。他对众狼说:玲珑对于穷狼很表同情,众狼的不幸玲珑就认为是自己的不幸,说得天花乱坠,好像真有其事。他来了便把带来的一车猫头鼠尾散给众狼吃。众狼本来是饿了许久的,现在又承这个有口才的狐的厚意,不得已只好把这些剩余物分吃了。野猫的侦探、豺和野狗的凶暴,众狼已经领过教的,还敢反抗吗?这同盟罢工便暂告镇定了。

四

玲珑对于经商营利,最是奸巧利滑,此外一点智识也没有,简直是目不识丁的、粗鄙野蛮的东西。玲珑买贱卖贵,操奇计赢,有时想买北极的熊皮,便把牛皮当作熊皮收买了;有时把世界的无益的贝壳和破石片当作宝玉收买了来取媚贵族的雌狼;有时将五色版的广告买来,当作古代大家的名画。而且自鸣得意,以为这是世界稀有的贵物,招请狐,枭,豺等一流兽物,大开其宴会。他所有的是众狼日夜辛苦猎得的东西,任凭怎样浪用,都是用不尽的。后来,金库贮满了金银,粮仓贮满了兽肉,简直连收藏金银食物的地方都没有了。这时候,玲珑非常满足,便下了一道命令,教众狼暂时停止打猎。众狼得了这个消息,觉得挨饿的日子又到了,不平的声浪又鼓噪起来,大家就集会来商量对付的法子。

众狼这个会是在玲珑的城内一间密室里开的。事前玲珑也和老饕商量过，老饕是个毫无智识的人，除了饱食以外，什么都不知道，他对玲珑说："这有什么要紧，众狼没有吃，我们多多赏赐他们一点就好了。"但是玲珑却以为这个办法最是危险，认为他的父亲已是老饕无能，以后再也不使他参加任何会议。

玲珑所召集开会的，无非是狐、枭、猴、豺等一流兽物，大家对于这个风潮，都没有什么计策。最后还是亏了那位智囊尖嘴先生想了一个主意出来。他说：消弭内乱的方法，只有制造对外的战争。第一便是挑拨临近两个狼群，使他们两不相容，互相战斗起来；其次，假使第一步做不到，便与邻近的一群挑衅，惹起国际战争。这样一来，本群的众狼，自然忘掉了不平的心思，而且战事发生的时候，邻国必须用本国货物，工作也会增加起来。这是尖嘴的计划。鹦鹉主笔听了，觉得这事很可以增加新闻的材料，大大地表示赞成。枭先生也承认这是很好的机会，可以向穷狼们鼓吹爱国的热诚，消除不平的误会，也表示赞成了。最后玲珑也想到战争的时候，做国王的威风凛凛地出巡，何等堂皇冠冕，便也大表赞成了。

尖嘴最初实行第一步的办法，派他的高足弟子到外国去，很巧妙地挑拨临近两个狼群的恶感，酿起利害的冲突，煽动敌忾的心理，使他们互相对敌起来。果然不久，这两个狼群宣起战来了。玲珑乘着这个机会，向两国都表示好意，都供给他们些兵粮、武器，粗制滥造，货劣价高，自然大发其财。众狼也在这时候，替邻近两国运粮运械，忙过不了，才勉强的把那饥恶的心理消了下来，也都非常满意，也觉得战争是件很好的玩意儿。

五

邻近两国的战争完了，那战胜了的一群甚是威武异常，也就渐渐地向玲珑的国里扩张起殖民地的范围来了。但是玲珑的一群终比不上邻群的狼数之多，只好忍耐些罢了。于是鹦鹉主笔和尖嘴军师，就大借事故捏造消息来煽动众狼的敌忾心，使他们忘却对于玲珑的仇恨。玲珑也借着这个机会敛财，说军备不能不增加,要塞不能不坚固,所以不能不增加税额来充军费。众狼本来不知道玲珑所过的奢侈生活,例如玲珑为了建筑别墅、台榭、跳舞场,以及购置贵重古董和娇美的婢妾之类,已花费了无尽金钱,而众狼却是不知道的。他们只以为这次增加的税额是的确用来巩固国防的,他们以为鹦鹉主笔和枭哲学家所说的卧薪尝胆就是指着这事说的,所以只好忍着痛苦听玲珑剥削而去。

这个时候,他们的邻群忽然起了一个大内乱。因为邻群之中也出了一个和老饕玲珑一样的不劳而食的古怪狼,现在被一般青年狼打倒了。先是古怪狼曾经招集了一类蠢狼做死党,和一般青年狼作对,正在对敌的时候,玲珑听了尖嘴的话,兴动干戈来干涉邻群的内乱,果然玲珑的军队得胜了。结局,玲珑的领地,较以前增大了一倍。

邻群战败以后,那古怪狼便被部下所弃,而且被他们咬死了。邻群的一般青年狼就开会讨论公共生活的纪律,决定除了老狼、幼狼及乳狼以外,所有强壮的狼个个都要出外打猎过活。这个纪律议决后即宣布实行,从此再没有被别狼剥削的事发生了。

但是战胜了的玲珑的一群却不是这样。玲珑因此增收了不少的年贡,狐、猴、鹦鹉等,因为承办兵粮器械,也加增了许多利益,豺军的首领也得了许多勋章和宝星。只有穷狼们不但为战争牺牲了性命,咬断了手足,而且因为领土的加倍大扩,反加增了四五倍看守的责任,战争虽说是得了胜利,而在他们却增了许多的不幸。然而他们读了鹦鹉主笔有益的新闻,听了枭先生高尚的哲理,只好忍气吞声地做工,而且怕把这些苦痛提起。他们觉得玲珑的繁荣就是他们的繁荣,玲珑的富贵便是他们的富贵,所以他们虽然饿得要死,还在那里祝国威的发扬。

六

这时候,老饕已是太上狼王,只因吃得过多,肚子胀得要破了,他恰像一个大饭桶,一点也不能行动了;他神魂颠倒,又像一个呆物,眼睛起了白翳,嘴唇只是张开着,看起来正是一个六根不全的钝货。但是他的欲望越发的增大,年纪已是老耄,猜疑心也便增加起来。他很眈心着他的吃用不尽的鹿肉和兔肉,恐被他人盗去了,他整日地坐卧不安,弄得头脑愈钝,身体更弱了。他的病的眼光,没有一刻不提防着他的功臣尖嘴。他只是猜疑着他的鹿肉和猪肉怎么会不见了。他于是在其一晚上把他的仓库的秘密进口的地方张起了一张网。有一天早晨这张网上竟留下一条白毛的狐尾,这个无疑,当然是那元老尖嘴的尾子了。

后来不久,老饕因为吃得太多弄坏了身体,尖嘴因为尾断受伤害了病,两个都接连地死去了。别的兽听了他俩的死耗。没有一个不作出严肃的悲悼的样子来。尤其枭哲学家最富感情,替他俩做了一部歌功颂德的大书,鹦鹉主笔也搜集他俩的逸话,载满了新闻的篇幅。

七

众狼们因为战胜的祝贺,因为老饕和尖嘴的葬仪,暂时忘却了的不平的念头,可是到现在仍旧伸展起来不可遏止了。无论玲珑怎样调动豺军向他们示威,无论鹦鹉主笔和枭哲学家怎样宣传高尚的哲理,无论乌鸦经济学者怎样搜集十年前、二十年前本群全体的收入来编造细密的统计,可是他们饿凹了的肚子,依旧没有医治的法子。所以众狼们议论纷纷,又起了不平的声浪,出现不安的形势。

玲珑为了这件事在岩洞里又召集了御前会议。列席的尖嘴的弟子们,也和尖嘴一样的有才智,他们认定这一回再也用不着挑起对外战争,消弭内乱的老法子了。他们定下计策教鹦鹉主笔在报上宣传,说穷狼所以挨饿是因为缺乏政治思想的原故,假使大家都热心政治,组织政党,制出好的法律,那么,无论什么幸福都可以享受了。

众狼们从报上得了这点智识,便立时如法炮制来组织政党。但鹦鹉主笔又说,政党应该要有两个对抗才行,一个在朝,一个在野,这样,政治便有清明之望了。正直的众狼们果然遵命组织了两个政党。他们于是喜笑颜开,以为国中有了两个政党,从此可以不挨饿了。众狼们本来非常忠厚,工作很忙,又没有受过教育,那能知道世事,只要有新闻为他们褒奖,便觉得自己是个伟人了。他们甚至忘却了一般豺、狐、枭、乌鸦、野狗是他们的敌人,反因为是同志的关系,选举他们做议员。狐、豹、枭等因为有玲珑替他出选举运动费,所以个个都能当选,穷狼们连候补者的希望都是没有的。

这般当选的议员,在最初运动选举的时候,到处演说,发表政见,说他们如何与穷狼表同情,假使他们当选,必定要为穷狼们谋福利。哪晓得他们当选以后,便大变其态度,不仅不为穷狼们谋利益,反替玲珑增加了不少的年贡,来分得余润。两个政党之间,争权夺利,丑态百出,他们还借口正义人道,说要谋国利民福呢。

八

这样下去,众狼们又逢着不幸了。玲珑的仓库早又贮满了金银兽肉,又下了命令,收回铁牙,停止打猎了。这个消息传出,众狼们又鼓噪起来,哭的哭,嚷的嚷,无论老的、少的、瘦的、病的都一齐围着这个牌示叫骂不休。老而无用的说这是天意,玲珑这般人这样倒行逆施,将来必遭天谴,只好拭目等待罢,但是少壮有精神的狼们却是不肯罢休。

一个瘦狼,张开了他的凹进去的眼睛,放出闪闪的光芒对众狼说道:"山林之中,兽类不少,只要我们出猎,总是容易猎到手的,玲珑他们自己若是不要,就不必抽税,我们打猎自食,难道也不可以吗?"大家听了,都觉得这个话很对,都要拥进玲珑的城内去。

于是狐、枭、乌鸦师弟等都跑到群众之中,站在空箱子的演台上演起说来。枭哲学家说:当铁牙子的所有者得不到利益的时候,众狼若是任意出外打猎,便是犯下了十恶不赦,天人共弃的大罪,违背了玲珑国内固有的美风。狐先生讲演勤勉节约的道德,乌鸦学者讲演做工不穷的公理。个个演说家都尽量发挥意见,末了教众狼顺从天意,不要说天意的不好。

内中还有一个最近从外国读书回来的留学生,他是有名的新思想家,做了《民治新闻》主笔的一个鹦鹉,他的议论新奇,他说:

"诸君!现今是立宪政治的世界,一切都与古代不同。现在有议会,有政党,有宪法保障言论集会的自由。诸君对于政府的施设若有不平,尽可诉诸言论机关,诉诸议会,诉诸政党,以立宪的手段,堂堂正正地发表自己的意见。希望诸事,千万不要轻举妄动,从始至终都要保持绅士的态度……"

这方面虽然打着文明的国民腔,别方面狞猛豺的军队,却依了野猫的私密报告就自由行动起来。他们是勇敢的军人,和穷狼说什么"言论机关、议会、政党",说什么"立宪的"、"绅士的"的话,他们是丝毫不加考虑的。他们一声步哨,便蜂拥到群众中间,把众狼们驱散了,强硬的被咬伤了,老弱的被打坏了。

次日的新闻大登特登这个消息,鹦鹉主笔运用利害的笔锋,说昨天的暴动似乎是不依"立宪手段"的众狼们酿成的,其责任并不在豺的军队。而且作了悲歌慷慨的时评,下些什么"非立宪的"、"轻举妄动"的断语。

九

当着这个暴动发生的时候,忽然从外国混进来了一个青年狼。这青年狼是革命的邻群之中的一个健将,先年和一般志士杀了古怪狼,建设了自由制度的。他的额角上有一个大疤痕,是在和古怪狼军队打战的时候被咬破的。他的眼睛锐利、目珠发光、牙子雪白,一见就知道他是一个革命英雄。他的名字叫作健脚,他对人说的总是平常的道理,明白透澈,并不像枭哲学家乌鸦学者所说的那样高深难懂,无论老幼妇女,都听得明白、感动。他最初到这里来的时候,听众狼所说的本国政治昏暴的事情,都以为非常奇怪,不能相信,后来仔细考察一番,才知道众狼所诉的苦情,件件都是真的。他的眼睛越发显出神光,用很严肃的态度对众狼说道:

"诸君!若是你们没有主张自身的权利的勇气,那么,你们饿死了,都是自作自受呵!"

众狼们听了,都是互相呆看着。其中有个年长的狼叹了一口气说道:

"但是,你们年青的可以这样说,至于我是没有牙子的,我若是有牙子,我又弱于谁呢?"

"为什么不把牙子取回来?牙子原来是自己的,难道就被别个夺了去,就永远不夺了回来么?"

"话虽这样说,一旦变了他人的东西,若要勉强取回来,就与偷窃无异了"

"你老这样说,那么,你把被人夺去的东西取回来,不比杀人好些么?"

"杀人? 你说哪里话。"

"是的呀! 杀人是丑事呀! 但是诸君如今饿到要死的地步,诸君用这样无情挨饿的武器自杀,而且杀了你们自己的妻子儿女,杀了你们的同类了! 这样悲惨的杀人也可以做吗? 与其这样,不如去把牙子夺了回来,横竖是个死!"

说到这里,有一个少年狼站起来大叫到:"既然是要死的,什么事也可以干。我们横竖是死的! 去罢! 诸君!"

众狼们虽说是已瘦了、弱了,勇气却是有的。于是大家集合起来,由健脚带领敢死队冲锋,长驱直入地向玲珑的岩洞走去。鹦鹉主笔于是大发其号外,说玲珑听了这个消息,已答应从次日起恢复打猎的工作。

众狼们不由分说,齐声叫道:"我们不是因为想做工才这样的,我们是要牙子,还我们牙子来!"接连鹦鹉又发出第二个号外,说玲珑的心像海一样宽大,以后穷狼猎得的食物,只收半税,本届议会已经把这案列入议事日程了。穷狼们并不改变激烈的态度,都说道:"现在已来不及了,若要这样干,以前为什么不干呢,现在不行了。我们要牙子,还我们牙子来!"

狼军和豺军在玲珑的城外发生了剧烈的冲突,健脚勇猛地作战,弄瞎了一只眼睛,弄破了一个耳朵,后脚也被打断了,此外没有牙子的狼军之中,被野狗和豺的军队杀伤了的甚是不少。但是狼军的勇气百倍,连妇人小儿,也都个个勇猛刚强,向前突进,那般被金钱雇用的豺狗们,那个能怎样出死力和狼军作战呢? 所以豺军阵乱的时候,瘦狼游击队猛然从深山中把那藏着的牙子运了出来了。别支的狼军也把兵粮的仓库打开,夺回他们以前猎得而被玲珑夺去的兽肉。于是野狗和豺也都逃开了,狐、枭一类东西,也降的降了,逃的逃了。玲珑也自杀了。

众狼们仍然照父母的时代团结起来,过那公共的快乐生活了。好呀!

(原载 1923 年 7 月 15 日湖南自修大学校刊《新时代》第 1 卷第 4 号,署名李达译述)

社会主义与江亢虎

（1923.8）

一

　　现任湖南教育司长李剑农君前次对本省教职员代表说，此次省政府主办的暑期学校是为了请江亢虎君到湘讲演社会主义来纠正本省青年对于社会主义的谬误观念而设的。前月暑期学校开学的时候，听说该校的办事人及其有关系的人员演说，大致也都注重这一点，也都特别地介绍江亢虎君，暗示暑期学校的目的在于讲演社会主义，借以促进该校学生的注意。

　　社会主义是反动派的人所视为洪水猛兽而不愿提起的，此次教育当局竟延聘社会主义大家江亢虎君来讲演新社会主义，可说是省政府对于社会学说的解放，也可说是自治省份的一个好现象。我们研究社会主义的人逢着这个机会，那得不大谈而特谈呢！？

　　江君并不仅是空谈的社会主义家，而且是个实行家，他在民国元年曾经组织了号称四五十万人的社会党，这事想大家都是知道的。然而江君所宣传的社会主义的内容怎样，在以前我没有领教过；江君所号召的社会党的组织怎样，我也并没有研究过。我只听得有人告诉我，说江君以前所提倡的社会主义并不是社会主义，实是温情主义；江君所号召的社会党人，并不是真的社会主义者，乃是一班不懂社会主义的人（江君在山西大学讲演也承认了）。我得了这个印象，以后就不十分注意这事了。

　　最近一两年来，江君又在国内打起社会主义者招牌来了，我们在报纸上时常看见江君赴各地讲演的消息，不是某督军欢迎他，便是某省长优待他。我心里很怀疑，江君既是个社会主义家，何以能受军阀官僚的欢迎和优待？这固然是江君的运气大佳,但在我们却减了对于江君的估价。有许多报纸上虽也常常载着江君的演稿,譬如江君的"新民主主义"、"新社会主义"之类,题目的新鲜固然刺激了我们的眼帘,却因了时间的忙迫,总没有工夫继续看下去,所以我以前对于江君的学说,是没有一点研究的。

最近江君竟应本省之聘,光降到湖南来讲演了,我和江君虽未谋面,但彼此都是研究社会主义的同志,现在又是同住在一个省城之内的,那能不特别注意呢?而且暑期学校学生,多数是外县的教员,对于地方教育都负有重大责任,江君的讲演,对于他们是有影响的,这样,我更不能不注意江君的讲演的内容了。所以我特意购阅一份《暑期学校日刊》和江君的《新俄游记》及《讲演录》,把他所发表的学说切实研究一下。

这几天来,江君的学说,大略都领教过了。于是把我研究所得的结果总括起来,对于江君下了下列两个考语:

第一,江君虽然号称社会主义大家,对于社会主义原来没有多大研究;

第二,江君虽然到过俄国,对于俄国的社会革命原来没有丝毫了解。

因为江君不[懂]①社会主义偏要制造社会主义来欺世盗名,谬种流传,遗害决非浅鲜,我们为忠实真理起见,不能不加以纠正。

因为江君不了解俄国社会革命,偏要引用资本家攻讦劳农俄国的话来到处宣传,借以增添自己和军阀官僚接近的机会,我们为分别真伪起见,也不能不加以辩白。

因为这两点,我所以特意写出这篇文字,公开于江君的听众之前。

二

据暑期学校演讲的笔记看来,江君已经把自己的历史告诉我们了。他说:

> 有人挖苦我,或者是恭维我,说:"你的社会主义是不三不四、不新不旧的江亢虎的社会主义。"这话的确是不错的。

---

① 原文此处为空白,括号内文字系编者所加。——编者注

以前讲社会主义怕人反对,现在却怕人不反对。第一怕人人称许社会主义,而不明了社会主义的内容。第二怕有许多知道一点社会主义,口头也赞成,拿着社会主义的名义号召,别含作用。

我昨天所说的对大家不起的话,就是我所主张的社会主义,自己奔走二十余年,至今还没有一点效果。

江君说这话,真有自知之明,我们也不须算老账了。这是我要批评的只是江君的新社会主义和新民主主义。

因为江君去年所发表的回国宣言,已说明他的新民主主义和新社会主义是改革中国政体和经济制度的唯一法门,我们只好把这两个主义作批评的对象。

大凡提倡导一种主义必有理论的根据,和实行的方法,和具体的主张。譬如提倡吃饭主义,必须说明为什么要吃饭的理由,和怎样才能得饭吃的方法,和要吃什么样的饭。马克思提倡社会主义首先根据他的唯史观学说,说明社会革命的发生及其经过;根据他的剩余价值学说,说明资本主义的发展及其崩坏;根据他的阶级斗争学说,说明无产阶级推倒资本阶级的方法及其手段。他同时联络共产主义分子组织共产党领导无产阶级向资本阶级作战,并主张无产阶级专政来没收资本阶级的资本归劳动者国家掌握以及革命以后发展产业的步骤。这样才够得上提倡社会主义。江君并不是空谈社会主义,而且是实行社会主义的人。真社会主义者决不隐蔽他自己的目的和政见,江君的新社会主义所列举三事为"资产公有",为"劳动报酬",为"教养普及",这三点只是一个主张,至于实行的方法和手段他却不肯说出,不知是何缘故? 内容这样贫弱空泛,还够得上说是什么新社会主义吗?

大家都知道,社会主义是从资本主义的工业产生出来的,资本主义工业将来必定普遍到全世界,同时社会主义也必定征服全世界。资本主义在中国必有发达之一日,社会主义在中国亦必有实现之一日,中国将来迟早必有社会革命,任何人都不能否认。但是这种说明,社会主义者必不满足。我们若对于中国社会革命作理论的说明,必须根据中国现时的经济的、政治的状态,详加分析。我们的考察是:中国数千年来的农业经济组织,自从鸦片战争以后,被欧

136

美日本资本主义破坏了,手工业的生产品被资本主义的商品打倒了。国家愈趋于贫弱,强邻更肆其侵略,条约的束缚,利权的断送,竟使中国形成了半殖民地的状态。中国在经济上现在正是产业革命时代,外则受列强政治的压迫、经济的侵略;内则受本国武人政治的摧残、经济的掠夺。

统一和平是发展实业的两个要件,如今因为国际帝国主义的国家勾结本军阀制造并延长本国的内乱,统一与和平永不可期,发展实业的两个要件完全没有。所以社会主义者们处在这个政治的、经济的状态之下要想达到社会革命的目的,首先要组织群众竭力打倒国际帝国主义,推倒国内军阀政治,建设统一与和平,使实业有发展之可能。这样,无产阶级方能发生成长,方能促速这社会革命之时机。我们要说明中国社会革命的理由,必须这样说明,方有牢不可破的根据。江君的回国宣言上只是说:"回顾吾国,蜩螗羹沸,乱象环生,社会革命殆得不免"。社会革命的理由,竟是这样轻轻地提起,我实在不大明白,那"社会革命"四字,换作"民主革命"难道就说不过去么?

社会革命是无产阶级来干的,社会革命以后是无产阶级专政的,这点并不曾提起,竟骤然提出社会革命以后三个政纲来,难道社会自身能来革命吗?试问这三个政纲是由无产阶级来实行呢?还是由劳资两阶级合作?依据江君的说明,江君在经济制度上主张实行新社会主义,在政治上主张实行全民政治的变相的新民主主义。这样,江君在社会革命后是不赞成无产阶级专政而主张全民政治的了。这真是大大的笑话!说到这里,我不能不转过去批评他的新民主主义。

历史的教训告诉我们说:"国家是一阶级压迫他阶级的机关,是阶级冲突不可调和的结果",所以在资本主义的经济组织里,资本阶级做国家的主体,所谓民主主义,毕竟是资本阶级的民主主义。在社会主义的经济组织里,无产阶级做国家的主体,所谓劳工专政,其实是无产阶级的民主主义。政体是适应经济组织而定的。资本阶级的民主主义和无产阶级的民主主义之间,并没有第三者的存在。现在英、美、法、德等资本主义国家,都实行普通选举,都标榜着普遍的民主主义,所谓无性别、无家教别、无国民性别的市民平等,都是资本阶级民主主义往往约定要实现的,到底能够实现吗?江君的新民主主义,窃取苏维埃制度的形式,却加上了地主资本家的两个要素在内,既不是第三阶级

（资本阶级）的民主主义，也不是第四阶级（无产阶级）的民主主义，这真是"不三不四"的民主主义了。据江君的说明，新民主主义是适应新社会主义制定出来的，这明明是社会革命以后的政治组织了。我们姑且假定江君所期望的社会革命在近的将来能够在中国实现，那么，在革命以后，革命党必须召集资本家和地主的阶级来共同组织全民政治的政府了，以这样的政府来实行新社会主义上所标举的三个政纲，果然是可能的么？这里，我们首先要研究这种政治组织是什么？其次再研究实行那三个政纲的可能不可能？综合新民主主义的"选民参政"与"职业代议"一条观察起来，必须有职业而又有普通法政知识的人才有选民的希望，单有职业有国民小学智识而无普通法政智识的人，仍不能为选民，虽美其名为职业代议，而实则为知识阶级代议而已。就现在的中国（近的将来的中国也相差不远）而论，有经常收入而又有普通法政智识的人，决不是工人和兵士小农阶级占多数，必是旧来的资产阶级小资产阶级大农中农和官吏占多数，这样组织的国家当然是旧来的资产阶级小资产阶级大农中农占势力。试问以前这种国家，能够实行新社会主义么？这种有金钱、有智识分子散布全国，随时著书办报鼓吹资本阶级的思想和主义，来欺骗民众，并利用势力企图反革命，转眼就会恢复旧的时代去了。江君或者要说，这是过渡时代不能免的现象，将来教育普及，无产阶级和农民方面必占势力。但是第一次组织的新政府和第一步已经行不通了，奈何？据我看来，要实行新社会主义，必须由社会革命党，励行无产阶级专政把资本阶级、小资产阶级根本打倒才行。江君的新民主主义的政体与新社会主义的经济制度实在是十二分矛盾，至于新民主主义能实行于社会革命以前的资本主义的经济制度与否，不在本文范围之内，这里也不多说了。

现在再回转来讨论新社会主义的三个政纲的能否实行。据江君说明资产公有的一条云："产者、天产、土地、产物、森林皆是；资者资本、金钱、机器、商品凡用以生利者皆是。公有者，区分资产之品类与性质，若者应为国有、省有、县有、市有、村有，总之以地方居民全体代表人或会社之所有权，其施行时，可发行债票，分期还本而不给利。"资产公有，是社会主义者普通的主张，由国家发债票收买小资产为国有，是江君独有的主张，社会主义上所以加一"新"字，大概是在这一点了。但是国家发债票收买私人资产一事，果能实行么？据江君对于"资产"二字的解释，凡属私人所有之土地、矿物、森林、金钱、机器、商品等可用以生利之物，都是资产，都要收为国有。照这样解释起来，资本阶级、小资本阶级的资产，大地主、中农的田地固不待言，即属手工业的工具、小商家的商品、小农的田地都要收归国有了。中国是个农业国家，农民占居十分之七八，而农民之中居多数，小农大概都有几亩薄田，即佃户之中亦多有置田产的，纯粹的佃户为数颇少，我们住在乡村的人，大概都晓得这是不错的。其次再说到都会，都会之中的居民不过占全国人数十分之二三，工人及店伙虽居多数，而与乡村的纯粹佃户及雇工合计起来，也不过占全国人口总数十分之四五。这里虽然没有精密的统计，但据江君的解释计算起来，有资产的人比无资产的人究竟要占多数（佃户无论怎样穷而多数总有一二亩生利的土地，工役无论怎样穷多数总少许放债生利的金钱，依江君所说，此项金钱土地都要用债票收买的）。以有资产的人占特殊势力的新民主主义政府而强制实行收买占多数的有资产的人的资产，岂不是与虎谋皮。资产是有资产者自由竞争的武器，也和军阀所有的枪械是一样，假使有人提倡由国家发行债票收买军阀的枪械，这是可能的吗？

说到这里，或者有人要反问我们说："有资产者既占居多数，那么，社会主义者要想以少数无产者实行社会革命，压倒多数有产者不是也不可能吗？"我的答案与江君的主张相反，社会主义者的主张是要谋无产阶级与农民的联合，造成一个大多数，来企图社会革命。即使革命能够实现，也只是收没那极小数大资本家的资本和大地主的土地，对于小资产阶级的资产，在过渡的时期内不特不收没而且许其发展的，只是无产阶级与农民的国家，制定保护工人的法律，保障他们的生存权和劳动权而已。马克思派社会主义是这样的主张，在实行上并不会发生阻力。关于这一层往下再说罢。

现在我们再让一百步，丢开理论不提，而假定江君以国家公债收买私人资产一事为可能，有资产者将资产卖给国家，国家支付他们相当的金钱。那么，那班拥有资产最多的人，从公家取得金钱亦最多，资产较少的人所得金钱亦少，无资产的人连一点金钱也得不到。这样，就金钱一点来说，新社会主义的社会岂不是又发生有金钱阶级和无金钱阶级吗？为消灭贫富阶级的区别而举行社会革命的结果，仍然产下新的贫富的阶级，岂不是奇怪现象吗？说到这里,江君必定要说,社会主义实行以后,金钱只能供消费而不能生利,决不会发生障碍。殊不知有金钱的人比无金钱的人在社会上占有优越的地位;他们利用金钱的魔力,垄断一切,取得金钱的地位,占据一切取得势力的机关,结果有金钱的可以做官发财,无金钱的则与此相反。古代诸侯王公的生活穷极奢侈,取之不尽,用之不竭,他们的金钱的来源,并不是开办工厂得来的,乃是因为他们占居特别地位可以予取予求的原故。新社会主义社会中有金钱的人岂不是这样吗? 所以就是抛开理论不说而假定江君的主张能够见诸实行,其结果亦没有丝毫意义。

现在再讨论"劳动报酬"的主张。社会革命以后,对于劳动报酬一层,并不分什么体力和智力的区别,这是根本的原则。但是过渡时代,从来有知识、有技能的分子,自幼染受小资产阶级的思想,或不免有自私自利之心,不肯出力为社会服务,这是应有的现象。无产阶级政府为促进产业的发展起见,对于那特出的个人才能和实行能力当然是默认的。有时认为必要,或许在某一时期内,不得已替这等人设下优异的劳动条件,使他们努力从公。但这是暂时的、权宜的、例外的办法,等到经过了这一个时期以后,这种不平等的办法,必然要取消的。江君故意区别劳心、劳力为两级而认定报酬优劣的等级为经济界的"天则"。这是逐末忘本的主张,其结果必要发生贫富阶级的现象。比方劳力的每月工洋十元,劳心的每月工洋数十元乃至数百元,这样继续下去数十年,社会上有特殊知识技能的人就是有金钱的人,无特殊知识技能的人只能自了生活而成为无金钱的人。这样,势必也要发生前面所说的贫富两阶级,使社会上又产出不安的现象。所以,江君这样认定劳动报酬有差别的原则的主张与用公债收买私人资产的主张均陷于同样的谬误。

至于教养普及一事,无论任何社会主义者都是这样主张的,稍微研究过社会主义的人都想象得到。这个主张是从旧社会主义剽窃得来,不能为江君的社会主义别开"新"面,正如吃饭主义者承认要吃饭一样,没有什么"新"的意义,我们也无须特别考虑。

新社会主义的要点大概都批评过了,现在再补说我的一点感想。

日俄帝制政府为防止人民社会革命的思潮起见,曾经雇用许多御用的大学教授到民间宣传不革命的社会主义,借以缓和劳动阶级仇视资产阶级的心理。世人都说这是官僚的社会主义。

日本帝国政府为镇压社会主义起见,曾经替警察、侦探开办了一个社会主义学校,使他们知道一点社会主义的常识,到民众中间或明或暗地宣传似是而非的社会主义,借以减少人民社会革命的思潮,并侦探社会党人的内幕。世人都说这是走狗的社会主义。

江君的新社会主义,属于何种范畴,请读者自己决定罢。

以下再纠正江君对于俄国革命的谬误的观察。

三

"劳农俄国已经恢复资本主义,承认私有财产制度了!"这是 1921 年春季俄国实行新经济政策以后世界资本阶级的机关报纸最得意的宣传标语。这种宣传的作用,完全是因为要防止世界无产阶级革命的潮流,其意若同:"俄国试行共产主义已经失败,便是你们社会党人的前车之鉴,你们何必再枉费心力呢?"但这种宣传决引不起社会主义者的注意,因为他们是懂得革命以后经济改造的步骤,胸有成竹,对于俄国实行新经济政策一事,并不觉得有什么奇怪,而且因此知道俄国的前途已趋平稳,现在已进到和平的经营产业的时期了。江君自称是社会主义者,又亲身到俄国考察过,应该和资本家报纸作另一样的报告,何以也窃用资本阶级破坏俄国革命的宣传标语,到处攻击俄国呢? 我们看江君的《新俄游记》所载和他在各处对于俄国事情的讲演,竟是千篇一律地宣传"俄国共产主义失败,现在已恢复资本主义和私有财产制度了"。他对于劳农俄国不但和资本家共鸣,采取攻击的态度,而且夹杂着许多意气,对于俄政府所办的许多寻常细事都吹毛求疵、严格批评,说是不合共产主义,我竟不解这位帮助资本家攻击俄的社会主义者江君,究竟是何用意?

我有一个去过俄国的朋友,很知道江君游俄的情形。他说:江君前次到俄国是以徐世昌的顾问兼中华社会党领袖的资格去的,俄国人因为他和徐世昌政府有关系,疑心他是到俄国做侦探,对于他很不信任,自然没有优待他,这是使江君第一扫兴的事情。前年第三国际开第三次大会,江君自充中华社会党代表要求出席，后经中国共产党代表向第三国际揭破，第三国际几乎要把他拘留起来，江君力辩与徐世昌无关系，并托人疏通，第三国际才准他列席，但只有发言权而无决议权，这是使江君第二扫兴的事情。从来俄国白党侵入蒙古，江君请愿俄政府供给军械，组织华侨义勇军，率领入蒙，俄政府以为江君靠不住，没有允许，这是江君第三扫兴的事情。

因为这样，江君对于俄国不胜愤懑，所以回国后大攻击俄国，以泄积愤。这是我的朋友说的，确实与否，我却不知道，而江君在俄未得俄政府优待，确系事实，江君在《新俄游记》上也都自白了。我听人说凡是带有侦探性质赴俄未得俄政府优待的人，一旦离了俄国，便说俄国的坏话，这或者是心理狭隘的人所常有的。江君的攻击俄国是否出于这种心理，我们也不必深究。江君的持论，在了解俄国的人看来只不过付之一笑，但在那班不了解俄国的人，和用怀疑仇恨的眼光观察俄国的人听了，却增加了反对俄国反对社会主义的资料。反对俄国与否，与我们没有丝毫关系，只是江君自命社会主义者而不了解俄国社会革命，因而不懂得社会主义从经济的改造的步骤，反帮助资本阶级无理的攻击俄国，自鸣得意，借以为和军阀官僚往来之便，我们觉得实在是可耻的。

我没有到过俄国，但对于俄国事情却有相当的研究。我平日搜集许多书籍报章上关于俄国事情的记载，综合反对赞成两方面的言论，证以游历俄国的人的实际报告公平研究起来，觉得我所得的结论，与江君所宣传的完全相反。我不敢断言我的研究是绝对的真实，因为江君曾亲身游历俄国。我们的耳闻或不如江君的目睹，但我却很愿意发表我研究的结果，诉诸列位看官公平判断。

这里我要郑重地声明的，"赞成劳农俄国与否，主张中国仿效劳农俄国与否"，与"研究俄国"完全是另一问题，这一点我希望读者们注意。

江君不满意劳农俄国是由于不了解俄国社会革命的原故，江君误解俄国的新经济政策，是由于不懂社会主义的原故，现在我就这点分为两项说明于下。

社会主义的界说是：实行将一切生产机关收归社会公有，共同生产，共同消费。社会革命就是为实现社会主义而行的革命。社会革命的步骤，根据马克思学说分析起来,可以分为三个时期。第一是准备时期:这个时期的工作,就是马克思所说的宣传本党的意见目的和趋向,其次是"组织无产者成为一阶级"。第二是夺取政权时期:这个时期的工作,就是马克思所说的"(一)推翻有产阶级的权力,(二)无产阶级掌握政权"。第三是发展产业时期:这个时期的工作,就是马克思所说的"无产阶级用他的政治优越权,渐次夺取资本阶级的一切资本,将一切生产机关集中在国家的手里,就是集中在组成权力阶级的劳动者的手里,这样做去,那全生产力就可以用最大的速度增加起来了"。这三个时期是社会革命必经的历程,各个时期的久暂,全靠各个社会的现状和产业的程度而定的。而社会革命的本质又可区别为政治和经济的两方面。社会主义政治的革命就是劳动阶级夺取政权的意思;在形式上也和1789年的法国革命商工阶级从封建阶级夺取政权是一样。社会主义经济的革命就是无产阶级夺得政权以后用社会主义的原则发展产业的意思;在形式上也和18世纪到19世纪的英国的产业革命是一样。前者的变化是很急剧的;后者的变化是很迟缓的。这两种性质的革命必须完全成就,社会革命才能实现。

俄国社会革命经过的步骤正是这样,我们可以拿列宁的说明来证实一下。列宁在 *The soviets at work* 一书上说,俄国共产党有三个重大问题。第一问题是在使多数人民相信共产党的纲领和目的的正当。这个问题,他们在"沙"的时代和克伦斯基秉政时代的时期内解决了(即是我前面所说的第一的准备时期,俄国社会革命已经通过了)。第二问题是夺取政权来压制掠夺者的反抗。他们为了这个问题,耗费了不少的精力,他们最初和帝制党战,其次和社会革命党右翼战,经过了若干年月,这个问题也算是告一段落了(即是我前面所说的夺取政权时期,俄国社会革命已经通过了)。

第三问题是俄罗斯产业的组织,这个问题是现在最紧要的问题,虽是粗有端倪,而怎样经营产业,却是今后的中心问题(即是我前面所说的发展产业的时期,俄国社会革命已经踏入了第一步了)。这样看来,俄国的社会革命,只通过了第一、第二的两个时期,现在刚达到第三时期。换句话说,俄国共产党只是夺得了政权,征服了反革命派,至于发展生产力的工作,现在还是正在开始的时候。所以现在的劳农俄国只是达到了社会主义的门墙,还没有走进社会主义的门里去。这一点不但我们这样说，便是列宁自己也都承认的。列宁在他的《农业税的意义》的文里说：

> 仔细研究俄国的经济状况的人，据我想来，决不会有一个人否认那种过渡的性质的。我们树立"社会主义苏维埃共和国"，只是表示我们的决心，要向到社会主义的目标做去而已，并不会把现在的经济秩序，看做是社会主义的经济秩序的。这种事实，我想共产主义者之中，决不会有一个人否认的。

所以社会主义共和国要名实相符，全靠共产党人努力经营产业，方能做到。有些脑筋混沌的略懂社会主义皮毛的人，一听见了俄国社会革命的消息，便发生一种幻想，以为劳农俄国已是社会主义的国家，万民的生活必是非常安乐，如柏拉图的《乌托邦》、富里耶的《理想乡》所描写的一样。他们为了好奇心的驱使，都存在着这种幻想去实地观察劳农俄国，那知身临其地，看了战后经济破坏的形迹，和人民生活的贫窘，便大惊小怪起来，因而怀疑共产主义实行不可能。殊不知他们带了色眼镜的观察，本来大错而特错了。比方我们宣言要将一座旧屋改建一座很精致、很合理想的房子，我们必须首先把旧屋折毁，折毁之后再填平地基，才好兴工建造。别的人听了这个消息，都很快跑来要看我们的新屋，哪知到来一看，见满地都是瓦砾材料，我们自己还正在忙于整理呢！这样，看客扫兴而归，也是当然之理，但是看客也要原谅我们并不是欺骗才好，因为要折毁一座屋宇，固然容易，而修理整顿，填平地基，颇费工夫，以后兴工建筑，还要看我们的人力财力怎样，才能决定落成的时期。我们的改造还在努力之时，外人何能批评，更何能误我们欺骗呢？江君对于俄国的观察是否是这样，希望江君再加考虑，劳农俄国尚未进社会主义之门，那可以说他们已试行共产主义而失败呢？

说到这里，江君或者要说："俄国革命后没收到地主土地分配于人民，复强制征取民间粮食，运到都会，由政府制造而分配于人民，这岂不是实行共产主义吗？后来农民不愿供给食粮，以致怠于耕种，广田就荒，农作物减少，俄政府遂于 1921 年改行新经济政策，恢复自由贸易，承认私有制度，采用资本主义,岂不是放弃共产主义吗?"江君若这样发问,我也承认他不为无因,但实际仍是错误。

（原载 1923 年 8 月 14 日、15 日、16 日、17 日、19 日、21 日长沙《大公报》副刊《现代思想》,署名李达）

中国关税制度论[*]

（1924.10）

---

　　[*] 《中国关税制度论》由日本高柳松一郎著、李达译述，1924 年 10 月商务印书馆将其作为"经济丛书社丛书之五"出版，至 1933 年 3 月共印行 5 版，各版内容相同。——编者注

绪　　论

有四千年之历史,以特别文化夸称东亚之中国,而自 1842 年以来,七十余年间,因战乱频仍之故,国势凌夷,竟益受外力所侵蚀,此诚近世史上一最有兴趣之问题也。此七八十年间,列国在中国获得之利权,如领事裁判权之设定、关税权之束缚、居留地之增加、铁路之敷设、矿山之采掘、租借地之割让、军队之驻屯、邮局电线之延长等等,有为列国所共通者,有为一国所独占者,其种类虽多,性质虽异,然使列国间均受同等之利害,而兴通商贸易以及成为将来中国中心问题之财政有密切关系者,则莫关税问题若。是故中国关税问题,实应特别注目之要件也。

关税权之束缚可分为二:第一为课税权之制限;第二为海关管理权之委任是也。课税权之制限,系根据中外各通商条约上之片务的协定税则而成。此种制限,固不仅限于中国,实为欧美各国与东洋各国缔约之共通规定。譬如日本,当明治三十二年改正条约实行以前,殆与中国受同样之束缚。然关税征收机关之海关而完全委任外人管理,此则中国所独有之特殊国际关系也。中国现行海关制度,系偶尔开端于 60 年前洪杨之乱,至英法联合战争之后,始成为条约上之规定;其后更由关税与外债之担保关系,遂至于使外人掌握海关管理权,故海关在制度上虽为一种行政机关,实不啻一种国际机关也。

以上所述,系关于中国与列国互市以后发生之海关及海关税之制限,但在中国,海关税以外,更有一种内国关税,前世纪中叶以来,因烦琐厘金税之普及,大阻碍通商之自由交通之便利,此研究中国关税制度时所应首先注意之点也。至于关税之意义若何,学者之间向有广义、狭义两说。据狭义说而言,关税仅为一种消费税,系由通过政治的国境之货物征取者也;但依广义说而言,出入国内行政区域之货物,或出入于与他国协定之关税地域之货物所征之税,均应包含于关税之内。予于理论上不仅左袒广义说,且认定论述中国关税制度时,尤以采用广义说为适合于中国实际情形。内地关税,在文明国家,殆已完全废除,而中国则因特殊之政治组织与财政上之必要,至今尚未能实行废止也。

由以上所述,中国现行关税制度,系由内外二重制度而成,即受条约上所制限之外部关税(Aussenzölle)与基于财政上之必要之内部关税(Binnenzölle)并存,此其特质也。此二者一则处于进步的组织之下由外人所统一,实行有规则之课税;一则由一班国内贪官污吏举行不法之征税至今仍未变也。中国关税制度,既有旧制度之弊害,又有新制度之缺点,即谓为世界中最不良之税则,亦不为过。此两种关税,除通商口岸之内部关税有一部分管理权委任于海关外,在行政上虽无何等关系,而由二者在通商贸易上之作用与关税问题之大局观察之,二者实为一体也。盖由外国之地位而论,欲增加进口税,有先废内国关税之必要,然由中国之地位而论,欲废止内国关税,有先增进口税之必要;而内国关税之全废,又必须根本改革中国行政组织与财政制度,此难题也。因此之故,中国关税问题,与有关税主权各文明国家之关税问题,其意义完全不同。故欲从事此项研究,一方面须从条约上所规定之国际关系,下一番外面的观察;同时在他方面,又须从行政上加以内面的观察而后可。

今为研究此种独特无比之关税制度故,特分为下列五编。第一编,由外交与通商关系叙述关税制度之发达;第二编,举出中国关税制度与他国关税制度相异之点,说明其特质;第三编,说明中国海关之国际征税机关之性质及其组织;第四编,更进而详论现行关税制度之内容及其运用;第五编,考察此种特殊关税制度所及于政治、经济、财政各方面之影响。然予于研究上,仍愿置重于外部关税及国际关系,其原因盖不仅因内部关税有不少难由外面窥知之点,且此种内部关税,向无统一之组织,不久亦将随中国之发达,而归于废除者也。

第 一 编

关税制度之沿革

沿革之大势

　　世界中最特别之中国关税制度，与别种外国利权相同，均在于与欧美交通之后而自然产生者也。夫中外国际关系上最有重要意义之事件，盖莫如鸦片战争、英法联合战争及中日战争三者。鸦片战争之结果，缔结南京条约，中国不得已放弃旧日之闭关主义而开放门户；英法联合战争之结果，缔结天津条约，遂确立通商交通之基础；中日战争以后，外则中国积弱真相暴露于列国之前，愈招致外力之侵入，内则清朝之权威失坠，日后拳匪之乱与革命之役，即谓为中日战争间接之结果可也。中国关税制度，亦因此等事变，而日趋发达者也，故予据此见地，将关税制度之沿革，分为四期焉：

　　第一期：无条约时代（自 1516 年葡萄牙人东渡时起至 1842 年《南京条约》为止）；

　　第二期：通商开始时代（自《南京条约》至 1858 年《天津条约》为止）；

　　第三期：海关统一时代（自《天津条约》至 1895 年《中日条约》为止）；

　　第四期：外人管理海关时代（自《中日条约》以至今日）。

　　在第一期内，列国因近代殖民政策发展之结果，均集注目光于东亚，或派遣使节，或遣送商船队，均要求与中国开始通商，中国对此，固持锁国攘夷政策，加以拒绝，将对外贸易限制于广东一港。至第二期，中国因战败之故，不得已开放门户与外国缔约，反被蛮夷之国束缚其关税权。至第三期，因战败之结果，愈不能抵抗外国压迫，遂承认扩张通商地，创设海关制度，并中外交际之平等。至第四期，因中日战争之结果，迫于必要而增加长期外债，以关税供担保，遂使海关制度上发生国际关系；复因拳匪之乱，赔款过多，更加增其对于关税之担保权与管理权；最近又因革命之乱，财政破裂，遂使中国不能履行外债义务，因此列国遂开始行使所有之关税担保权。

第一章　无条约时代

第一节　列国之要求通商

中国关税,与老大之中国同,有长久之历史,但现今此种关税制度,则发生于海通以后。故欲叙述关税制度之发达,须先将中国与欧洲各国之通商关系以及开海禁之始末约略说明之。

欧洲与中国之海路贸易,在古时系由阿拉伯人与波斯人之介绍而行,唐代以后,欧洲人或因传道,或因交易,至中国者不少。[①] 又如《马哥波洛(Marco Polo)旅行记》,亦曾将中国之富庶介绍于欧人,但欧洲各国之群起而注目于中国,则在 15 世纪末新大陆与好望角发现以后,因此时乃各国互争殖民地以谋扩张外国贸易之时代故也。此类强国与旧日朝贡中国之邻近小邦不同,彼等派舰队、遣国使,要求与中国开始通商,故就自信为世界中心、文明渊薮之中国人而言,实全处于被迫而不得不起以解决此新国际问题之境。不幸中国对此问题错做答案,竟遗下许多后日所不能挽救之祸根焉。

[①]　旧世界东部,别部分因山脉高原荒野所隔,交通不便。又对于南方亚细亚,在往昔航海术幼稚时代,交通更为困难,又多危险。故亚细亚因东西而发生两种独立之文化,各成就特殊之发达。只缘人心有强烈之冲动,故因中央亚细亚而发生联络,此即宗数上之热心(中国人之往印度与 Nestorian 教徒之来中国)与获得极东产物——特别为中国绢——之欲望,二者使两部互相联结者也。中国与西洋之陆路交通,远在汉代,即从纪元以前起,经由 Parthia 人而行;至于开海路交通者则为 Syria 人,在纪元 1 世纪之时。当时贸易之主要目的,在于取得中国绢。至于 166 年时曾去 Kattigara(在今之安南或东京地方)之 M.Aurelius Antonims 之使节,果系罗马皇帝所派遣或系 Syria 商人团体所派遣,尚难明了。迨至唐代,中国人往外国者渐多,阿拉伯人又代 Syria 人而起,盛行海路贸易,不仅广东一隅,即宁波、杭州、泉州等处亦均设有市舶司。至 13 世纪元朝时代,海陆交通愈盛,至明代始稍衰减。至 16 世纪,葡萄牙人代阿拉伯人而起,遂以演成东西冲突之活剧(参照 K.Kathgen,Die Entwicklung des Hadels zwischen Europa und China)。

最初至中国者为葡萄牙人,当明武宗时;1516 年,Perestrello 由麻剌加至广东试行探险之航海;次年,Perez Andrade 率一舰队至广东省上川岛(St. John's Island)要求通商,东西接触自此始。葡萄牙人初受中国政府优待,得暂住在东海岸之宁波、泉州、漳州经营盛大之贸易,惟以掠夺横暴之故,致受地方官民迫害,被逐出境;1557 年以后,仅以澳门为根据地保持余势耳。尔后葡国虽曾三派使节赴京,亦仅交换礼物而止。西班牙人之东渡,在占领菲律宾之后,较迟于葡萄牙人者约五十年,即 1575 年时,始遣使来粤要求通商,拒不许。其后该岛与中国之贸易,虽由福建沿岸之华人而行,而马尼拉华侨受虐之事,徒增进华人对欧人之恶感而已。其次荷兰人于 1622 年亦曾从事于广东贸易,因葡人之反对,未遂。寻转至东方,暂占台湾,又为郑成功所逐。故荷兰前后虽曾三派使节进京,其实不过朝贡中国,叩头而已,国交固未成立也。英人东来始于 1637 年,时 Captain Weddell 舰队与虎门炮台交战后即侵入广东,中英之接触,以此为始。东印度公司(East India Company),在南海岸方面受葡人妨害,不能如意开始通商;在东海岸方面,虽得与郑成功之世嗣结成关税协定,[1]然至有清征服台湾之际,贸易中断,遂复折而至粤,至 1684 年,始许其设立 factory。是时英国首派特使 Macartney 于 1793 年抵京,要求二事;[2][3]第一,要求解放广东贸易上之束缚;第二,要求将广东以外之天津、宁波、舟山辟为商埠,但均被拒绝。其结果仅比葡荷两国使节略受较良之待遇而止,仍未达到国

---

[1]　据此时之协定观之,英人有在台湾厦门居住往来之自由,郑王所购货物与进口米,皆免税;此外进口货则于售罄后课值百抽三之关税,出口货无税。(cf. S. W. Williams, *The Middle Kingdom*, II, p. 445, 1914)

[2]　Factory 系代理商(即 factor)在外国贸易地为互谋保护、互谋利益而设之店铺及住居,依地方情形之不同,有时设备城壁或堡垒者。此项 factory,中世纪欧洲各大都市以及亚细亚阿非利加各港皆有之。例如英国东印度商会,自 1602 年,Sumatra 之 Acheen 为始,以后数十年间陆续设置于 Batavia, Surat, Agra, Bnada, Masulipatam, Jacatra, Scende, Hooghly 等地方。其在印度者,后成为取得政治势力之根据地,收效甚大。(cf. Palgrave, *Dictionary of Political Economy*, II, pp. 3-4, 1900)在中国之 factories 亦其一例,但中国官吏势大,外人未能利用之以行其侵略耳。

[3]　东印度商会,不能忍受广东贸易之束缚与关税之诛求,于 1701 年在宁波舟山试行贸易,于 1755 年派店员 Harrison 与 Flint 私卦宁波企图开始通商,亦未成功。1757 年,贸易限于广东之上谕发出后,该商会不服,于 1759 年再派 Flint(洪任辉)于宁波,地方官吏不许交通。彼遂北至天津,谋上书乾隆皇帝。其结果,广东之关税虽暂见轻减,而彼则因犯国禁之罪,被监于澳门附近前山狱舍者约三年,寻被逐于国外。(参见 Sir J. Davis, *The Chinese*, I, p. 57;H. B. Morse, *The International Relations of the Chinese Empire*, p. 107;王之春《中外通商始末记》第五卷,第 7 页)

交通商上之目的也。1816 年英国第二次特使 Amherst 东来，其结果亦同，即皇帝亦不许觐见。此外法、美、瑞典、丹麦、普鲁士、奥大利、秘鲁、墨西哥、智利等国，虽皆随英国之后在粤设立 factory，然均未派国使要求开始国交。

欧洲商人由海路来华者，皆在中国南部，至于俄人之要求通商者，则由北方之陆路而来。俄国自 1567 年以来，曾数派使节至京，中政府因俄国与他国不同，中俄国境交通常起争端，不能漠视，且俄人之性质与亚洲人相似，故中俄两国易于谅解，遂得于 1689 年缔成尼布楚条约，中外缔约自此始。迄后 1727 年俄国复与中国续订恰克图境界条约，辟恰克图、尼布楚两地为商埠，始协定国境贸易无税。① 各海国前后互 3 世纪之久要求于中国而失败者，俄国竟得成功，直可谓为无条约时代之一变例。此种原因，固由俄国外交手段之高，而当时中国之不欢迎海路贸易，亦其一原因也。②

第二节　中国之排外闭关主义

各国既再三要求通商若此，而中国仍固拒不许如故，甚至于 1757 年以后，竟完全坚锁门户，禁止对外通商，仅许于广东澳门两地为制限的贸易而已。此种政策，究根据何种理由，殊难索解。昔在唐宋元明时代，对于四邻诸邦之贸易，从未加以束缚，其对欧美各国商人采取严密闭关政策者，溯决原因，错综纷杂，盖不仅由于清廷之顽迷不悟已也。③④ 今将其理由分为以下三段说明之，

---

① 《恰克图界约》第四条云："按照所议，准其两国通商，既已通商，其人数仍照原定，不得过二百人，每间三年，进京一次，除两国通商外，有因在两国交界处所零星贸易者，在色柵额之恰克图尼布楚之本地方，择好地建房屋情愿前往贸易者，准其贸易。周围墙垣栅子酌量建造，亦毋庸取税，均指令由正道行走，倘或绕道或有往他处贸易者，将其货物入官。"

② 1806 年，俄船两支入广东港贸易时，北京政府即下严命，斥责俄国已有陆路贸易特权，不得均口于海路贸易云。（参见 Morse, *International Relations*, p. 62，及王之春：《中国通商始末记》第六卷，第 7 页）

③ 据《大明会典》所记，朝鲜、暹罗、占城、爪哇、安南等国许期三岁一贡，许琉球两年一贡。又从《明史》（景泰四年条下），日本于永乐初年，定十年一贡，人数 200，船只 200；宣德初年，人数增为 200，又加船三只。其实朝贡即系贸易，其制限固不必切实厉行也。（参见 E. H. Perker, *China: Her History, Diplomacy and Commerce*, p. 41）又关于清季广东之贡国，请参见梁廷楠《粤道贡国说》第一卷。

④ 民国元年 1 月 5 日，南京共和政府以临时总统孙文外交总长伍廷芳名义，通告各国之宣

即第一为政治的理由;第二为经济的理由;第三为社会上的理由是也。

(一)政治的理由。欧美各国船舰之陆续来华,系在 17 世中叶,正值明清易朝之际,清朝向僻处西北陲,急于谋国内之承平,当然不愿于沿海地方惹起对外之交涉。且向与中国交通者,皆为弱小邻邦之商人,或为温良之耶教徒,并无足畏;至于新来蛮夷,类皆红毛白皙,躯干强大,性质狞猛,又多携有精锐武器之军舰,实不易与,中国官吏虽倨傲尊大,不晓世界大势,而对于此类借口通商,而实有侵略野心之人,则固易于窥破也。况当时亦曾得诸传闻,知印度、爪哇、菲律宾等地,已皆为彼等所征服矣。① 加以麻尼拉地方西班牙人有杀戮华人之事,中国沿岸之葡萄牙人、荷兰人又有肆行掠夺之行为,以及明代以来,倭寇又时出没于近海,综合观察,中国为自卫计,固不如实行闭关主义以谋国内安宁保全领土之为愈也。② 其次,中国政治组织,自古以来,中央与地方权限区划不明,如对外交涉等新发生之政务,更无人出而负责,此亦可认为中国所以采取闭关政策之又一理由者也。

(二)经济的理由。中国领土广大,人口众多,为世界各国第一,而物质又

言书中,有攻击满清之语句云:"Prior to the usurpation of the Throne by the Manchus the land was open to foreign intercourse and religious tolerance existed, as is evidenced by the writings of Marco Polo and the inscription on the Nestorian tablet of Sian-fu. Dominated by ignorance and selfishness the Manchus closed the land to the outer world and plunged the Chinese people into a state of benighted mentality calculated to operate inversely their natural talents and capabilities, thus committing a crime against humanity and the civilised nations almost impossible of expiation." (J. O. P. Bland, *Recent Events and Present Policies in China*, p. 53)

① 康熙时代大员蓝玉林《论南洋事宜书》中有云:"红毛乃西岛番统名,其中有英圭黎于丝蜡佛兰西荷兰大西洋小西洋诸国皆凶悍异常,其舟坚固,不畏飓风炮火,军械精于中土,性情阴险叵测,到处窥觇,图谋人国,统计天下海岛诸番,惟红毛、西洋、日本三者可虑耳。喝罗吧乃巫来由地方,缘与红毛交易,遂被侵占为红毛市舶之所。吕宋亦巫来由分族,缘习天主一教,亦被西洋占夺为西洋市舶之所。日本明时作乱,闽、广、江、浙皆遭蹂躏,至今数省人民言倭寇者,皆心痛首疾。"(Brewitt-Taylor:《新关文件录》第一,第 374 页)。

② 先自十六七世纪时,有西洋冒险家 Pinto、Andrade、Weddell 航行中国与日本沿岸时,两国政府皆采取允许交通之方针,后知吕宋、爪哇、印度等地为欧人征服,土民大受虐待,两国均怀忧虑,以为非采取闭关主义贸易制限政策以谋预防,亦将限于同一运命。因此种政策乃维持本国独立,统御本国人民之最安全方法故也。当时"暴力即权利"之思想,较现在尤能支配国际之关系,且异教人领土须属于法皇之信念,随处皆可实现,仅须人与武力而已。若使中日两国许葡荷英法在本国领土内无制限的殖民,则今日或早已现出亡国惨状,亦未可知也。(cf. Williams, op. cit., II, p. 407)

极丰富,寒、温、热三带产物,殆无不具备。世人所以称中国独自构成一世界之原因以此故,由经济上观之,中国之适宜于自立自给,实非他国所能比拟也。尤以清季政治版图之增大,为前代所未有,故中国与他国互市之必要愈见减少,其以国内通商为满足非无故耳。① 且一般人民生活程度极低,尚无外国商品之需要。故自中国方面观之,为应付列国之通商要求计,而限以广东、澳门二港许外人贸易者,并非基于中国自身之必要,实乃中国给与外人之一种恩惠也。② 当19世纪初期,广东方面每遇与外人发生争端时,中国官吏之惯技,动辄禁止供给物资,命其停止贸易,无非表示其施恩于人之思想耳。更有一理由,使中国不愿与外国通商者,则畏本国金银流出海外是也。物物交换,原系彼此有无相通之意,但鸦片之秘密进口,现钱交易,银块连年外溢,其结果遂致物价腾贵,小民生活日益艰难,故中国遂有"外国贸易有害无益"之臆断也。③

(三)社会上之理由。除以上二种表现于外部之理由以外,更有一种使华人排外之内部的根本理由在。即基于中国特殊文化之保守主义与基于特殊境遇之中华主义是也。此二主义者,渊源最古,前者为儒教之尚古思想所养成,殆成为中国人先天之性质;后者系由中国以卓越文化称雄四邻各小国之关系而生,两者相合,遂至于视外人为夷狄。然欧洲东部,即与先前之朝贡国不同,彼等要求与中国结平等之交际,此实与华人之自尊心以损伤者也。况以蛮夷之人异族异俗,不欲学习中国文化,反要求宣传违反古圣贤教训之耶教,实有根本破坏二千余年社会组织之虞。中国官民,其所以上下一致,对于外人愈增猜疑嫌忌之念者,非无故也。④

中国如此其固执排外闭关主义以拒绝文明之交通,则列国对付之法,当然不出以下三途:(一)用干戈以觉醒其迷梦以谋改良贸易关系乎?(二)或

---

①　Cf.Sir R.Hart,*These from the Land of Sinim*,pp. 60-61.

②　当时中国政府公文中常云:"茶与大黄为中国之特产,为外夷所必需。因外夷有大食之僻,故常苦便秘,若不服此二品,彼等必不免发病而死。"(参见"China and the Far East",《Clark大学讲演集》,p. 103;《粤海关志书》第十八卷,第13、6页)

③　参见《中外通商始末记》第七卷,第3页;第八卷,第5页。

④　Cf.Hart,op.cit.,pp. 134-135.又中国政府公文禁用"夷"字,系在1858年《中英条约》第五十一条上规定之后。

服从中国政府所命令之屈辱条件,而甘于为有限制之通商乎?(三)抑断然不与中国互市乎? 当时列国所施于印度与南洋土民而成功之武断殖民政策既无实行机会,又不甘放弃对华贸易之暴利,不得已只得依第二方法以待时局之移转。以下予特就广东贸易事情与关税制度略为陈述,以便溯及开放海禁之顺序焉。

第三节　广东贸易事情

广东在中国沿岸各港中,与外国通商最早,如阿拉伯人、波斯人,在纪元 7 世纪之唐代,即已于此地与亚洲各港之间,大从事于交通贸易。[①] 欧美人至东亚者,在 16 世纪初叶,以葡萄牙人为先锋,均以广东为目的地,自 17 世纪后半期起,曾于此设立通商根据之 factories,惟广东一港之所以互一世纪半之久,成为唯一对外商埠,而取得独占地位者,其原因盖因 1757 年雍正帝之上谕,严禁他处地方与外国通商故也。[②] 关于此点,当时之广东,亦与中世纪英国之 staple 相似。[③] 但 staple 系经国王特许输出羊毛与别种重要物产(staple commodities)之都市,有时虽因外交政策变更场所,而主要目的,在严行取缔贸易,并便于征收关税,关于此类法规,大概亦根据财政上的理由而制定之;至广东则不然,并无所谓财政的、经济的理由,乃完全为便于实行闭关的对外政策而已。

有可为广东贸易之特色者,即中国官宪施于外人之苛刻的束缚与诛求是也。详言之,可分两层:第一,外人仅许在城外西南河岸一小区域内居住;第二,与外人贸易,仅限于称为行(Hong)或行商,洋商而经特许

---

① Cf.M.von Brandt,*China und Seine Handelsbeziehungen zum Auslande*,S. 7.

② 广东以外,许外人居住之地仅澳门处。澳门一地系在东海岸被击退之葡萄牙人,巧于行贿地方官吏而租得之一小半岛,并非允许葡人专用者。至 1849 年,知事 Amaral 宣言独立之时,事实上,澳门变成中葡两国共管地矣。在广东贸易时代,澳门不过为各国船舶寄泊地,为旅粤外人各季寄居地,虽暂时繁盛,而在贸易上并不占重要地位也。又关于澳门沿革请参见 Montalto de Jesus,*Historic Macao*.

③ 参见 W.J.Ashley,*An Introduction to Economic History and Theory*,I, p. 111, 1906; Morse, *Guide of China*,pp. 57-58。

之中国人，且使行商为外人之保证人，除此以外之场所与商人，则严禁交易。① 最盛者，为1760年所颁布之严密规则，取缔外人来往与外国船舶出入。② 若依文字所规定，劝行此类规则，外人决不能在广东居住，不过实际上未必尽然，地方官吏，不肯放弃因外国贸易而行之公私收入，且怜及因外国贸易谋生之多数人民，流于失业故于实行规则时，便宜行事，惟遇与外人发生争论时，则极端厉行规则，以为压制外人之武器而已。然此系中世之贸易状态，其不能长久维持，因自然之数，中国政府，虽自以为善于钳制蛮夷于僻远海港而自鸣得意，而不知蛮夷之政府，实不忍视本国人民受此种屈辱之束缚也。

第四节　广东贸易时代之关税制度

管理外国贸易之广东市舶司，始设于唐代之时，至清季始任命粤海关监督，即外人所称 Hoppo 之专官，司掌取缔贸易及征税事务。③ 中国自古凡占居与外国贸易有关系地位之官吏，致富发财之机会颇多，尤以粤海关监督为全国

---

① 特许商人制度，在清季以前即已存在，观《粤汉关志书》第一卷凡例所载便知。凡例有云："《元典》章有舶商舶牙，今之夷商，即古之舶商也，今之行商，即古之舶牙也，二者相须以成市。"广东最初之特许商人，依1720年上谕许可而设，最初仅一人，其数渐次增加，至1720年遂组织由13名而成一团体（即公行 Co-hong）。此种公行，常多纳贿政府，维持特权，对于官府，凡属纳完官税及外人行动，完全负责，又对于外人保荐买办（compradors），银师（shroff）通事（linguist），及其他一切使用人，又介绍外商对官府之请愿交涉，调处关于交易之一切争议。（Cf. W. C. Hunter, *The 'fan kwae' at Canton*, pp. 34～38, 1911; Morse, *International Relations*, p. 68; H. Cordier, *Les Marchands Hanistes De Canton*, T'oung Pao, p. 2810, 1902）

② 此时规则，据 Hunter 云，大概分为下例八条。（一）外国军舰不得入虎门以内，护送商船者，须泊定海外以待商船之出口。（二）夷馆内不许携带妇女及武器。（三）船舶上领港人及买办，须经中国官府登记，携带所有之许可证；船夫及其他一般人民，非经买办之监督，不许与外国船交通，又外来船舶若行秘密贸易，须处罚买办。（四）各夷馆所使用之中国人不许超过八名。（五）外人不得操舟游河，但每月得随带通事赴对岸花地游行三次。（六）外人非经行商，不得直接提出请愿书于官府。（七）行商不得由外人负债。（八）积载商品之外国船，不得在河外密运货物，应即直泊于黄埔。

③ Hoppo 之语原有三说：（一）有谓为中央政府之户部（Hoo-Poo）代表者；（二）有谓为河泊（Ho-Poh）即水上警察之讹语；（三）有谓为关部（广东音 Hoi-pu）之意，即所谓合保。今从发音及意义两面着想，以第一说为可信。

最优肥缺。① 北京内务部常用满人任此缺,其收入之一部分,送交宫廷,督抚以下大小官员,均沾余润,惟不如监督自身收入之多耳。因此之故,凡有愿得此缺之人,须对宫中善于运动,并须有巨万贿赂然后可,既得此缺之后,若更欲连任,又不得不分肥于各方面。通例任期三年,任期中极易积蓄赀财,一生受用有余。即此一事观之,广东贸易时代税吏之腐败与商民所受之诛求如何苛酷,亦可推测而知矣。②

广东贸易时代之关税如何,税率若干,实为一种难问,即在当时亦不得而知,因第一,课取于货物之关税,由中国特许商人缴纳,外国商人不直接干预;第二,税则上除正税以外,又杂课手续费、佣钱等费;第三,外商所直接缴纳之船钞(measurement fees)亦含有无数之杂赋故也。据乾隆十八年(1753年)粤海关征税规则,当时广东所征收之合法关税,共分五项:(一)进口税;(二)出口税;(三)附加税;(四)船钞;(五)赠品。③ 此外当更有种种名目之手续费与杂赋,今再参看广东贸易之外商著作以推测当时之征税实额,其诛求无厌,实属可骇。以下再就当时外商所纳之船钞与特许商人所缴之进出口税两事分别说明之。

(一)船钞(measure fees)往粤贸易之外国船,每次出入必须寄泊澳门,入港之时,先缴365元至400元于当地中国官府,雇请领港人与通译至黄埔;再支给50元至250元,使买办上船;再至虎门候税关吏量船,照章缴纳船钞,方

---

① Cf.E.H.Parker, "The Financial Capacity of China", in Journal of *N.China Branch of the Royal Asiatic Society*, 1895—1896; Morse, *International Relations*, p.15.唐宋以来,掌理外国事务官吏,收贿肥己之事,征之史籍可知。尤以明代以前,关税征取食物(见《粤海关志书》第十四卷,第1页),因此官吏中买卖番货而营私利者不少。至于清季征取银钱,弊窦如故,屈大均所著《广东新语》第九卷上有云:"吾广素以富饶特闻,仕臣者以为货府,无官之大小,一捧粤符,无不欢欣过望,长安戚友举手相庆,以为十郡膻境,可以屡餍脂膏,于是以母钱贷之,以五当十,而后责其赢利。"由此可以推知。

② Cf.Morse, *Guilds of China*, p.71.海通以后收入之多详见 D.F.Rennie, *Peking and the Pe-kingese*, I, pp.248—249, 262—330.

③ Cf.F.Hirth, "Hoppo Book", in Journal of *N.Ch.Branch of the R.A.S.*, 1882.规费之多弊,《粤海关志书》上曾说明之,该书第八卷第21页有云:"粤海关则例内开外洋番船进口,自官礼银起至书吏家人通事头役止,共三十条;又放开出口,书吏家人等,其验舱放关领牌押船贴写小包等名色,共三十八条。头绪纷如,实属繁杂。"此为乾隆二十四年十二月二十二日总督李侍尧监督尤拔世奏请废止之文。但当时仍未实行,观乾隆二十八年总督苏昌之上奏文(见《粤海关志书》)可知。

许归泊黄埔,开始起货。船舶依大小分为三等:一等船,积载量每一单位课船钞 7 两 7 钱 7 分 7 厘;二等船课船钞 7 两 1 钱 4 分 2 厘;三等船课船钞 5 两(所谓单位,系以前樯到后樯之长乘中樯之阔,再以十除之)。依此计算法,1810 年时进口船舶长 79.9cubits、宽 25.9cubits 之一等船,应征收正税 1328 两 4 钱 6 分 3 厘,附加税手续费杂课 1950 两,共应征 3278 两 4 钱 6 分 3 厘。① 又总吨数 420 吨登簿吨数 375 吨之二等船,合计须征收 2666 两 6 钱 6 分 7 厘。② 此种船舶依现在船钞征收规则计算之,仅为课 150 两之小船而已。又不入泊黄埔而在澳门起货之船舶,虽支给入泊广东船舶之半数,而对于特许商人每支须纳付 2520 两作为管辖以外之通商免许费。但在当时,船钞虽缴纳如此之重,而浮标、灯台等便于航海之事务均不办理。由此观之,可知当时船钞与现时吨税,其性质完全不同,当时船钞之重,直可视为船货并征之全部进出口税也。

(二)进出口关税。关于关税之缴纳,外商除按所载货物缴出从价三分之数于特许商人公所以外,全无关系,其纳税额由特许商人与海关监督说合协定,实数多少,外间虽欲推察,亦难得正确。③ 然在当时,亦非无法定税则者,据前述 Hirth 氏所记,乾隆十八年粤海关征税则例(Hoppo Book),约可分为三部:第一为正税则例;第二为比例税则;第三为估价册。第一项系康熙二十五年(1687 年)所制定之根本税则,不许妄加变更;第二,系将前项则例中未载之新货与已载之货物相比较以定税率,而得随时增订之补充税则;第三,为出口货及再出口货之价格表。④ 当时税则,虽称规定较为精密,但中国旧习,立法虽贵精密,而原则上并不切实奉行,故税则上之税率与实际征税率,常有云泥之别。例如当时进口货大宗为鸦片,其次即为棉花;而棉花一项,据 1836 年英商 J.Matheson 所记,税则上之税率每担定为 1 钱 5 分,再加附加税一成一分

---

① Cf.W.Milburn, *Oriental Commerce*, II, pp. 492–293;Morse, *International Relations*, pp. 77–78.

② Cf.Hunter, op.cit., p. 100.《粤海关志书》第八卷论税则,称船关分为三等,一等大船征税 1100 余两至二千一二百两,二、三等船依大小不同,征税四百两至八百余两外,每船征进口规银 1125 两 9 钱 6 分,征出口规银 500 余两,与外人所说略同。

③ 《粤海关志书》第二十五卷第 2 页有云:"凡外洋夷船到粤,海关进口货物应费税银,督令受货洋行商人于夷船回帆时输纳。至外洋夷船出口,货物应纳税银洋行保商为夷商代置货物时随货控清先行完纳"。即入口税改在船舶出发后缴纳,出口税改在货物买卖时缴纳。

④ 《粤海关志书》第一卷第 1 页亦云:税则分为正税、比例、估价三种。又第九卷中,载税率分为衣服、食物、用物、杂货四类。

（即1分7厘）与量重手续费3分8厘,合法税额共计二钱五厘,但实际征税,反增至1两5钱。① 又出口货占大宗之茶,据 W.Milburn 所调查,依1756年征税率计算,正税率每担二钱,再加附加税一成四分即2分8厘,共计合法课税额当为2钱2分8厘,而实征额乃增至8钱8厘之多。② 又在广东贸易时之末期,据 J.R.Morrison 所记,亦称茶之合法税率,每担本为1两2钱7分9厘,而实征额乃为五倍,增加至6两云。③

关税上之弊害所以如此之甚,并非因税则不全或正税过重,实因贸易制度太不自然,而管理贸易之腐败官吏舞弊所致。即如海关监督一缺,凡欲得缺与欲久任者,必须向北京行贿,此外大小税吏杂役,居间擅行诛求,官商交相舞弊,以饱私囊,均以外国贸易食为饵。欧洲各国,当十七八世纪时,为 Mercantilism 全盛时代,各国关税,皆极苛酷,但彼系一种国家主义之经济政策,颇适合当代之要求,又得有相当之效果。至于中国,当时之重税,其性质与欧洲不同,非由一定经济政策计划而出,亦非以增加国库收入为目的,唯出于腐败官吏贪欲暴敛之计划而已。

外国商人既因居住所限制,无生活上之自由,又因交易所束缚,失商业上之自由,加以税吏腐败,又被阻碍贸易上之自然发达。此种贸易状态之不能长久忍受,不言可知,且在当时最感切肤之痛者,尤为占中国贸易大部分之英国人。因此之故,英国政府遂于1834年首先下令废止东印度商会之特权,同时又用平和手段,以谋助长并保护对华贸易,于是依此训令而派 Napier 为管理贸易长官来华。④ Napier 到任不久,中英两国官吏间无端惹起关于交涉地位

---

① Cf.Matheson, *The Present Position and Prospects of the British Trade with China*, p. 115.

② Cf.Milburn, op.cit., p. 494.

③ Cf.J.R.Morrison, *The Chinese Commercial Guide*, p. 169.茶每担6两之税,与当时广东市价之二三成相当。

④ 1834年1月25日英外务大臣 Palmerston 致 Napier 书中有云:Your Lordship will announce your arrival at Canton by letter to the Victory.In addition to fostering and protecting trade at Canton, it will be one of your principal objects to ascertain, whether it may not be practicable to extend the trade to other parts of the Chinese dominions.It is obvious that, with a view to the attainment of this object, the establishment of direct communication with the Court of Peking would be most desirable。(Cor. Rel. China, p. 4, 1840; F.L.H.Pott, *A Sketch of Chinese History*, p. 129, 1908)于是 Napier 用书信直接通告总督上任,广东总督主张外夷宜用禀帖(Petition)交由特许商人递上,因此为开冲突之端。

上之纷争,遂肇鸦片之战,两国关于通商交通事宜互200年之久而不能解决之争端,至此乃不得而诉诸炮火矣。

以上所述广东贸易状态,虽不免稍失于冗长,但予意在说明此种状态,确为中国关税权招致外国种种限制之主要原因。即所以说明中国现行关税制度之由来,亦即所以证明外人对中国关税之束缚,不可稍懈,否则即有复归旧态之虑也。

第二章　通商开始时代

第一节　鸦片战后之通商条约与关税

自 1840 年至 1842 年之中英鸦片战争,其直接动机,系因中国政府严禁外国鸦片输入,于 1839 年任命林则徐为广东钦差大臣,焚毁外商鸦片 2 万余箱之故。[①] 英政府之对华宣战,此其一原因也。[②] 此外更有四因者:其一,要求中政府对于 1834 年 Napier 来粤赴任后粤省官吏所加于英代表之侮辱,实行谢罪;其次要求赔偿英商屡次因停止贸易所受之损失;其三,要求安全保护侨华英人之生命财产;其四,要求偿还特许商人所欠英人之债务是也。[③] 然而以上诸理由,仍未能揭破当时之真相者,盖战争之根本原因,予已述之于前,即因中国视外人为蛮夷,外交上与通商上均不肯与外人以平等待遇,故英国先起而要求平等之交际权也。当其始也,英国固始终欲用和平手段以谋解决此事者,无如中政府顽迷不悟,不惟不许,且愈用恶辣手段,继续实行其轻视外人之主张,故英人不得不诉诸武力,以一较优劣也。要而言之,当时即无鸦片问题之发生,而依据 19 世纪前半期广东贸易状态推察之,亦可知中外冲突,早晚必不能免也。

---

① 中国人开始吸鸦片之时在明朝之末(即 17 世纪中叶),清季自 1729 年以来,屡经颁令禁烟,均未实行,而外国鸦片之输入,反日见增加,鸦片战争以前,鸦片进口额每年平均达 35000 余箱之多,占全部进口额之半(Cf.J.Edkins, *Opium*, pp.5-34)。故中国政府于 1839 年即厉行禁止鸦片入口,此种举动与其谓为根据防止烟毒之道德的理由,不如谓为根据防止金钱流出之经济的理由也。

② 鸦片战争之正当与否,英国政治家中,异论亦多,政敌从而利用之,遂以酿成议会问题,争论至三日之久,内阁虽终得胜利,亦仅九票之差耳。(参看 J.McCarthy, *A History of Our Times*, I, Chap.Ⅷ)

③ Cf.Morse, *International Relation*, Appendix A.

鸦片战争之结果,中国终于屈服,遂于 1842 年 8 月 29 日缔结《江宁条约》。依此约,英国遂开始打破中国之闭关主义,使中国开放门户,此层于予论中国关税制度时实有最重要之意义,故就其于本书有关系之重要规定,摘录于次:

(一)开放广东、厦门、福州、宁波、上海五港,许外人居住贸易,并许派领事居住。

(二)英国以修理船舶、贮藏船舶用品之目的,要求中国实行割让香港。

(三)废止特许商人,承认自由贸易。

(四)约定制定公平统一之关税则公布之。

(五)英国领事为英商与中国官府间交涉之中间人及缴纳关税之担保人。

(六)两国官府往来文书用平等款式。①

本条约乃仅于三日内在英国军舰 Cornwallis 上谈判调印者,与其谓为条约,不若谓为概括的议定书之为妥,欲规定通商之关系,自应更有详细补充之协定。故英国于次年 5 月与中政府协定通过税,7 月协定关税率,8 月协定《五口通商章程》,更于 8 月 8 日结虎门追加条约,而将以上诸特别协定,俱包含于该条约之中(见该条约第一条及第二条)。其时英法两国利用时机,亦起而迫求中国与之缔约,美国于 1844 年 7 月与中国结《澳门条约》,法国于 11 月与中国结《黄埔条约》,其次瑞典、挪威于 1847 年、俄国于 1851 年先后均与中国缔结通商条约。② 以上种种,是为中国与当时在贸易上有关系各国所缔结之最初通商条约,且均无条件地含有最惠国条款③(英虎门约八条,美约二条,法约六条,瑞、挪约二条),又可以认为构成彼此一体相联之通商条约也。以

---

① 参见《南京条约》第二、第三、第五、第十、第十一各条。

② 1845 年,比利时要求结通商条约时,中国以其为小国,不许,但依上谕,许其与缔约国人民在同一条件之下,从事贸易。(Cf. 中国海关编纂: *Treaties between China and Foreign States*, II, p. 757)因此无约国人民,亦得同一权利。

③ 所谓最惠国条款(La clause de la nation la plus favorisee, most-favoured-nation clause, Meistbegünstigungs-klausel)者,即当缔约国之一方,现在或将来若将其境内之一定利益给与第三国人民时,应使缔约国之他一方亦得均沾此项利益,凡条约中规定此种条款者,称为最惠国条款,而其意义并非置条约对手国于与第三国享同等利益之地位。故最惠国条款之译文,颇嫌失当,宜称之为最惠国民条款,此为法学博士立君之意见,予赞成此说,以下用最惠国民条款之译文。

下所论,大体引用《中英条约》,遇必要时,亦参考与他国所订之各约而补述之。

当此期内,关于税关条约上之规定,综合言之,可分为下例各项:

(一)进出口关税。最初 Palmerston 氏条约分为两种,第一案以割让香港为主,第二案以规定通商关系为主。当交涉进行时,使中国任选其一,此为英政府当时之目的,而全权委员 Sir H.Pottinger 认关税上之规定为通商全局之关键,首先以此项要求与割让香港并提,事出意外,而两美俱收矣。① 关于关税一层,《江宁条约》第十条上之规定云:

> His Majesty the Emperor of China agrees to establish at all the ports which are…to be thrown open for the resort of British merchants, a fair and regular tariff of export and import customs and other dues, which tariff shall be publicly notified and promulgated for general information; and the Emperor further engages, that when British merchandise shall have once paid at any of the said ports the regulated customs and dues, agreeable to the tariff to be hereafter fixed, such merchandise may be conveyed by Chinese merchants to any province or city in the interior of the Empire of China, on paying a further amount as transit duties, which shall not exceed __ percent on the tariff value of such goods.
>
> 大清大皇帝承诺第二条,内言明开关,俾英国商民居住通商之广州等五处,应纳出口进口货税饷费均宜秉公议定则例,由部颁发晓示以便英商按例交纳。今又议定,英国货物自在某港按例纳税后,即准由中国商人遍运天下,而路所经过税关,不得加重税例,只可照估价则例若干,每两加税,不过某分。

是即"中国政府约定制定公正(fair and regular)之关税则而公布之"之一项,条约上并无税率应由两国协定之束缚条文。所谓以值百抽五为原则之片

---

① Cf.Morse, *International Relations*, p. 308.

务协定税率,乃在 1843 年 7 月之《通商章程》上始采用者。① 至于采用之理由,则大致因当时中国当局愚暗,不知国际条约为何物,又无推知片务协定税率之意义之理解力,且受传统之贱商思想所束缚,故未注重于贸易有关系条项也。

当时外国贸易尚未发达,进出口货之种类甚少,税率表上所协定之从量税货物,进口货仅 48 种,出口货仅 61 种。其税率大概均以值百抽五为原则计算而出,比向日实征税率,当大见减少,比旧有法定税率,亦未必更若何低减,有时亦因货物之种类不同而税率反为增高者。② 要而言之,协定税之目的在除去向日税吏之苛烦诛求,并不在减损中国政府之关税收入也。至于税则表上未经揭载之货物,一切均值百抽五,唯与欧美贸易无直接关系之亚洲特产,如香料、木材、金属等未登税率表上之货物,则均值百抽十分,此为例外,应加以

---

① 　1884 年《中法条约》第六条上最明确的限制税权云: Les droits d'importation et d'exportation prélevés dans les cinq ports sur le commerce français seront réglés conformément au Tarif annexe au présent,… Moyennant l'acquittement de ces droits, dont il est expressément interdit d'augmenter le montant à l'avenir, et que ne pourront aggraver aucune espèce de charge ou de surtaxe quelconque, les Français seront libres d'importer en Chine, des ports français et étrangers, et d'exporter également de Chine, pour toute destination, toutes les marchandises qui ne seront pas…l'objet d'une prohibition formelle ou d'un monopole spécial.

② 　据 Milburn, *The Chinese Commercial Guide*, 重要进出口货之新旧税率比较如次:

货名	单位	旧税率(两)		新税率(两)
进口货		法定税率	实征税率	
棉花	1 担	0.298	1.740	0.400
洋布	1 疋	0.067	0.373	0.100
漂白棉布	1 疋	0.285	0.702	0.150
棉纱	1 担	0.483	2.406	1.000
罗纱	1 丈	0.712	1.246	0.150
出口货				
南京绢	1 担	15.276	23.733	10.000
广东绢	1 担	8.576	10.570	10.000
砂糖	1 担	0.269	0.475	0.250
木棉	1 担	1.844	2.651	1
茶	1 担	1.279	6.000	2.500

注意者也。

鸦片，本为战争之直接原因，而《南京条约》反无所规定，骤闻之似属怪事，但实际则有深妙之理由在。原来公然许可鸦片贸易之理由，第一在便于取缔秘密入口，第二在增加国库收入，有此利益，故由当时缺乏禁烟诚意与厉行禁烟实力之中政府观之，实可谓为最权宜之良策也。当时英国全权委员会曾正式以此意向中国方面提议，而中国委员则唯恐涉及此危险物，竟置不议。且英国委员亦未奉有本国政府命令迫请中国政府决定此问题，故鸦片既未列入税表所无之值百抽五之商品中，亦未编入违禁品之内。而英国委员之见解，则固视鸦片为违禁品者也。① 至关于鸦片之禁输，载有严密之规定者，唯《中美条约》第三十五条，及《中法条约》中税表末尾所附记之"鸦片系违禁品"一条而已。

（二）通过税（Transit duties）。依南京条约，英商已按税则上完纳关税之进口货，于纳完若干通过税之后，得由中国商人贩运内地，然此仅为一种规定，而通过税之税率，及关于出口货课通过税字这规定，固未定也。次年关于通过税之特别协定，亦仅仅规定 The further amount of duty shall not exceed the present rates which are upon a moderate scale 而已。② 其所以然之故有三：一因当时内国关税税率及其实征率，无从而知；二因外国货转运内地为中国商人之特权，不在外国商人通商范围之内；三因洪杨之乱，税率较未增征以前甚轻，因此种种理由，故此问题在当时当无重要之意义。③

（三）吨税。关于此点，《南京条约》，亦无若何规定，此盖由 1843 年 7 月之特别协定决定者。此种吨税，其目的在代替旧日苛酷之船钞；150 吨以上船舶，每吨征税 5 钱，150 吨以下船舶每吨征税 1 钱。吨税较船钞非常减轻，例如 900 吨之船舶，在以前课重税 6000 两者，今则仅课 450 两而已。

其次关于海关与外商之关系，南京条约所订定者，依前所述，仅规定领事为交涉之中间人与关税之保证人，而详细规则乃在次年 7 月五港《通商章程》

① Cf.*Proclamation*, Aug. 1st, 1843; *The Chinese Repository*, Aug, 1813.

② Cf.*Declaration respecting Transit Duties*; *Treaties*, I, p. 165.

③ Cf. A.J.Sargent, *Anglo-Chinese Commerce and Diplomacy*, pp. 116–1147.

规定者。① 外国商人因此与海关发生直接关系,如船舶之出入、关税缴纳之手续、货物之检查方法等现行关税规则之基础,大概均于此时决定之。又依《虎门条约》第十条,规定五口各驻英舰一艘,助领事保护贸易,外人至此,完全脱离广东贸易之束缚,获得通商交通之自由,同时又得条约上所规定之领事裁判权之保护(《通商章程》第十三条),遂得于中国贸易市场上开始为积极之活动焉。

第二节 海通以后之贸易状态

《南京条约》之结果,中国对外贸易在广东、厦门、福州、宁波、上海五埠举行,通商地域既已扩张,特许商人制度又经废除,列国对华贸易,当可望其发达矣。然而多年之传统习惯,并非片纸之规定所能急剧改变。且新协定之通商关系与旧制度之调和,必须有新人物与实力方能成就。不幸当时中国政府,不仅无新人物、无实力,并视条约为受外国武力逼迫不得已暂时让步之权宜手段,无履行之诚意。② 且既有不了解条约上义务之不正税吏,又有谋破坏关税规定之内外奸商,彼此结托,妨碍正当贸易之发达者不少。以下略就当时五港之通弊与贸易不振之事情说明之。

(一)关税行政之紊乱。中国政府当五口开放之时,各处均任有管理贸易之官员,广东方面,即照例由粤海关监督充任,福州、厦门两港,由福州将军兼理,宁波由宁绍道台兼理,上海由苏松太道台兼理。此种旧式官吏当然不知通商上之新制度,当然无活用新制度之能力,故动辄完全蔑视条约,而欲恢复旧制③,或与商人结托,贪得贿赂,私定税率,各船课税各不相同,并不为怪。④甚至由中国开出之空船,抵英国时竟满载茶叶;或从英国满载棉布而来之商

① 英领事对关税负责,乃广东贸易时代特许商人制度之遗习,故此条项系依中国方面之希望加入,其与他国所订诸约则无此规定。

② Cf.Sir J.Davis,*China:During the War and Since the Peace*,II,p. 21.

③ 广东总督耆英向英国贸易管理提议:为谋废除广东十三名特许商人应新设百名外国贸易特许商人代替之。在当时比较有贤明声望之此君,竟至不了解条约精神与贸易原则若此。(参见 Davis,op.cit.,II,p. 49)

④ Cf.F.Hirth,*Chinesische Studien*,S. 193;B.Navarra,*China u.die Chinesen*,S. 676.

船,抵中国港口时乃视同空船;或以绢丝装入由外国进口时所用之空箱中,即作为再出口货,可以无税过关等等,"密运之成功谈",在当时已成外人闲谈之资料。① 故关税行政,较海通以前,并无改良之所;此弊窦,盖与 1876 年英人 Scrievenour 被聘于埃及及税关着手改革以前,土人征税官纳贿与外人滥用 Capitulations 所生之税制紊乱状态,甚相类似。②

(二)五口贸易之不振。广东自古即有外国交通之关系,欧洲文明之瑕瑜悉输入于广东,人民性质又极慄悍轻佻,加之鸦片战争虽发起于广东,而所受之战祸则极少,故一般官民排外思想强烈,外人依然被拘束于狭隘之 factories 之内,并入市亦不得自由。且向来大小官吏,特许商人、通事、买办等贸易特权,完全废除,经济上之利益被夺,故反对新条约益烈,因内外官民,常滋纷扰,遂以酿成第二次战争之原因。

其次东海沿岸三口之中,宁波口在 16 世纪中,葡英两国贸易最盛,故宁波当为贸易最有希望之地,然 1843 年开港以后之实况,则大出意外,仅成为教士传教之地而止,若视为直接外国贸易之市场,则无发展之希望可言。福州,于次年亦已开港,而贸易比宁波不如,当地官吏排外思想之猛烈,为广东第二,开港后七年间贸易之结果,英商之间,至有欲放弃此地别开他港之议。③ 厦门比前二地较良,产砂糖与苦力,贸易颇为发达。至于上海,全系新通商地,不仅于地理上为中原贸易之咽喉,且中外人民亦无因袭之恶感,故自始即有良好之关系。盖上海早已发生租界制度为外国对华贸易之策源地,洪杨乱作上海成为局外中立地点,愈促进贸易之发达,故此时之末期,上海已呈凌驾广东之盛况。④ 惟贸易虽发达而秘密运输亦盛行,此则上海之特点也。

(三)香港、澳门与沿岸贸易。葡领澳门与英领香港,其与通商五口之地位当然不同,而由通商上观察,两港亦应列入中国贸易范围之内,尤以澳门自

---

① Cf. A. Michie, *The Englishman in China*, I, p. 144.

② 参见 J. C. McCoan, *Egypt as It Is*, pp. 106-110. Williams(op. cit., II, p. 402)云:五口贸易虽与向来在广东之情形无异,但在中国人税吏手中,乃确保 more honesty and efficiency 之规则管理之者,此实误解,盖当时虽有规则,实未遵行也。

③ Cf. Morse, *International Relations*, p. 360.

④ 参见 Navarra, A. A. O., S. 690; Morse, *International Relations*, pp. 350-358; T. Wade《文件自选集》卷一第十四件。

1849 年葡国宣言为自由港以前,中国曾设置海关,继续征税之关系。至于香港,《虎门条约》亦曾规定中英两国关税行政上之互助,且依英国自由港政策,香港与通商五口间更有密切之贸易关系在焉。故香港、澳门两地与中国沿岸各地之间,遂至被利用为密卖鸦片及各种秘密贸易之根据地。当时沿岸各地海贼横行,中国政府无力制止,贸易上大感不安,遂以发生护船问题(convoy system)。所谓护船问题者,即为防止海贼袭击而用外国船护送沿岸各中国船舶之冒险事业是也,当时业此者多系香澳两地之不法外人,其弊最盛,海贼船舶与护送船舶二者,孰为真海贼,殆难于甄别焉。① 此外更有与此事相似之弊害者,即滥用国旗问题是也。当时自香港政务厅为始,以及五口各国领事,对于华人船舶均给以英箱船证(sailing letters),借英旗保护,以避海贼之危险与地方税吏之诛求,此种方法各通商口岸均盛行之,中外官吏因此常起争端。② 第二次中英战争之直接动机,即 1856 年鸭尾船"lorcha Arrow 号"事件,即其一例也。

第三节　洪杨之乱与海关及厘税之起源

洪杨之乱,自 1850 年起至 1864 年止,共经 14 年之久,扰乱十余省之地带,损害 2000 万之生灵,实稀有之内乱,政治上、军事上及财政上所受之影响均不少。在此内乱期内,予以为有可记者二事焉,其一为外人管理海关,其一为创设厘金是也。前者系由外人促进中国关税行政之改革,供给中央政府确实财源;后者本为应军费急需而暂征之战时税,后竟被滥用为地方财政之大财源,其余毒至今犹在。

(一)外人管理海关之起因。如前所述,海关行政之腐败,与秘密输运之增加,第一,损及中国政府之收入,第二,阻碍正直商人之贸易,此不待言者也。英国领事,依条约之规定,应立于保证本国人民纳还关税及英船出入之地位,

---

① Cf.G.W.Cooke,*China*,pp.130~1528;*The North China Herald*,25 Sept.,1852.

② Cf. Morse, *International Relations*, p.409; J. W. Foster, *American Diplomacy in the Orient*, p.220.

对于中国政府实有不能漠视此种弊窦之道德的义务焉。① 故 1851 年,上海英领事 R.Alcock 据此理由,认税吏收贿与商人作弊,大阻碍贸易之自然发达,实有急谋设法救济之必要,遂以此意申告于当时英国贸易管理长官,但英政府以此事全属中国内政,不欲进而干涉,事遂中止。② 迨后 1853 年 9 月 7 日,广东、福建等地无赖之徒组成小刀会匪,占领上海城,海关道台空身逃至租界,征税机关完全停止,遂引起现行海关制度发生之端绪。然外人管理海关之顺序,实曾数经曲折,予欲分为三段说明之,即第一为领事代征案;第二为华人海关复兴案;第三为外人管理海关案是也。

(1)领事代征案。当时匪徒虽占领城内,而上海贸易并未停顿。入口贸易固大见减少,而出口贸易,则因人民畏乱急于脱货求财之故,反较前增加。当此贸易既呈变态,又值地方官吏逃亡之际,外国商人中希望缓纳关税者虽有之,然无要求免纳者,于是 Alcock 遂认此为实行其昔日改良关税行政计划之良机,即与当时于上海贸易有密切关系之美法两国领事协商,提议于秩序未恢复以前,领事须暂代中国官吏向外商征税,美法两国领事均赞成之。③ 于是三国领事,各命令本国商人用约束手形缴纳关税。惟此项方法,在他方面不免有不公之点;因三国船舶均须正式纳税,而他国船舶,则出入自由,可不纳税故也。故次年 1 月,美领事即起而反对此不公之征收方法,脱出临时协定,率先许美船两支无税出港。英法两领事亦知单独强制本国商人纳税为不利,且事属难能,故此协定遂归于破坏焉。

(2)华人海关复兴案。领事代征案既经破坏,善后办法则不外以下两种:

---

① 中国与他国所订之条约中,并无此种协助之条项,唯《中美条约》第二十三条中规定美领事,每年须将五口出入船数及进出口货物之数量价格通告本地督府而已;至《中法条约》则无此项规定。故英领事,依最惠国民条款,关于防止秘密输运,对中政府并不负条约上何等协助之义务。

② Cf.Michie,*The Englishman in China*,I,pp. 145—147.关于中国海关之中日两国人著作中(如 Chin Chu,*the Tariff Problem in China*)及同文馆《经济大辞典》第一卷第 283 页根岸佶所作的《海关》之项,吉田虎夫所著《中国关税及厘金制度》第 7 页均谓洪杨之乱以前,各国代中国官吏向自国商人征税者误也。条约中列国政府不惟无此责任,且各国领事亦无代中政府担负此项义务之理由。彼等之意或以为当时除英、美、法三国以外之各国领事纯系商人领事(Merchant Consuls)之故,故下此臆测也。

③ 英本国政府不承认此方法,后曾命令上海英领事退还本国商人已缴之约束手形。(Cf. Michie,op.cit.,I,p. 148)

第一，将上海作为绝对自由港；第二，用一种形式在租界设立华人海关。然在当时中政府以内乱之故，以收入为急务，自由港政策当然不能适合，而此时若许在租界内设立华人海关，又违背租界局外中立之宣言，且有引起叛军攻击租界之危险。当时英领事尊重中国政府征税权，以第二办法为适宜，遂劝中国官府在租界内便宜地点设置海关，并约定作相当之援助。1854年2月9日吴道台遂择定租界内一关栈设立临时税关，开始征税事务，但吴道台昔在广东被称为Samqua（吴三官）特许商人，染广东贸易之恶风与官界之弊习，开关后未几，即与商人结托，大行其收贿主义。因此各国船舶中，仅与海关协定，并不履行何等出入之手续，无税过关之船只，比以前反见增加，英国领事之善意完全归于无效。英领虽曾屡劝中国官吏保守其所有之权利，公平征税，迄未得满足之说明，至4月时遂决计允许英船自由出入。自此以后，上海遂成绝对自由港矣。①

（3）外人管理关税案。上海之成为自由港，本非出自R.Alcock之真意，自关税收入损失之一点言之，亦非吴道台所欢迎。然欲使此种腐败之中国官吏防止密输，其弊比密输更甚，故三国领事与当时驻沪公使屡经商议保护中国政府收入及助长贸易之方法。结果，决定设立适合外人品性兼顾华人职权之正当征税机关，即于1854年6月29日由英领事Alcock美领事Murphy、法领事Edan与上海道吴健章共同缔结关于上海关组织之协定。② 此协定共计九条，第一条最为重要，其原文如下：

The chief difficulty experienced by the Superintendent of Customs having consisted in the impossibility of obtaining Custom-house officials with the necessary qualifications as to probity, vigilance, and knowledge of foreign languages, required for the enforcement of a close observance of treaty and Custom-house regulations. The only adequate remedy appears to be in the introduction

① 原书此处有注释标记，但并无注释内容。——编者注
② Cf. Michie, op. cit., I, pp. 153 – 154; Morse, *The Trade and Administration of the Chinese Empire*, p. 353. 又此时之协定中，第三条规定购买外人乘客所组成之巡逻船一支，第五条规定外人委员有勒索、收贿、怠慢等情，即由道台与三国领事构成混合法庭裁判以定去留。

of a foreign element into the Custom-house establishment, in the persons of foreigners carefully selected and appointed by the Tautai, who shall supply to deficiency complained of, and give him efficient and trustworthy instruments wherewith to work.

依原案,本应指令法人 Smith 为三国之代表,嗣依吴道台之希望,三国各出一名组织关税管理委员会(Board of Inspectors),新关遂于 7 月 12 日成立。当时英国委员为 T.Wade、法国为 A.Smith、美国为 L.Carr,前二人为上海领事馆人员,后一人为公使馆人员。

上述之协定,得驻沪三国公使认可,即时施行,中国政府因此始得确实之收入,而外商间不正行为之诱惑,亦得除去。

然而三头政治,仅一名目而已,其实权未几即归于英国委员之手,因英国委员善操华语,而伎俩与热心均比法美两国委员为优,在国际的基础上,一人独裁行政之特质,已于此时发生矣。数月以后,Wade 回副领事原职,由领事馆通译官 H.N.Lay 接任,法美两国委员亦有变动,实权仍在英人掌握之中。① 此即现行海关制度之萌芽,后依 1858 年《天津条约善后通商章程》,此制度遂推行于新旧各商埠焉。

(二)厘金税之创设。称厘金或厘捐之租税,乃中国弊窦最多之内国关税之一,其起源各说不同,有谓起于 1843—1844 四年江宁条约之后;有谓始于 1840—1851 年依姚道台提议课盐茶税之时;有谓发生于 1852 年山东李巡抚奉中央命令课通行货物税之时②;有谓始于洪杨作乱时咸丰三年(1853 年)太常寺卿雷以諴于江北仙女镇倡办每米一石抽厘捐 50 文;予以最后一说为最可信。③ 但厘金之名虽发生于此时,而与厘金相似之内国关税自古即已存在,此无容疑也,唯厘金税在当初带有临时捐(contribution)之性质,系一种补充军费

① Cf.Williams, op.cit., pp. 627–628.

② Cf.M.von Brandt, *Memorandum on the Inland Taxation on Foreign Goods and Native Produce in China*, pp. 6, 1878; Parker, *China*; *Her History*, *etc.*, pp. 227–231.

③ 《光绪会典事例》第二百四十一卷有云:咸丰三年,金陵失陷饷源枯竭,太常寺卿雷以諴治军扬州,始于仙女镇倡办厘捐。

之财政政策,此宜注意者也。① 至厘金制度之所以普及于各地,乃因 1854 年两江总督怡良以江苏办理成绩颇优,遂奏请使各省一律采用,次年中央政府依此奏许各省依照百分之一税率,于全国采用此种制度焉。长江一带,为变乱之中心地,厘局增设之处颇多,胡林翼、左宗棠、曾国藩等督抚名将,均恃厘局为筹饷之良好财源。② 厘金之有弊害,早为有识者所公认,朝廷亦曾屡次谕令免除,但旧日政府大宗财源为地租收入,今因内乱约减去三分之二,又无别项税源足应战费之急需,且乱定之后,解散军队需款,恢复地方行政需款,经费浩繁,竟乏裁厘之机会。加以各地任意增设分局,特定税率,大失旧制之本意,变成烦苛之公课;值百抽一之原率,一变而为附课各种杂赋之平时高税;因此之故,条约上所设定之进口货贩运内地所过税关不得加重课税之条文(《江宁条约》第十条,《中法条约》第七条)殆有名而无实矣。

① 《粤海关志书》第一卷第 1 页以下,列举历代关税之苛酷,至于清季,虽依裕课便民之圣意屡倡减厘,而其弊之甚仍不能掩,尤以落地税为然(参见第 9 页所录雍正十三年上谕)。

② 参见《民国行政统计汇报》财政类第三章第三节。

第三章　海关统一时代

第一节　英法战后之条约与关税

中英第二次开战,以1856年10月之"Arrow号"事件为直接动机,法国亦因广西有杀害法教士事件,与英国共同出兵。然开战之动机,亦不止此,自《江宁条约》成立以后广东城内之外人居住权问题、苦力输出问题、鸦片密输问题等中外冲突之事件,层出不穷,由此观之,战争之真正原因,不得不谓为由于中外通商与国际交通之根本见解不同也。[1] 华人虽因鸦片战争失败,然视外人为夷狄如故,对于外国政府之代表,不欲与以相当待遇,对于已满期之条约不愿修改,而外人则仍继续要求改良通商关系与国交之平等。[2] 即使当时无"Arrow号"事件发生,而中外国交亦不免有破裂之趋势。第二次战争之结果,中国又终于屈服,1858年六月,遂与英法两国缔结所谓《天津条约》。[3] 俄美两国虽未直接加入战争,而对华政策上常依平和手段与英法取一致之步调,

---

[1]　中国最初之英使 Bruce 于1862年7月致本国政府公文中有云:In a country like China, the conclusion of a treaty is the commencement, not the termination, of difficulties, 诚确评也。

[2]　《江宁条约》未规定有效期间,而1844年之中美及中法条约,均有满20年修改一次之规定。《虎门条约》第八条列有最惠国民条款,英国有1854年要求改正《南京条约》之权利。英、美、法三国认定有改正条约之必要,于是年要求与中政府协议改正,但三国均因不能用武之故,遂为中国所拒绝。其次美法两条约改订之期为1856年,三国全权委员又要求中政府改正此列条约,又遭失败,三国仍不屈服,复于次年要求改正,当时广东总督叶明琛拘泥于汉文条约之字句,谓"条约是永久地无改正之必要"未能允可。三国代表遂认定非用武力压迫,决不能达到改正条约之目的。(参见 Morse, *International Relations*, pp. 411–418;Foster, op.cit., pp. 217–223)

[3]　关于此次战争英国政界反对者颇多,成为议会中一大问题。Cobden 大发雄辩,攻击广东领事 Barkes、香港知事 Bowring 之不法行为。讨论四晚之后,Palmerston 内阁以十六票之差失败,因此解散议会,另举行总选举。结果,内阁胜利 Cobden,Bright 以及自由党各名士多落选。见 McCarthy, op.cit., III, Chap. XXX.

殆同时均沾改正通商条约之利益焉。

《天津条约》及是年10月《通商章程》中关于通商及关税之重要规定,可列举于下。(一)公使驻扎北京权;(二)外人内地旅行权;(三)增开商埠;(四)改正关税率;(五)内地通行税则之确定;(六)吨税减率;(七)关于船舶出入及货物纳税手续。至上列各项规定之概要以下再分别说明之。

(一)公使驻扎权。向来中国政府对外政策,凡与外国有关系之事,务限于狭隘之贸易范围以内,仅委任僻远各商埠地方官吏办理之,中央政府力求避免与外国发生直接关系。然而地方官吏又各自以地方的利害为念,不顾全国大局,仅以保全个人地位与生命安全为能事,故中国政府虽依条约开放门户,然仍视中外通商关系为不得已而行之恶事(necessary evil),此种观念与闭关时代无异。英国因欲补充条约中关于此等地方之缺点,谋一根本解决,要求驻公使于中国首都北京,以期统辖各地通商关系,中国政府因战败之故,不得已始承认国际关系之平等。① 大凡独立国之交际应立于对等之基础上,此国际法上普通之原则,而从古自信本国为世界文明中心之中国政府,对于此种关系之变化,当然视为莫大之苦痛焉。第二次英法联合战争之原因,当不外出于中国欲免除国际条约上之义务之拙计也。

(二)内地旅行权。外人旅行权,除向日教士私行侵入内地之外,仅限于五通商口岸周围之短距离,如广东不许外人入城是也,故天津条约规定外人之携有本国领事发给而经地方官签字之旅券者有赴内地游览之权,有因商务关系而旅行之权;又规定在通商口岸周围百华里以内得旅行五日不需旅券。(且《中英条约》第九条)此种规定,虽扩大外人贸易之范围,但北京一处,则不许以商务之目的入城,可谓闭关主义之遗风矣(见《上海通商章程》第八条)。

(三)增开商埠。五口通商之外,又新开牛庄、登州、台湾府、淡水、汕头、琼州、镇江、南京、汉口、九江十埠(依《中英条约》第十、第十一两条),当时中

---

① 天津条约谈判中最难之点,为北京驻扎外使问题,中国全权以为许之则大损中国体面,甚且首领不保,故至最后仍力持反对。(Cf. L. Oliphant, *Narrative of the Earl of Elgin's Mission*, I, pp. 441, 474–478)

国沿岸各要地殆皆开放。① 而此等通商埠地域,又有可以作为市与港(cities and ports)之广义的解释,外人居住通商之范围,因此比旧条约更加扩大。

(四)关税率改正。值百抽五之原则,虽亦为天津条约所维持,但因进出口从量税货物中价格低落之故,实际上多超过五厘以上,故认为有改正之必要(《中英条约》第二十六条),结局遂为上海协定税率,仅将鸦片、茶、绢三项作为特别贸易品而已。南京各条约成立以后,中国政府亦知不能防止鸦片秘密输入,鸦片漏税,国库亦大受损失,且当时因内乱及战争之故,岁入大减,不得已公然将鸦片列入税表课税;至于税率定为每担30两,约值每担市价百分之七八,较当时印度政府之课税率,尤为低廉。茶每担依旧率课税2两5钱,此种税率在最初已达值百抽十内外,且茶之内地税,大致已达值百抽十之数,其税率不可谓不重,中国委员不悟,徒知茶为本国特产,主张维持旧率,而不知将来于出口贸易上将发生恶影响也。绢税旧率每担10两,后因价格腾贵,反降至现实值百抽五以下,但以其为中法贸易主要品之故,未许增率。此外一切商品,均以值百抽五为基础,换算为从量税;又税表上未经揭载诸品,一律值百抽十,旧税表中所载从价课税一分之例外品,一概削除。更有一事应特笔而书者,即外人日常衣食住所需之外国烟草、酒、香水、石硷、家具、食品等货物,概行免税是也(见《通商章程》第二条)。此种办法原未经旧税率表规定,唯将向来各地所实行之习惯列在条文之上而已。此例如土耳其之外为列国所无,在1902年此类商品未成为有税品之前,中国之损失殆不知几百万。又禁止进口货物中,除武器、弹药、食盐之外,各种谷物及铜钱亦列在其内。此虽为约中所无之规定,而从来事实上作为禁制品者,多因内乱之故遂认为有厉行其禁令之必要矣。②

(五)吨税减率。新条约中又规定减轻吨税,凡150吨以上船舶,每吨纳税四钱,150吨以下船舶,每吨仍纳税一钱。至于运送旅客书信及无税品之小船,不但免除吨税,更设一束缚之条项,须使用吨税收入为设置灯台浮标等项

---

① 汉口、九江系在缔约后选定,洪杨乱后始开关之。登州后改为芝罘;琼州于1876年开港,南京于1899年开港。又天津系于第二次英法联军之役以后之1860年始加入通商商埠之中。

② 《通商章程》第五条第四项中,禁止由牛庄登州贩运豆与豆粕出口,其用意盖在于保护南方帆船业。后中政府知其非计,遂于1862年解禁,近年来二者均已成为重要之出口货矣。

之维持费。此种规定至今仍有效(参看《通商章程》第十条末项)。

(六)确定通商税则。《南京条约》关于通行税之规定,系因洪杨乱后增办厘税之故始设定者,此种规定如前所述已归无效。《天津条约》,于进出口关税以外,虽无不认中政府有赋课内地税之权,而英国则鉴于在土耳其印度所得之经验,认为有更行详细规定之必要,遂规定按照值百抽二点五纳还单一税(a single charge),即所谓子口税(transit duty)代替在通商埠与内地市场间所课之各种内地税。① 关于此点更须注意者,第一,旧约中通过税之规定只限于进口货,而依天津条约,出口货亦课通过税矣;第二向来进口货贩运内地,仅许华人享此特权,而依新条约之规定,外人亦得享此特权矣(见《中英条约》第二十八条及《通商章程》第七条)。

(七)船舶出入及货物纳税手续。《天津条约》及《通商章程》,仅继承旧约加以增补而已,其详细规定,略分下列数项:商船入港时,海关为保护关税收入计得派遣监察官于船中,但不许勒索食物及其他事项;船证须各自交存本国领事,由领事具报船名吨数货物之性质;船长须提出详细装载目录于海关;货物之装卸拨载,须有特别许可证;货物纳税完毕,由海关取得出港许可证后,领事始返还船证于长,许其出港(参看《天津中英条约》第三十六条至四十一条)。然此大致按照帆船贸易时代之规定,故对于汽船贸易又与以多种条约所无之特权,其次对于货物纳税及其他一般与海关之关系,外国商人受条约上充分之保护,与一班受不完全法制支配之华人较,则在贸易上受优待之地位。

最后,新条约之规定,于中国最不利者,即协定税率带有半永久的性质,中政府无废弃之权,即欲加以改正,亦须取得对手国之同意。据《天津中英条约》第二十七条之规定云:

It is agreed that either of the High Contracting Parties to this Treaty may

---

① 所谓子口即 barriers 之意,据 Giles 云:"Lesser or Subordinate Custom's Stations placed along the inland trade routes for the collection of duties on passing goods."此即内地税厘局卡也。因之,子口税(barrier taxes)在字义上,即此等局卡所征之税金,《天津条约》用 transit duty 代称,实不适当。Transit duty 汉文条约又译为内地税项,亦不确,此厚系代替内地关税之 commutation tax,《中日通商条约》称为抵代税者是也。再请参看第四编第三章第三节。

demand a further revision of the Tariff and of the Commercial Articles of this Treaty at the end of ten years, but if no demand be made on either side within six months after the end of the first ten years, then the Tariff shall remain in force for ten years more, reckoned from the end of the preceding ten years; and so it shall be, at the end of each successive ten years.

　　此次新定税则,并通商各款,日后彼此两国再欲重修以 10 年为限,期满须于 6 个月之前,先行知照。酌量更改,若彼此未曾先期声明更改,则税课仍照前章完纳,复俟 10 年再行更改,以后均照此限此式办理,永行勿替。而中国与列国所订通商条约,殆皆有无条件之最惠国民条款,故欲改正税率,须得缔约国全部之同意。然依中政府向来厌恶改正条约之守旧顽迷等事推察之,在当时当然不了解此种不公平、不利益之协定税率之意义也。

　　要之,《天津条约》与《江宁条约》相同,均为英法两国用武力威吓,指命中国与之缔结者,当时中国全权委员不解国际条约为何物,仅知将谈判之要点集中于公使驻扎一事,及外人旅行内地权等政治问题,而对于通商上之规定与关税之协定等重要问题,反有轻视之形迹。折冲之结果,对于视为重要之问题不能不让步,对于轻视之事项轻轻许可,贻将来永久之祸根,中国所以致此之原因,虽因当时彼此实力之差异而来,但亦未始非中国政府骄慢无识所招致之自然的报应也。列国对华关系,因《天津条约》一变,中国完全受列国之指挥,仅试行消极之抵抗而已。此英人所以称《天津条约》为对华贸易上之 Magna Carta 也。①

　　中国自与英法美俄缔结《天津条约》以后,在中日战役以前,又依次与普鲁士、丹麦、荷兰、西班牙、比利时、意大利、瑞典、挪威、奥匈、日本、秘鲁、伯拉西尔、葡萄牙等国缔结通商条约,此等条约均以《中英条约》为模范,不过大同小异而已。② 唯此时之条约中,有两件可以注意之变例:第一,《中日条约》(1871 年)无最惠国民条款与子口税之规定,因此日本对华贸易比欧美各国处

---

① 　Cf.Lord C.Beresford, *the Break-up of China*, p. 388.
② 　中国与伯拉西尔所订之条约系互惠的,其第五条中有双务的最惠国民条款。

于极不利之地位(见是年《中日通商章程》第十五、十六两条);第二,在北方与俄国,在南方与法领安南之陆路贸易,协定特惠关税(Preferentialzölle)是也。①

第二节　海关行政之统一及扩张

英、法、美三国代表管理上海海关之经过已于上文详述,关于海关制度之发生,《天津条约》之附约《中英通商章程》有极重要之规定。该章程第十条(中国与法美之《通商章程》亦有同样之规定)云:

It being, by Treaty, at the option of the Chinese Government to adopt what means appear to it best suited to protect its revenue, accruing on British trade, it is agreed that one uniform system shall be enforced at every port.

The high officer appointed by the Chinese Government to superintend foreign trade will accordingly, from time to time, either himself visit, or will send a deputy to visit, the different ports. The said high officer will be at liberty, of his own choice, and independently of the suggestion or nomination of any British authority, to select any British subject he may see fit to aid him in the administration of the Customs revenue...

通商各口收税如何严防偷漏,自应由中国设法办理条约业已载明,然现已议明各口划一办理,是由总理外国通商事宜大臣、或随时亲诣巡历、或委员代办任凭总理大臣邀请英人帮办税务……毋庸英官指荐干预。

此条文中所称之"one uniform system"即以上海海关制度扩张于他港之意。至于规定中国政府之外国贸易监督官不依英国官吏推荐或指命而得自由任用英人辅佐海关行政,盖在于以中国所佣聘之外人组织海关以代替从前在事实上带有英、美、法三国代表之性质之委员制度也。依此章程之结果,美法

---

① 参见1862年《中俄陆路贸易章程》第一乃至第六条,1885年《中法条约》第六条,1886年同贸易章程第六条,1887年同追加条第三条。

两国委员辞职,遂改任命英国委员 H.N.Lay 为总税务司。先自三国委员管理上海海关时,当地外国商人,依自身利害关系,颇不愿意,尤以美人为最,当1856 年 5 月公使 P.Parker 抵沪之时,提出一关于此问题之意见书,说明两种理由,(一)在他口中国海关之下,船舶出入纳税上有种种便宜;(二)而厉行严密规则之外人海关制度,仅有上海一隅,殊欠公平,因此之故甚希望废止外人海关制度。英人之意见不一,亦有与美人抱同一见解者,而多数则以新制度为善,并认为有推行于他口之必要。① 后者主张得胜,故以此插入《通商章程》中之第十条。外人因此得免于旧日各地海关所行之不正待遇,新旧商务到处一律,但求其能缴纳条约上所规定之关税而已。

依此章程,Lay 氏遂于 1859 年经两广总督何桂清任命为海关总税务司,开设广东(1859 年)、汕头(1860 年)、福州、宁波、镇江、九江、天津(均在 1861 年)等七关。1861 年,Lay 氏因病请假归国,英人 Robert Hart 和 G.H.Fitz-Roy 两人,先后经南北通商大臣及总理街门大臣恭亲王任命代理总税务司。然而重要事务,由熟谙华语之赫德氏处理;赫德氏于 1861 年始赴北京,先与北京政府巩固其联络,嗣后往来天津、上海、汉口、广东等地,尽全力增设海关,统一行政。1863年,Lay 氏复来华销假归总税务司之任,但彼于归国期内,因受中政府委托购买之小舰队,即关于 Osborne Flotilla 事件,与恭亲王意见不合,因此免职。② 于是温厚笃实、精通华务,而又有非常组织之伎俩之念八龄青年赫德遂于是年 11 月被任命为总税务司,深得恭亲王以及中央大官之信任,而着手创设新关制度焉。③④

又《通商章程》第十条,曾规定中政府外国贸易监督官亲自(或派代表)巡视各港,但当时中央政府各大官员中,无人能胜此重要之任,于是赫德氏即为

① Cf.Morse, *Trade and Administration*, p. 345; W.v.Kries, *Seezollverwaltung u. Handelsstatistik in China*, S. 4; Rennie, op.cit., II, pp. 22-23; Sargent, op.cit., p. 149.

② Cf.Blue Book, *China*, No. 2(1864), p. 7; Williams, op.cit., II, pp. 692-695; Lay, *Our Interests in China*, p. 19.

③ 关于赫德之传记及其在华功绩请参看下列各书:J.Bredon, *Sir Robert Hart*. E.B.Drew, *Sir Robert Hart and His Life*, *Work in China*, in *Recent Development in China*.(《Clark 大学讲演集》)。光绪三十四年二月十九日总税务司致税务处公文中之 Resume of Sir Robert's Work and History of Service.

④ 前述七港设关之后,又于 1862 年设厦门汉口两关,于 1863 年设芝罘关,于 1864 年设牛庄关,又在中日战争以前,合计台湾府、淡水、琼州、宜昌、芜湖、温州、北海、龙州、蒙自、重庆等处共增设二十余新关,遍采用各国人民海关员。

总理衙门代表,屡次出巡各地与地方官吏折冲,主持开始贸易之准备;且因补充条约上之规定,譬如必要之通过税法,再出口货免税法,长江贸易章程,犯规会讯法,领港规则等关税行政上各种细则,均由彼提议制定之。[1] 但彼赫德在当时所遇之困难问题甚多,约分四项如下:(一)中央政府大官缺乏关于通商贸易之根本观念与条约之理解力;(二)地方官与外商因自身利害关系,反对设新关;(三)各地海关,中国人海关监督与外人税务司,往往缺乏调和;(四)各地交通不便,事情差异,关员国籍不同,海关亦易陷于中国行政通弊之地方分权制。而赫德氏竟能排除此类障碍,调和各种冲突,海关制度竟能逐渐发生确立而成为现今中国各种行政组织中唯一中央集权制度,诚奇事也。

第三节　《芝罘条约》与关税

1874 年印度政党派充云南探险队指导人英国领事馆员 R.A.Margary 被杀事件,于中英间酿成一大争议,交涉至一年半之久,始于 1876 年 9 月缔结《芝罘条约》。依此约之规定,除赔偿对云南事件之损害及谢罪以外,并有关于通商事宜数种重要事项之规定(见该约第三条)。(一)外国进口货免厘区域,应定各种商埠之租界以内。(二)开宜昌、芜湖、温州、北海为商埠,许英国驻贸易视察员于重庆;扬子江沿岸之大通,安庆、湖口、武穴、陆溪口、沙市等地,准轮船停泊,客商货物起卸。(三)划定各商埠租界区域。(四)协议取缔鸦片输入及同时征收输入税及厘金之方法。(五)中国政府统一各埠子口税,及防弊规则。然此约文字,暧昧之点极多,第一、第三、第五各条之规定,甚招英人之反对,彼等对于承认中政府在商埠有课收厘金权斥为最无理由之让步,违背《江宁条约》及《天津条约》之旨趣。英政府亘九年之久不批准此约,其故在此。[2] 1885

---

[1]　Cf.Rennie,op.cit.,I,pp. 220,248,260-261.

[2]　《芝罘条约》关于厘金之规定,由中国方面观之,是为抛弃对于租界之课税权,而由列国方面观之,是为承认中国在通商埠有厘金课税权。关于此点,不仅英人大肆非难,即德法等国公使亦均有反对意见。(Cf.Brandt, *China u. Seine Handelsbeziehungen zum Auslande*, S. 31;H.Cordier, *Histoire des Relations de la Chine avec les puissances occidentales*, II, p. 92; Michie, op. cit., II, pp. 280-281)当时上海英国报 *The North China Herald*(6 July,1878)痛攻此约云:"若公平下当识之判断,此约实无目的之冗语集也。"

年伦敦追加条约,其目的原在补充前约不备之处,而各埠租界区域问题及通商埠与免厘区域之关系,让诸异日商议,唯就关税问题所确定者,系对于鸦片之输入,规定于旧征输入税以外,每百斤得共征厘金八十两(见该约第三条)。此种规定,实于中国有利,鸦片税一跃而增三倍之高率,其结果遂至于奖励本国鸦片之生产。①

由关税制度上观之,《芝罘条约》尚有一应注意之项,即两国为取缔香港与中国沿岸间之帆船贸易计,为无损于香港利益及保护中政府收入计,由两国任命委员商议之是也(见该约第三条第七节)。当英国要求割让香港之初,英国本有鉴于地理的关系,承认中国税关在香港有征税权以便对华贸易之意。② 然而取得香港之后,即采用自由商埠政策,因此香港日趋繁荣,而香港与中国沿岸各地秘密贸易益盛。③ 中政府遂于 1886 年起在附近岛屿设立税局,用严密之关税网封锁香港,征税上弊害百出,香港贸易因此大受打击,甚至使中英国交发生不良影响。《芝罘条约》及伦敦追加条约关于取缔香港贸易委员会之规定,即为除此祸根而设。其结果,中英两国委员遂于 1886 年 9 月会于香港,缔结鸦片协定,同时收香港与中国沿岸各地间之帆船贸易移归海关管理,而自 1887 年起实行。④

澳门在对华贸易上地理的关系,其为密输根据地不下于香港,故澳门贸易当有与香港贸易同时取缔之必要。1887 年 Lisbon 之议定书,即依此目的缔结而成,澳门政府亦允以与香港相同之条件,对于鸦片出入协助中国海关。⑤ 而葡国为此让步之报偿亦不小,即三百年来非正式占领之澳门,此时始得中国允许割让,同时又得与中国缔结通商条约是也。中国政府至此始将六厂(香港及澳门周围所设之六税局)移归新关管理,并得以有效的取缔两地贸易。故

① 参见《曾惠敏公全集》第二卷及 Michie,op.cit.,II,p. 283。

② Cf.Morse,*International Relations*.pp. 657–658.

③ 香港与通商埠之汽船贸易,在《天津条约》以后即由新关管理,而帆船贸易则向属旧关管理。

④ Cf.*The Opium Convention*,1886;*Hongkong Ordinance*,No,22 of 1887;*Customs Decennial Reports*,1882—1891,pp. 681–683.

⑤ Cf.*The Opium Convention and Agreement*,1887;*Reglamento para a Fiscalisacao relative ao Opio Cur en Macaue Dependencias*,1887.

由海关制度观之,是为九龙及拱北特殊税关之创设,为扩张海关权限于帆船贸易之权舆;又由关税上观之,是于帆船对外贸易上已设立一种差别关税(Differentialzölle)。

第四节　中韩关税同盟

四百年来,中国虽视韩国为属邦,然其宗主权仅一年两贡,与王位继承时正式通告而止;尔后中国承认日本在韩势力渐次增进,始于1882年缔结《中韩商民水陆贸易章程》,次年任袁世凯总理驻扎朝鲜交涉事宜,于内政上开高压的干涉之端,复派德人 Möllendorf 为朝鲜税关长兼外交顾问,驻在京城。其后1885年,Robert Hart 基于中国政府之委任,扩张其海关行政于朝鲜通商埠,自此时起至中日战后止,十余年之间,遂与朝鲜组成一种不完全之关税同盟,此种事实,实有一言之价值,今举其关税同盟关系之要点于下:

第一,朝鲜海关之干部须任中国海关之外人,归中国海关总税务司管辖,其薪俸由双方分担。①

第二,两国外部关税依旧继续,内部关税与出入于内国各港时互受同等待遇。②

第三,对于两国间输出货物,互发给纳税证书及装载证书,以谋课税上及统计上之便宜。③

第四,朝鲜许将其禁止输出品之人参输出于中国,中国亦许将其禁止输出品之米及其他谷类输出于朝鲜。④

第五,鸭绿江陆路境界贸易,只许限于两国人民,输出入从价五厘税以外,免除内国通行税,蔬菜、瓜果、鸡鸭鹅鱼等食品,一概无税。⑤

---

① Cf. G. N. Curzon, *Problems of the Far East*, p. 187;Putnam Weale, *The Re-Shaping of the Far East*, Ⅱ, pp. 14—17. 光绪十九年四月七日总税务司上总理衙门之公文,及光绪二十四年四月二十四日总理衙门上奏文。

② 参照光绪十五年总理衙门致总税务司之札文。

③ Cf. Inspector General of Customs' Circular Instruction, No. 521 of 1890.

④ Cf. I. G. Circ., No. 508 of 1890.

⑤ 参见 1883 年《奉天与朝鲜边民交易章程》第九条及第十条。

上述中韩关税同盟虽与现行中国关税制度无直接关系，而于本编沿革史实为有兴趣之问题，而且由此可以证明中日战争所以至于破裂之原因，不仅在于朝鲜境内中日两国政治的冲突，并伏有经济的理由。即中国素来蔑视日本，在其境内于通商上不给日本与欧美各国对等之权利，在与日本利害接壤之朝鲜境内，又擅有关税上之特权，因此之故，日本在中韩境内，贸易之发展，长陷于不利益状态，此实日本之所不能忍受者也。

第四章　外人管理海关时代

第一节　中日战役与关税制度

《天津条约》缔结以后,使中国政事上外交上及财政上各方面发生重大影响者,盖莫如中日战争。中日战争与通商及关税问题之关系,余欲分为两段说明:第一为直接之结果;第二为间接之结果。

（一）直接之结果,因中国战败而生之直接的结果,表显于《马关讲和条约》及《中日通商条约》者有四:第一,割让台湾全岛及附属诸岛屿于日本;第二,承认朝鲜独立;第三,开沙市、重庆、苏州、杭州为商埠;第四,约定给日本与欧美各国相等之片务的最惠国民条款之外①,又设立两项于关税问题有重大关系之新规定。即,其一为《马关条约》第六条第四项:②

　　　　日本臣民在各通商口岸得自由从事各种制造业;又各种机器仅纳所定进口税更得自由运入中国。

　　　　日本臣民在中国内地之一切货物,关于各种内国运送税、内地税、赋课金、取货金等,又关于在中国境内入仓之利益,均照日本人民输入中国

---

① 关于插入片务的最惠国民条款于中日通商条约一事,中国全权委员会引中奥条约先例,要求双务的条款,林公使决然拒绝之。（参见 I.G.Circ., No. 770 of 1807 张荫桓与林公使之照会文）

② 1858 年《中法条约》第七条有 Les Français et leurs familles pourront…se livrer au commerce ou à l'industrie…dans les ports et villes de l'Empire chinois 之文句,汉文译 industire 为工作,中国官吏坚持此以工业为限,无工场工业意义之见解。《马关条约》从事各种制造业,又其制品与输入品享受优例豁免,实为日本方面之成功。然 1896 年 10 月中日议定书第三条中,日本抛弃此特权,承认中政府有课税权,此在中国方面虽为公平之规定,而于日本人在中国之工业,直可谓为让步。

商品之例办理,享受一切优例豁免。

其二,为次年缔结之中日通商条约第十二条:①

　　日本臣民在中国通商口岸购买中国货物土产运出海外时,若非禁止出口货物,止完出口正税而止,所有内地税赋钞课厘金一概豁免。

上列二项在从来中国与各国之通商条约上无明确之规定,其解释多有疑义,并有许多不利益处,今依《中日条约》始得确定。尤以《马关条约》关于通商口岸外人工业权之规定,在关税问题上有最重要之意义。

(二)间接之结果,此可由财政及政治两方面考察之。

(1)财政的影响。中日战争之军费及赔偿金之支出,使中国财政大受影响,甚至使海关制度发生一变革。以前中国非无外债,而为数极少,今因战争之结果,一跃而负担5400余万磅,大致均以关税共担保。战后两次英德借款,于海税以外,又增几省厘金税为担保,且约定至偿还之日止,45年间不变更海关制度。

(2)政治的影响。中国战败故,内开满朝衰亡之端,外对列国暴露其积弱之真相,表明中国已非"睡狮"而为"极东之病人"。加以讲和谈判前后,中国政治家所弄之以夷制夷之外交政策,战争以后,即招来俄德法各国要索报酬,至演出所谓列国猎取利权之斗争(battle of concessions)。1897年,德国为首占领胶州湾,其次俄国占领旅顺大连,其次英国占领威海卫及九龙,法国占领广州湾,其他铁道附设权、矿山采掘权等要求续出,列强对华关系上又加一势力范围问题。此虽仅为表面上之权利竞争,而与此时代此大势相关联或因此发生之事件中与关税制度有关系者亦复不少。今举其主要者于下:

第一,英国公使 MacDonald 因俄法两国欲为本国人取得总税务司之要职,于1896年2月使总衙门约定"在英国对华贸易比他国占优越地位时,应任命

---

① 从来对于在通商口岸购入之输出品,除出口税以外,更须提示子口税完纳证书,无证书时追征出口税之半额,今依中日条约始得除去此弊。

英人当总税务司之后任"。①

第二,关于 1876 年以后海关行政中一部分之邮政事业,使公使 Dubail 于 1898 年 4 月使总理衙门约定:"邮政在将来与海关分离时,须任命法人为邮政总监。"②

第三,租借地之发生,成为关于租借地设置中国海关之规定,使关税制度开一变例。③

第四,外国铁道之敷设,同时发生关税上之优例豁免。④

第二节　团匪事变与关税问题

1900 年之团匪事变,自一方面观之,可谓为中国对于中日战后列国侵略政策之反抗;自他一方面观之,可谓为复古主义、攘夷主义对于进步主义、开放主义之最后斗争。中国自开海禁之时起以至于 19 世纪之末,依旧不解欧洲文明为何物,迷信旧式之拳斗(boxing)可以对抗泰西之科学,其结果遂酿成战祸,自取败亡,至于以国都委诸外夷蹂躏,此次事变,想世人记忆尚新,无须多赘。幸因列强采取均势主义,中国始得保全社稷,而此次暴动所及于中国政治上及财政上之祸害,固已创巨痛深。同时财政上新增巨亿偿金之负担,遂开财政破产之端。今依 1901 年最后议定书第六条,摘记关于通商及关税问题之要项于次:

第一,赔偿金 4.5 亿万两,作为对列强十一国利息四厘之金货外债,定分 39 年偿还方法。

第二,此项外债之财源除给付旧借外债本利之海关税、盐税余款以外,从新以常关税收入作担保。

第三,各通商口岸之常关(Native Customs)移归海关管理。

---

① Cf.J.Edkings *Revenue and Taxation*, pp. 109–110; Blue Books, *China*, No. 1(1898), p. 50; *China*, No.I(1899), p. 19; Cordier, *Histoire des Relations*, III.pp. 2,426.

② Livre jaune, Chine, 1894—1898, p. 48, Cordier, op.cit., III, p. 429.

③ 参见 1898 年《东青铁路》合同第五条,《胶州湾租借条约》第五条。

④ 参见 1896 年《东清铁路合同》第七条、第十条。

第四,白河黄浦江两水路改良,归国际经营,中国政府约定每年支出一定经费。①

以上条项由海关制度上观之,海关自英法借款后,不仅与外债更增密切,且其行政范围更扩张于全国主要地方之帆船贸易。唯有可以认为团匪事变偶然之结果者,即中国政府在《天津条约》后四十余年未得一次改订机会之进口从量税,今则得升高为现实从价五厘税是也。

此外根据议定书第十一条之规定,于 1902 年与英国缔结所有 Mackay 条约,次年又缔结略与日美两国相同之通商条约,此亦可称为团匪事件所生之一结果。此三种条约,均系天津条约以来第一次改正之通商条约,其中尤以《中英条约》第八条为最重要之条项。② 即撤废全国厘金及其他内地通行税而代以进口税之附加税从价七厘五毫,并对于内国生产品课生产税、消费税,此即所谓裁厘加税之规定是也,但此规定未得其他国同意,未能生效。然新约虽未达到主要目的,而通观日、英、美三约,其已见诸实行者,非无可注意之规定。例如(一)湖南之长沙、广东之江门、满洲之奉天、安东、大东沟均开为商埠(英约第十一条,美约第十二条,日约第十条);(二)西江岸沿十余都市均加入货物旅客上下之地(英约第十条);(三)戾税证书之发行,使保税仓库之设置,更加简易(第一条,美约第八条);(四)改正内河航行规则(英约十条及附件丙号,日约第八条)等项皆是也。③ 此外尚有如货币及度量衡制度之统一、商标保护、矿业条例改正、司法制度改良等直接间接于通商有关系之重要规定,无如中政府无实行之诚意与果断,十余年来,卒未能得一有满足之成绩者。

其次为团匪事变所生之国际的影响而有可注意之大事件,即俄国不撤退满洲驻兵而引起日俄之战是也。战争之结果,于 1905 年 9 月缔结《Portsmouth 条约》,日本由俄国夺取辽东半岛租借权并满州铁道之一部,又于本年 12 月

---

① 参见议定书附件第十七号。中国政府为挽回利权计,曾于 1905 年 9 月与列国公使缔结关于黄埔江河道局之协定,由中国独力着手修改事业,后因革命之故未能实行,复归中外共同管理,以关税附加税收入继续进行。

② 《Mackay 条约》第八条,系根据中国改正条约委员副总税务司 Bredon 所拟草案而成,就中国言,含有改革财政之意义。(Cf. Putnam Weale, op.cit., I, p. 254)

③ 杨子江及西江寄泊地(Ports of call)及旅客上下地(passenger stages)之增加,与外国轮船之内河航行权两者合观,即为扩张半开商埠地域之意。

缔结《中日满州善后条约附约》,中国依约开放东三省重要都市十五处(见该约第一条)。又关税方面,后经与日俄两国规定,对于南北满州铁路贸易协定特惠关税。

第三节　挽回利权运动与海关

义和团事件,系一般顽固者流欲借暴行概将外人逐出国外之盲动;挽回利权运动系一般有识者流欲用和平手段以对抗列国侵略政策之自觉的运动。详言之,有以挽回列国已得权利为目的之积极的意义。有以将来不给任何权利于外人为目的之消极的意义。而此种运动之所由起,第一因日本战胜俄国而受一大刺激,第二因中央政府外交政策过于柔弱,地方官民起而反抗,致酿成一种排外运动。如:1905 年因美国禁止华人入境排斥美货,收回粤汉铁路,1908 年对辰丸事件排斥日货,赎回京汉铁路等,均其明证。平心判断,此种运动虽未必与中国自身之利益一致,然至今犹成为支配一部分华人所谓 Young China 对外思想之根本观念。此项运动,其针对外人管理之海关着手,乃当然之事。中国政府依 1906 年 5 月 9 日上谕,新设税务处(Revenue Council)一官厅,使管辖旧日直隶外务部之海关,实为实行干涉之第一步。[①] 海关应属何种行政机关管辖,本系中政府权限以内之事;然而外人之间大肆非难,以为海关系外债之担保,与列国有特殊关系,事前不与列国公使交涉,即突然变更其统辖关系,对于旧日在事实上为独立官厅之海关加以有害之干涉,势必至损害外国债权者之利益。于是与海关及外债最有密切利害关系之英国,首先向中政府提出质问的抗议,中政府于 9 月间即向英公使即总税务司证明统辖关系之变更,于海关内部组织并不变动,此事遂告结局。[②③] 然自此以后,海关中中

---

①　1906 年 5 月 9 日上谕云:户部尚书铁良著派充督办税务大臣,外务部右侍郎唐绍仪著派充会办税务大臣,所有各海关所用华洋人员统归节制钦此。

②　Cf.O.Franke, *Ostasiatische Neubildungen*, S. 325-326;D.Stone, *Tomorrow in the East*, p. 186.

③　Cf.I.G.Circ., No. 1369 of 1906;No. 1381 of 1906.税务大臣之权限,若仅受海关税之支用行使监督权,列国当无倡异议之权利,但海关行政,即关税征收及关员任免若均归管辖,则债权国(特别是英德两国),根据 1896 年、1898 年英德借款之契约抗议,实有充分之理由。(Cf.Franke, A.A.O., S. 324)

国关员地位之向上,及1911年将邮政由海关分离移归邮部管辖二事,亦可认为对于海关挽回利权运动之结果也。[1]

第四节　革命与海关

1911年10月武昌军队起义,乘十一余年磅礴于各地之排满气运,一举遂得颠覆清朝,树立共和政府,而依此变乱发生财政组织之破坏,遂引起一般世人所未注意之重要国际关系。今兹所谓重要国际关系,即不外海关地位因革命发生之变化。此种变化可分为二:(一)中国政府不能履行以关税所担保之各种外债上之义务;(二)因此列国公使为保护外国所有债权计,认为对南北两政府除使守中立之海关保全关税收入以外,别无办法,故于1911年之末要求将关税收支两项权利均委任于总税务司。[2] 向例自《天津条约》以后,中国政府虽任用外人管理各地海关,而总税务司仅领受一定经费,为中政府管理关税征收事务,关于支出处分毫无容喙余地。至革命事起,不得已并将收入支出之权亦委诸外人处理。外人此种管理关税支出之权,本为暂时手段,财政状态恢复时即应中止,但在中国则不然,暂时的方法,往往变成永久的制度,而毫不为怪。革命以来,已经数年之久,秩序愈坏财政愈穷,此项权利至何年始能收回,殊属疑问。

第五节　欧战之影响

此次欧洲战争所及于中国通商及关税制度之影响,可列举如下:

(一)由1915年5月之中日协约而生者[3]:

---

[1]　邮政久已成为海关行政之一部,以其无外债关系,中国遂得收回自办,当交付之初,总税务司与中国政府曾约定两事;(一)邮政开始以来已从海关经费中收回之金额,由邮传部退还于海关;(二)对于邮政之内外官吏,须给以与从前在海关时相同之待遇,并保障其地位,然第一项至今仍未见实行。(参见 I.G.Circ., No. 1802 of 1911)

[2]　参见宣统三年十月十六日税务处给总税务司之命令(I.G.Circ., No. 1865 of 1911)。

[3]　照民国四年《中日条约》关于"满蒙"条项中第二条至第四条,及关于青岛复设海关之协定。

（1）日本于其所占领之德国租借地胶州湾，在与战前相同条件之下，允中国复设海关，并须采用日本人代德国人为海关员；

（2）日本人获得在"南满"、"东蒙"未开放地自由居住往来并从事各种商工业之权利。

（二）由1917年8月中国对德奥宣战而生者：

（1）中国政府因对两敌国停止偿还外债本利，并对协商国延纳团匪事变之赔偿金，而减少关税之外债负担额；

（2）从前中国海关佣聘之德奥人解职，使海关之国际的性质发生暂时的变化；

（3）中政府取得多年希望而未得列国同意之进口关税中从量税改正之机会。

其中以最后一条改从量税为现实从价五厘税一点，在日本输出业者之间，成为一大问题，而就中国言，则可谓为欧战之赐，应当重视者也。

第 二 编

关税制度之特质

第一章　关税制度之根本观念

第一节　关税之意义

关税为一种广义消费税,系由超过一定关税线(Zolllinie)之货物征取者也。现今各国之关税线,以与国家政治的领土之境界线一致为原则,然亦有不尽然者。例如两国或数国互结关税同盟,或本国与殖民地之间设立关税,或领土内设有自由商埠之时,则国家领土(Staatsgebiet)与关税地域(Zollgebiet)之间,不免有广狭之差。然关税之原始的意义,与此不同,乃系对于道路、桥梁、港湾等之使用或交通上警察之保护,作为报酬充纳之手续费,此事征之各国历史,略相一致。关税由此手续费之性质渐次变成租税,渐次变成征取通行国内交通要道之货物之国内关税(Binnenzölle),更进而变成现今此种国境关税(Grenzzölle),盖经过多年之变迁而来者也。欧洲各国之所以撤废国内关税而设立统一的国境关税者,多因于近世政治上统一国家之成立与夫经济上(Merkantilsystem)之影响。至于以关税供国库收入之目的,更利用为商业政策而采用国境关税者,则以英国为嚆矢。① 法国在 1660 年始由 Colbert 着手废除国内关税,至 1791 年始得完成。其次比利时、荷兰两国,受法国之感化,均各设立统一的关税,至于其他诸国之国内关税则迟至 19 世纪中叶,始得完全废除。即如奥匈国于 1850 年始创设统一关税;瑞士依 1840 年之宪法始创设统一关税;俄国、波兰于 1850 年始创设统一关税;意大利于 1859 年因政治上之统一始创设统一关税者也。德意志帝国最迟,自 1818 年普鲁士撤废国内关税之时

---

① 英法亦然,英伦、爱尔兰间之关税,至 1823 年始撤。现今英帝国殖民地中虽对母国及他处殖民地设特惠关税者,但并未构成关税上之单一地域。

为始,苦心经营关税同盟约亘半世纪之久,始依 1871 年之帝国宪法,形成国家的统一关税地域。[①]

第二节　关税制度发达之趋势

如上所述,欧洲各国关税由国内关税变成国境关税,虽因国情之不同,有以财政上之收入为目的者,有利用以为商业政策者,然统观近代文明国家关税制度之发达,则可分为下列三大倾向:其一为关税地域之扩张;其二为关税政策之变更;其三为关税税则之复杂化。换言之,即第一为由国境关税进至同盟关税,第二为由财政关税进至保护关税,第三为由单税则进至复税则之趋势是也。

(一)关税地域之扩张。关税在经济政策上之作用,须借国家统一:关税,始得有效发挥;又关税在对外商业政策上之价值,若其统一关税线所包容之地域愈广,其经济上之发达愈复杂,则亦因而愈增显著。[②] 欧美各国为适应此目的计,故自前半世纪之后半期以来之趋向,始有超过政治的领土而谋二国或数国间关税制度之合同者,有将母国与殖民地间之关税撤除或采用互惠主义者。此种计划之主要目的,在借关税地域之扩张,以便于与他国为经济的竞争时占有利之地位,大约可分为以下四种:[③]

(1)邻近之小国与小国间之关税同盟。

如:1903 年比利时与荷兰两国间——1904 年瑞典、挪威、丹麦三国间所企图之同盟;1905 年塞尔维亚与勃牙利订定密约定于 1917 年实行之同盟;1903 年澳洲及南非洲英领殖民地间之关税同盟也。

(2)小国对于邻近大国之关税加盟。

如:Luxemburg 之于德国,Liechtenstein 之于澳洲,Monako 之于法国,San

---

① Cf.J.Grunzel, *System der Handelspolitik*, 2. Aufl., S. 341; Van der Borght, *Handel und Handel-spolitik*, 2.Aufl., S. 430-1.国家政治的统一,以在商业及关税制度统一之前为原则。唯德国则在例外,关税成立后,国家政治的统一始告成功。(G.Schmoller, *Die Handels-u. Zollannaherung Mitteleu-ropas*, Schmoller's Jahrg, 40 Jahrg., 2 Heft, S. 1)

② Cf.Borght, A.A.O., S. 433.

③ Cf.Borght, A.A.O., S. 433-8; S.Schilder, *Entwicklungstendenzen der Weltwirtschaft*, Ⅱ, Anlage X.

Marino 加入意大利关税地域之关系等是也。

（3）邻近两大国间之关税同盟。

如前世纪中叶以来屡经德奥学者政治家提倡之德奥关税同盟。

（4）数国之关税大同盟。

如：（A）1840 年法、德、奥、意等学者所倡导之中欧关税同盟，（B）1880 年以来北美合众国所企图之全美关税同盟，（C）前世纪末期以来英国关税改革论者 Chamberlain 等所热心倡导以谋联络英本国与殖民地间之大英帝国关税同盟皆是也。

以上所述各种关税同盟之议论及计划，虽因各国特殊之经济、财政、政治人种上利害有冲突之故，见诸实行者少，或仅为一部分学者之梦想而止，然各国均欲谋一大关税地域之普遍的倾向，在事实上实不能否认。尤以此次欧洲战争，使各国间旧有反对关税同盟之思想趋于薄弱，各国关税政策大生变动，战争以后，此种同盟遂得容易成立。此种事实征之 1916 年联合国巴黎经济会议之决议，及德奥等国中欧关税同盟之计划可知也。[①]

（二）关税政策之变更。关税以赋课之目的为标准，可以分为两种：第一为财政关税（Finanzzölle），第二为保护关税（Schutzzölle）。第一种以谋国库之收入为目的，第二种虽亦以收入为目的，却注重国民经济之发展。古代及中世之关税，均以收入为主，至 17、19 世纪时，Merkantilsystem 极其隆盛，各国均以阻碍进口贸易助长出口贸易为增进国富之根源，遂竞相提高进口关税，甚至采用禁外货进口之政策焉。然成为此政策此思想之反动而勃然兴起者则有 Physiokratismus，遂至在政治上唤起自由放任主义，同时在经济上唤起自由贸易主义。英国受此思想上之变动最早，且迫于国内产业之发达与对外贸易之必要，自 19 世纪年代起即已转变而成为自由贸易之国家。其次自 1860 年英法缔结所谓 Cobden 条约以来，自由贸易主义一时风靡于欧洲思想界，各国多采用低率关税；然经济上之发达迟于英国之欧洲各国，第一因财政上之必要，而思增加国库收入，第二感知自由贸易不利于国民经济之发展，故自 1870 年

---

① 　Cf.Schmoller，A.A.O.，S. 7－10.谓德奥关税同盟在战前无实现之望，战后形势一变，且谓此同盟更有使巴尔干各国及土耳其加入之必要，即使此同盟难望其即时成立，而两国先务之急，须在战时中谋关税上之接近并缔结协约。

代起又生一大反动,至前世纪末叶以后,而所谓 Neo-Merkantilsystem 于是发生,遂至对农工商业采用保护关税,以谋国民经济之发达。潮流所激,自由贸易主义发源地之英国,最近十余年来,而主张变更商业政策设立一定关税与对殖民地设特惠关税之说,亦渐有力量。此虽为战前商业政策上之趋势,而战后此种复古思想,又将与政治的敌抗思想相合,故一面各友邦企图关税同盟之计划,同时又必使各国采用复杂之关税,此不难想象而知者也。①

(三)关税税则之复杂化。关税,依其所应适用之税则得分为三种:第一为单一税则(Einheitstarif);第二为国定协定税则(Genaral-u. Konventionaltarif);第三为最高最低税则(Maximal-u. Minimaltarif)。② 单一税则,仅由一种关税而成,对于各国进口货适用同一税则,其间并不设区别,此税则唯尊重关税主权各国,或被条约束缚关税主权之国家行之。此种税则,在尊重关税主权之国家,全部为国定税则;在被束缚关税主权之国家,全部为协定税则。近代之外国贸易关系极其复杂,此种单一税则颇有不能适应此等要求之缺点,故保护贸易国家,渐有舍此而采用二重税则之倾向。德国于1891年、法国于1892年,均已采用二税则。现今欧洲各国中,其存有单一税则者唯英国、比利时、荷兰、丹麦、葡萄牙五国而已。③ 其次,国定协定税则者,系因便于出口贸易,依互惠办法于一定年限内对于本国与他国之关税则之一部加以限制者是也。此种税则中,国法上之税则与条约上之税则,二者并存;条约上之税则适用于缔约国或有最惠国民条款国家所输入之货物,国法上之税则适用于其他国家所输入之货物。此制度在1891年始经德国采用,现今法国、澳大利、意大利、希腊、勃牙利、塞尔维亚、罗马尼亚、瑞典、瑞士、日本等国行之。第三种之最高最低税则,非依条约上之协定,自始即由国法规定,俾行政部不致于缔约时随意增减税率,此其特色也。然国际上关于关税之交涉,互视国力如何以为断,有时亦

① Cf.Evolution of European Commercial Policy, in *European Economic Alliance*(Published by the National Foreign Trade Council, N.Y., 1916), pp. 21–23.

② Cf.Grunzel, A.A.O., S. 384.

③ 丹麦、葡萄牙之单一税,对于邻近各国之贸易,基于国内产业之利益,设有极少之特定率。北美合众国于1909年之 Payne-Al-drich tariff,为准备与欧美各国间为关税上之谈判交涉,采用最高最低为税则,其间设有二分五厘之差,其后于 Underwood-Simmons tariff,又废除此税则而采用单一税则。(Ibid., p. 79)

有不能固守最低税率者。此制度初由西班牙采用,现今之法国最盛行,挪威、黑山国等亦行之。①

　　以上三种税则,虽因国内经济状态及对外贸易关系之不同,均不免有一利一弊,要而言之,欲利用关税为对外商业政策者,当以单一税则为不利,此则无容疑者也。最近倾向,则以国定协定税则或最高最低税则之二重税则尚不充分,更有欲采用三重税则者。坎拿大之复税则(Multiple tariff system),即其一例。此种复税则,系由一般税则(General tariff)、中间税则(Intermediate tariff)、特惠税则(Preferential tariff)之三种而成。特惠税则,适用于由英国进口之货物;中间税则,适用于与坎拿大结有互惠条约诸国所输进之货物;一般税则,适用于由其他各国进口之货物。中间税则比一般税则约低一分,特惠税则比中间税则更低。② 南亚细亚之英国殖民地、澳洲、新锡兰等,均仿坎拿大例,为英国品设特惠关税。法国及葡萄牙对于由本国殖民地输进之产物亦有特惠关税。此次战争,使此倾向更为强有力,巴黎经济会议及中欧关税同盟计划所议定之关税则,至少亦不下于三重税则,甚至有主张四重、五重之税则者。③ 其次,税则既如此其繁复,而税目之分类亦愈精,税率之适用亦愈烦。其所以如此者,盖一则可使国内产业之保护更增周密,二则当缔结关税条约时又有利用以为武器之倾向也。④

第三节　中国关税之意义

　　如上所述,列国均各以己国利益为主,高筑关税障壁,调节商业政策,唯亚

---

　　① 　Cf.J.H.Higginson, *Tariff at Work* ,Chap.I;Grunzel,A.A.O.,S. 386–395.

　　② 　坎拿大《税关税法》中,更有 1904 年实行之 Anti-dumping clause,对于 dumping 之进口货在普通关税以外,更于不超过从价一分五厘之范围内课 Dumping duty。(Cf. Higginson, op.cit., pp. 18–19)

　　③ 　Hobson 将新保护论者之关税划为五圈图,而非难其不能实行,其言有云:大凡以政治及军事上之考虑与商业相混同之时,关税区别之复杂,将无际限,非对各国各适用相异之税则不止。(Cf.J.A.Hobson, *The New Protectionism* ,pp. 38–39)

　　④ 　大战以前,英国进口税仅限于 25 种货物,至于他国,其税目渐有增加之倾向。瑞典有1311 种,瑞士 1114 税种,其次,德国有 940 种,法国有 654 种,奥国有 657 种,可谓多矣。(参见Higginson, op.cit., p. 84)

洲之旧国与非洲之新国,则因与欧美各国间存有不容废弃之政治的条约之故,税权大受束缚,致不能追随各国之现代趋势,徒开放门户,一任各国为经济的竞争而已。[①] 中国在现世界中,系一所谓门户开放之国家(Open-door country)地域最广,实列国最有希望之商场也。然其关税制度又最恶劣,与欧洲之葡萄牙,美洲之伯拉西尔真可谓鼎足而三。[②] 而葡萄牙与伯拉西尔系因极端之保护关税所苦,中国则反是,实因极端财政关税之故,致阻碍经济上之自然发达者也。

中国关税制度,无处不与前述之世界大势背道而行。当《江宁条约》成立之次年,与英国协定进出口均征从价五厘税之单税则,以后又与各国缔结含有无条件片务的最惠国民条款之通商条约,不能脱离从价五厘协定税之束缚,此其一也。内国关税,本应在对外关税协定之时废止,而至今如故,不特此也,欧洲各国之内国关税,自19世纪中叶以来即已全废;中国反于此时新设厘金一项地方关税,普及全国,致使旧有之内国关税更增复杂,此其二也。欧洲各国当废除内国关税时,殆皆撤废出口税;中国则反是,不仅对一切出口货征税,且设有害无益之违禁品以妨害出口贸易之发展,此其三也。由此三特色观之,中国现行之关税,系外部关税与内部关税混合而成,与欧洲中世纪之制度无稍异,即就此点而论,中国之文明比各文明国亦当迟数世纪之久也。

中国关税,无论内部关税或外部关税,其性质均为财政关税,固无待言。然其为财政关税之性质,则又与自由贸易国家之财政关税完全不同,此应注意者也。盖在自由贸易国家,务期不以关税妨害贸易交通之自由,而其税目又务限于少数重要消费品,不使国内经济发达上受人工之变化,此即消极的经济政策也。至于中国关税,并未顾虑及此,始终以收入为主,无分乎国外之输出与输入,无分乎国内之出入与通行,对于一切货物实行二重、三重之课税,国民经济上之利害、交通之便否均不过问,历代之上谕、政府之公文、学者为政家之议论虽均有裕课便民等习见之辞,亦不过纸上之饰词、矛盾之空谈而已。

---

① Cf.Grunzel, *Economic Protectionism*, p. 51.近年 Congo、Samoa、Morocco 等国之关税,对于第三国间特殊之协定。

② Cf.The Tariff Clause in Brazil, in *The Economist*, 27 June, 1914; Portugal, in *The Economist*, 2 May 1914.

第四节　征税机关之异例

中国关税,如上所述,系由内外两种关税而成。外部关税,系依据条约协定之单一税则,极其简单;而内部关税则甚复杂,以不设统一税则为特质。故其征税机关,缺乏统一组织,比之他国税关制度大相径庭。凡设新制不废旧制而使新旧两制并行,此殆为中国各种制度中共通之缺点,而尤以关税征收机关中之弊窦为最甚。现今各文明国家之关税征收机关,大概均归中央政府之财政部统辖,譬如德意志为联邦组织之国,其关税之征收与行政,虽委任于各联邦,而地方征税机关之监督官则由中央政府任命。[①] 至于现今中国之关税征收机关,则由海关(Maritime Customs)常关(Native Customs)及厘金局(Likin Office)三种而成;海关与常关虽由中央政府统辖,而厘金局则由各省财政厅管辖,三者皆为行政上组织各不相同之独立征税机关。而常关与厘金局均系征收内国关税者,故常关与厘金局在实质上并无差异。唯依制度上之区别,常关税为国家的关税,厘金局为地方关税而已。民国政府,虽曾分租税为国税及地方税二种,而以厘金编入国税之中,然此不过纸上之区别,与实事并不一致。常关税自始即归入中央政府之收入,至今仍无所变动也。

(一)海关。海关系由外人管理而对于用外国式船舶出入沿海之货物课税之机关。海关之名称,自前清康熙二十四年设置浙闽江粤四关之时为始。降至道光末年,依1842年《南京条约》开放广东、厦门、福州、宁波、上海五埠,遂将旧有各关称为常关或旧关,新设之税关称为新关或海关,故海关系因与外国交通而生,其意系以管理对外贸易为主而新设于沿海各商埠之税关也。然后来条约不仅为沿海各埠,即沿江各口岸及内地各都市亦均辟为商埠,增设海关,故海关名称已不适合现在之实情,不如改称税关为便。比如日本,当开国之始,称通商埠之海关税征收机关为"运上所",至明治五年末,均改称税关。[②]

---

① Cf. Frhr. von Aufsess, *Die Zölle u. Steuern des Deutschen Reiches*, 1900, S. 175; Conrad, *Handwörterbuch der Staatswissenschaften*, 3. Aufl., VIII, S. 1050. 德意志帝国政府任命帝国政府代表于联邦政府之税务管理局,任命税务监督官于地方税务署。

② 明治财政史编纂会:《明治财政史》第一卷,第441页。

然在中国,海关之名称,至今所以仍旧继续者,亦非无故,盖中国除海关以外,更有常关厘金局等税,对于此等内地税而称因中外互市而生之新关为海关,于明示彼此之区别,不无便宜。① 而海关之所以成为重视之关税征收机关之原因,则与他国之关税不同,其故有二:第一,征收事务系委诸外人管理;第二,不仅外部关税而止,即内部关税之一部亦归其管理也。

(二)常关。常关为中国固有税关,发生于周代关市之赋税。汉之武太初年(纪元前140年),对于出入武关之货物课税;自东晋至陈之时代(由纪元4世纪初叶至6世纪末)于石头关山等关津,司掌出入东西国境货物之课税;至于唐宋时代,始于沿海各港设置市舶司,征收海船税。元代(13、14世纪)置船户提举司之官,明宣德年间(15世纪前半)设置钞关②。至于清季,设立户关,工关;户关直隶中央政府之户部,工关直隶工部,后改正官制,两者均移属于度支部,民国成立,隶属于财政部。而其名称或为钞关、或为旧关、或为大关等,各地名称不同,至民国四年六月四日始依大总统令,全国划一,均称常关。常关之管理,在前清时代委诸海关道台或地方道台,至1901年,凡在距通商埠50华里以内之常关,归海关管理,50里以外之常关,使海关监督兼理,又商埠以外之内地常关,至民国二年末始各任命专任监督以当征税事务。③ 要之,常关虽始发生于陆路税关,而成为水陆要路之税关,然在今日则成为专课征民船贸易之内国税关。就其固有性质而论,当开国之始,本应使此税关征课外国贸易之关税,而依特殊之沿革的理由,遂发生"海关"一种新机关。

(三)厘金局。厘金局系在洪杨内乱时创设之内国税关,其始为征收战时非常税之机关,乱平以后未能撤废,且更推行各地,其数至今合全国计之已逾数百。④ 近年来复变更厘局名称,各地方局名不一,如统捐局、统税局、产销税局、税捐局等名称千差万别,又有一局而附数名称者,然综其共通点而论,则均

① 参见税务处编纂:《海关常关地址道里表辩言》。
② 明代之钞关,为谋便于元代以来滥发钞票(即不换纸币)之流通,准用此钞票完纳关税,故称为钞关云。
③ 参见《民国行政统计汇报》财政类第二章第三节,《大清会典》卷十六、卷七十五《海关常关道里表辩言》。全国常关中至今尚无常关名称者为京师税关,张家口税关、杀虎口税关、塞北税关、多伦征收局。
④ 参见中国《研究资料》第一年第四辑所载财政部参事贾士毅《关税及厘金税》第三章。

注重于地方的内国关税之实质,故可概称为厘金局,皆直隶各省财政厅。

中国关税征收机关,其新旧制度如此其混杂而缺乏统一,而尤以厘金局之紊乱为最甚,其组织不免因时因地各有不同,故欲就厘金局为有系统之记述,徒劳无益。又如内国关税本为中世纪恶税,行将废除,故其征税机关实无详论之价值。唯海关则不然,海关自发生之初期起,即带有国际性质,与中外条约及中国外债均有密切之关系,为现今世界各国所未有之特殊制度,应另编特别研究之问题也。

第二章　关税权制限之范围

中国与列国所缔通商条约,均含有不得废弃之片务的条项,尤以关于关税之片务的协定为最不利。中国所以被列国束缚其税权之由来,如前编所述,虽由于战败之结果,而根本理由,则不能不归咎于历代税制紊乱与税吏腐败二事。① 此二者阻碍国内自由交通妨害国际贸易发达,在广东贸易时代早经外商所窥破,《江宁条约》缔结以后,英国所以不仅干涉外部关税,且认定内部关税亦有限制之必要者,非无故也。1843 年 1 月 21 日英国全权委员 Sir H.Pottinger 致中国全权委员伊里布之公文中,有一节即已明论及此,其原文云:②

It is so obvious that it is hardly necessary to point out that whatever facilities may be outwardly introduced for the export and import trade of the seaports,the whole of those facilities may be rendered absolutely nugatory,so far as the greater part of the Empire is concerned,by such onerous transit duties being demanded on goods passing through the country as should amount to a positive prohibition of their transit.

此通告之旨趣,首于是年在香港所订之《通商章程》及税则中表示之,其

---

① 中国税制之紊乱与税吏之腐败,亦非自清始,历代无不皆然。《粤海关志书》第一卷有云:自《周易》有重门击柝之文,《周礼》有司关举利之法,经制所定,在昔为然,秦汉以来,征榷愈密,降及明季,以军与饷绌,税额屡增,我朝肇造区夏,荡涤繁苛……列圣相承,如天覆冒,温论告诫,至再至三,惟恐司权之人,因利乘便,我皇上又整饬关务,谕以实力整顿,包揽等弊,履行约束家人书吏等语,其中虽述及清朝轻减关税之例,然非真相。古今通病,约三点:(一)书吏之冗员太多;(二)税则外之诛求太多,(三)官吏中饱。

② Sargent,op.cit.,p. 117.

次更因 1858 年之《天津条约》及《通商章程》，而税权愈受严密之束缚。故税权束缚之范围，不得不分以下两段说明：第一为外部关税上之限制，第二为内部关税上之限制。

第一节　外部关税上之限制

外部关税上之限制，其范围可分为四：（一）关于税率者；（二）关于课税品者；（三）关于课税手续者；（四）关于关税纷议之处分法者。

（一）关于税率者。欧美各国束缚东洋诸国关税权之条项，最重要者即为限制税率。如定土尔其进口税为从价一分一厘，出口税为一厘；埃及进口税为八厘，出口税为一厘；波斯进出税为五厘；暹罗为三厘；日本依旧条约五厘是也。中国进出口税率为从价五厘，自 1843 年根据此原则协定重要商品之从量税以来，至 1858 年改为进出口从量税，1902 年改为进口从量税，后因参战之交换条件虽议改定进口从量税，而其进出口税从价五厘之原则则无所变更也。将来虽或再因物价变动，而从量税不与从价税相当，然因有最惠国民条款之故，非得缔约国全部之同意亦难望改正也。如出口税率，在 1858 年以后，迄未得一次之改正，其不许中国任意提高，乃当然之事也。至关于陆路国境贸易，则与英、俄、日、法等有关系各国另有特别规定，其税率比一般税则为更低。

（二）关于课税品者。凡国家当制定关税则之时，在原则上虽根据国内经济上、财政上及行政上之见地，区别进口货为有税品、无税品、违禁品，而中国在此点不受条约上之束缚。1844 年《中法条约》第六条最初即就此种限制为极明确之规定，中国政府事前非与列国商议得其同意，不特不能增加违禁品与专卖品，且不许变无税品为有税品。欧洲塞尔维亚、勃牙利两贫弱国家，其政府因财政上之目的有增加专卖品之倾向，奥匈国对此虽会与两国协定互相限制专卖品种类之条约，然此无宁属诸例外。[1]

（三）关于课税手续者。关于课税手续之范围，如（1）从价税品之课税价

---

[1]　Cf.Grunzel, *System der Handelspolitik*, S. 488.参看 1881 年 5 月及 1892 年 8 月之奥塞条约，及 1896 年 12 月之奥勃条约。

格算定法;(2)还税证书、免税证书发行之手续;(3)课从量税时所应使用之度量衡;(4)完税用之货币等,一切均由条约规定。(1)(2)两项详见后编,兹略就(3)(4)两项言之。中国之度量衡与货币,其种类均达六七十种之多,其纷乱之甚,举世皆知,中国之统一虽非一朝一夕所能实现,而条约上关于海关所应使用之度量衡与货币,则有限制中政府之必要。关于度量衡,自初期条约期代起,即已于各海关规定一种之标准。① 至关于货币一项,表面上虽采用海关两之无形倾向以统一之,然海关银两之为物,其意义仅为纳关税时所用之假定货币,实际上仍依一定比例用有形之银块、银货或手形纳税者也。据《天津中英条约》之规定,纳税用之银块或洋银,须依 1843 年广东之公估(Assay)率计算,但当时广东所流通之外国银货与现今各地所流通之银货,其种类品质本不相同。② 况中国商埠,几成为世界不良货币之汇集地,海关两与银货之比例,极其复杂,固不待言。外人大都不谙中国货币制度,往往默从海关银行(Customs Bank)所定比例纳税以为常。1858 年《中法条约》第二十一条虽曾规定"海关两与银货及洋银之比例应由法领事与海关监督随时随地按照实情协商决定",然此种保障,卒未能见诸实行。加以革命后,提高海关两与银货比例之地方,亦复不少。③ 此问题虽未经世人注意,而海关任意提高海关两与银块银货之比例,即不啻间接提高关税率。此实反乎前记《中法条约》之规定,与协定税率之精神,实可以大书特书者也。要之,此问题虽可与中国货币改良同时解决,而列国目前所应取之手段,则不得防止中政府违反条约之规定,而提高海关两对银货、银块之汇兑率也。

(四)关于关税之争议者。关于关税之争议,发生于外人不服海关课税处分,不服海关犯禁处分之时。关于此点,中国海关之处分权亦受条约限制,均

① 中国政府有将一定标准之度量衡交付各商埠之领事馆与海关之义务(1844 年《中法条约》第十九条、《中美条约》第十二条,1858 年《中英条约》第二十条)。而此标准度量衡与英国度量衡之比例,依 1858 年通商章程之规定,百斤之一担定为 133 磅三分之一,十尺之一丈定为 141 时。

② 关于 1843 年中英两国在广东之洋银与海关两之比例,请参见 *The Chinese Repository*, Vol.,XIV,p. 246。

③ 海关两与墨银之比例,各地不等,每百海关两当银 154 元至 516 元 6 角 5 分。1916 年经汕头外侨之反对,中止提高,至 1917 年 1 月福州关约提高 1%。

不免外国领事之干涉,容后再详论之。①

第二节 内部关税上之限制

大凡独立国有根据财政上之必要,对进出口货赋课内国消费税之权利,固不待言。然此种消费税之赋课与进出口关税之增加有同一效力,故对于进口货赋课消费税一层,列国通商条约中,亦有插入"附加限制而所课税率须与国内同种生产物同一公允"之条项者。又如塞尔维亚之 Troscharina 单以赋课外国进口货为目的之消费税,有依条约限制其课税品范围与税率之必要。② 而出口货之消费税阻碍出口贸易,故现今各文明国大致均按照戾税免除其担负焉。至于中国之内国税,则不分内外货之别,乃系对于一切货物通行国内时所课之恶税,列国自《天津条约》以来,关于外国贸易品加以严峻之束缚者,亦属至当。此种内部关税之限制,亦可分为两种,即第一为关于通商埠与通商埠间之沿岸移出入税,第二为关于通商埠与内地间之通行税是也。

(一)关于沿岸贸易者。中国虽许外国船舶在其沿岸有航行之权,不加限制,而关于征课沿岸贸易之关税,则反受外国之束缚。即如外国进口货,一旦完纳进口税之后,虽转送于沿岸各地,中国亦无重行课税之权。又如内国货物,虽得课移出税与移入税,而后者为前者之半。

(二)关于内地通行税者。《天津条约》为对付复杂之内地税而保护外来之进口货及出口货起见,曾有所谓子口税制度之规定。即外国贸易之出入货物,完纳从价二厘半之抵代税以后得免除一切内地关税是也。其次关于吨税,中国亦被束缚课税权,改良港湾而课税之附加税,亦须得列国之同意。关于此点,第四编再详论之。

---

① 参见 1902 年改正之《进口税率表附则》第二条及 1868 年《会讯章程》。

② 据 1892 年之奥塞条约与 1904 年之德塞条约,塞国不得增加 Troscharina 税之税率,并不得从新增加课税品。据 1895 年希腊与埃及条约,埃及除饮料品、食料品、火酒、秣草、薪炭及建筑材料以外,对于他种货物不得课消费税。(Cf.Grunzel, *System der Handelspolitik*, S. 486–487)又土耳其于 1892 年对进口酒精课消税加以与内国产品相同之负担,复经美国抗议,事途中止。(Cf.F. E.Hinckley, *American Consular Jurisdiction in the Orient*, p. 135)

第三章　关税制度与特殊国际关系

第一节　中国通商条约之特质

通商条约之为物,系两国或数国间规定相互间之经济的关系之约章,其内容虽因缔约之原因、目的及缔约国政治经济等关系如何而定,不必皆同,而其重要条项则不外协定(一)通商自由(Handelsfreiheit),(二)移住自由(Niederlassungsfreiheit),(三)关税问题(Zollfragen)三事。① 所谓通商自由者,并非免除关税之意,即各缔约国互在其领土内互给他国人民以通商航海之自由,不加以不当之禁止或妨害是也。所谓移住自由者,即各缔约国互许他国人民有旅行、居住、营业诸权,与本国人民受同等待遇是也。所谓关税上之协定者,即互相约定减低关税或约定在一定时期不变更税率以谋交通贸易之维持与发展是也。前二者在现今文明程度相等之欧美各国已成为公认之原则,不足置重,仅规定与缔约国国民受同等待遇或与最惠国国民受同一待遇即已充分,唯关税上之协定,则为缔约时所不可缺乏之重要问题。

然而欧美各国与东亚各国间所缔之条约,关于此点则有一异例。其所以然之故,则因东亚各国之法制、税制、警察制度过于恶劣,非协定关税一事所能满足,实更有设定确保移住自由通商自由等特殊制度之必要。此制度即为外国法权,所谓领事裁判制度是也。虽然,外国法权而普及于全国,则有侵害领土主权之虞,且一面许外人任意移住不加限制,一面又欲完全保护其生命财产,此无论在外国、在东亚各国,均属不可能之事。于是乎有限定一定区域使

---

① Cf.Borght, A.A.O., S. 482.v.

其移住之必要,即通商地制度是也。①② 然此制度自一面观之,虽以限制外人额由移住为目的,而从他面观之,则不外乎完全保护外人生活通商之旨趣。由此观之,片务的协定关税制度、通商地制度、外国法权制度,三者互相联结构成一种观念,或存或废,运命相共者也。此三种制度,在现今亚洲各国中有已经撤废者,如日本之因国力发展,如朝鲜、Madagascar 之被并于强国,如巴尔干各邦之脱离土耳其,此三制度已不存在③;唯中国则不然,三者至今仍存,而成为确保外人之生活与通商之根据,正如鼎足之形,有一种密切关系。故通商地制度与外国法权二者实研究中国关税制度时所不能不顾及之问题也。

上述通商地制度与外国法权制度固为中外通商条约上之特质,而此外尚有与关税制度有密切关系者一事,即关税与外债之关系是也。中国外债之增加,亦与土耳其、波斯、埃及等劣等国相同,由于行政及财政之腐败而来,自他面观之,不外记明此等政府无充分保护外人及外国贸易之能力而已。故当外债额超过其关税收入之时,此等贫弱国家即无要求撤废外国法权及协定税则之资格。④ 至于以关税收入担保外债,乃系劣等国共有之现象,固不仅中国为然,惟外债担保权而波及于关税征收机关管理权,此则为中国所仅有者也。若欲强求一相似之例,则有西非洲黑人共和国 Liberia 之税关,此税系于 1912 年末依据与英、美、德、法各国银行之借款契约移归国际管理是也。⑤ 然此本为北美合众国之半保护国,与独立国家之中华民国固不可同日而语也。

---

① Hinckley 氏谓片务的协定关税与外国法权为东洋各国通商之特质。予更加以通商地制度,此层在中国通商条约中尤有重要意义。

② F.Martens 将回教国中通商地制度所以发生之根据,归请下述二点:第一,为财政上之理由,即许外人在税关所在地居住贸易,以便征收关税;第二,为政治上之理由,即因避免基督教徒之袭击,故限其在一定地域居住。(参见 H.Skerst 德译, *Das Consularwesen Und Die Consularjurisdiction Im Orient*, S. 167)然据予私见,东洋各国通商地制度之所以发生,更须附加第三种理由,即法律上之理由,所谓领事裁判权者是也。

③ 以上三种制度在日本已于明治三十二年同时撤废。朝鲜自合并于日本后,领事裁判权首先撤废,协定关税延长十年,此亦仅过渡时代之方便法而已。至于协定关税亦不论政治关系之变化如何而于一定年限继续存在者,如 Tunis、Morocco、Tripoli 及其他非洲殖民地是也。(Cf. Grunzel, *Economic Protectionism*, p. 54)

④ Cf.Hinckley, op.cit., p. 147.

⑤ Cf.Grunzel, *Economic Protectionism*, p. 59.

第二节　通商地制度

由通商航海上观察,中国通商地与欧美各国之 Port of entry 相类,唯性质则多相异之点。后者仅为旅客货物及船舶出入之口岸,系由关税行政上之目的规定者也;而前者则更有下列各项之特色。

(一)外人之居住贸易限于通商地,内地居住权唯基督教教士得享有之。[①]

(二)通商地外国贸易之进出口货,依条约上之规定纳进出口关税以外,不得赋课他种内地税。[②]

(三)通商地居住之外人,中国政府不得向其课取营业税、家屋税,巡捕捐及他种之租税,又不得要求他种捐款。[③]

(四)一通商地与他通商地间所输送之外国进出口货,仅完纳条约上所协定之关税一次,又同种之内国货,仅完纳一定之移出税与移入税。又由一通商地经过他通商地而输出国外之内国货,亦仅纳出口税一次,不得重课他税。但出通商埠以外一步,则须完纳内国关税。[④]

通商地之于外人居住贸易,其重要既有如此,至通商地之范围如何,则条约上并未确定其地域,仅于开放商埠时列举都市港湾之名称而已。中国政府深恐通商地域扩张,一则恐慌缩小中国司法权、行政权、课税权,他方面经济上大宗之利益将被漠视,故对于通商地之范围欲取狭义解释,务期限制外人之活动。此种见解,可分为二:例如,(一)在有居留地之通商地则以居留地作为通商地之范围,而欲禁止外人在居留地以外居住贸易;(二)因通商地可分为约开商埠(Treaty ports)与自开商埠(Self-opened places)两种,故对于前者暂时不

---

①　外国教士在中国居住传教之权,自古即为中国所默认,至 1860 年中法缔约始成为条约上之规定,该约汉文第六条末尾有一句云:"并任法国传教士在各省租买田地建造自便"。此语系通译人法国教士于缔约时私自插入者,在作为条约解释之标准之法文中,并无此种规定。故此条项应归无效,而中政府当日并未觉察及此,后虽觉察,又不敢与法人争论。尔后法国教士,并无障碍,即得在内地居住传道,他人亦得均沾,后 1865 年总理街门与法公使交换文书,遂确认此项权利焉。

②　参见 1858 年《天津中英条约》第二十四条,1896 年《中日条约》第九条及第十二条。

③　参见《江宁条约》第二项《天津中英条约》第十一条,& Morse, *Trade and Administration*, p.188。

④　参见《天津中英条约》第六十五条及 1896 年《中日条约》第十条。

定范围,而对于后者则仅许外人于划定之区域内居住贸易。① 居留地即通商地一说,在条约上无根据,予以为开埠通商之精神当注重经济上之目的,通商地之范围务宜以广义解释,都市名称之如何、行政区划之如何,皆可以问,凡在经济上形成一都市之地域,均应包括在内,此正当之解释也。《天津中英条约》缔约人 Elgin 氏之意趣,亦在于此。② 譬如内国关税,系妨害通商自由与货物流通之恶税,即就此种关税而言,缩小通商地范围一事,实可谓为闭关主义之偏见,不合通商之根本观念者也。况中国平日对于港湾怠于改良,条约上之开放地与实际上之通商地,相距甚远,且在船舶出入之便宜上,或商业之自然发达上,其都市均难免有变动者乎。

　　然而中政府虽务欲缩小通商之范围,而通商地之数反因交通贸易发达之故而有增加之趋势。③ 最初依《江宁条约》开放之商埠,其数仅为五处,尔后70 余年,其间与列国所缔之重要条约,殆无不有增加商埠之条项,加以近年来中政府又常自开商埠,综计全国商埠之数已达七十处以上。此外又曾与邻国约,开辟新疆、蒙古、间岛、满洲等广大地域,更有在事实上已成为开放地者,如北京、云南府,满洲铁路沿线、京奉路沿线外国军队屯驻地,北戴河、庐山、牯岭等处,合盘计算,全国重要商业中心点可谓已为外人居住贸易开放殆尽。④ 其

---

　　① 　Cf. W. Koo, *The Status of Aliens in China*, pp. 245–247.

　　② 　《天津中英条约》第十条有 British subjects, whether at the ports or at the other places, desiring to build or open houses, warehouses, churches, hospitals, or burial-grounds, shall make their agreement for the land or building they require...之规定,有因 Other places 之字义,而谓外人在中国各地均有居住权者,此非正当之解释也。缔约人所以插入此语之理由,在于开商埠时将其邻近地方亦包含在内,务期推广其范围。例如黄埔之于广东,吴淞之于上海,大沽之于天津,虽均相隔数充里或数十英里,而在交通上、经济上,有连带关系之地方,外人之居住权逆料有可以扩张而及之之必要。若谓有开放全国之意义,即无须用战争等烦杂之外交手段,迫中国缔约增开商埠矣。参见 Curzon, op. cit., p. 315;Sargent, op. cit., pp. 156–157。

　　③ 　土耳其之通商地制度依习惯而定,其与列国所订之 Capitulations,唯通商地则规定限于向来许外人居住之地方,而不列举地名。中国则不然,为使外人脱去广东贸易时代之束缚计,通商地以立约规定为原则,列国每遇有机会时即要求中国增开商埠。然通商地制度之为物,本系一种由闭关时代到门户开放之过渡的制度,随交通贸易之发达而有增加之必要。土耳其通商地制度,至今已正在破坏时期,在中国则因特殊之条约与习惯,亦难免有扩张之倾向。

　　④ 　关于俄国人在蒙古、新疆之居住贸易权请参见 1869 年《中国陆路贸易章程》第二条,1881 年《中俄条约》第十二条,及同年俄蒙《贸易书》第十二条。关于日人在间岛、南海东蒙之居住贸易权,请参见《中日间岛协约》第二条至第四条,及民国四年关于南满、东蒙条约第二条至第四条。

他地点,外人虽因旅券制度而无居住权,而通商权则已普及于禹域之内。且旅券由外国领事任意发给,中国官吏无故不得拒绝签字。又外人在中国之航行权,亦不仅限于各通商地间之沿岸贸易,并扩张及于他处,如扬子江西江流域之寄泊地,旅客上下地,如内河航行章程所规定之非开放地是也。①

要而言之,外人在中国享有居住权与通商权之地域可分为四种:(一)约开商埠;(二)自开商埠;(三)事实上之开放地;(四)特殊开放地。在(一)(二)(三)三种地域内,外人之权利当然均等,唯第四种之特殊开放地,如间岛、南满、东蒙及新疆等地外人之权利,是否限于有关系国家之人民,而其他外国人得享受与否,则成为一问题。据予所见,应与该地所以对陆路贸易出入货物设特惠关税之旨趣相同,居住权与通商权二者,应为缔约国以外人民所不能均沾之特殊权利。盖因国境交通,须以邻近国家间彼此所有之特殊的政治、经济关系为根据,当认为最惠国民条款之特例者也。②

近年以来,中国有识之士,有因经济上之理由而反对增开商埠者。③ 谓外人活动若限在一定之商埠以内,则中国之幼稚工业,得于内地保有其制造之销路,可与外货竞争而保护其内地工业,故增开商务之举,仅于外人有利,于华人无利。然此仍为未脱闭关主义旧习之陋见。何以言之,中国领土广大,交通机关不甚发达,内国关税又极其苛酷,贸易之增进,文化之普及,必须增开商埠始能达到目的。何况于外人移入丰富资本于多数商埠而从事各种工业时,既可以从各地之经济的发达,又能与中国工人以职业,此非应大受欢迎而决无可以排斥之理由乎。又况于通商口岸为中国贫人所争赴以谋衣食,而为中国富人乐于仰为保护生命财产之地者乎。

---

① 关于轮船寄泊一事,请参看《芝罘条约》第三条第一节,1897 年《中英缅甸协约》专条,1898 年《长江章程》第二条,1902 年《中英条约》第十条,1904 年《西江章程》第二条。此等轮船寄泊地本系预备开放之通商地,上述各条约中所列举之地方,今已有变为商埠者。外人虽未经许可亦可在寄泊地居住,然有任借码头仓库,派驻华人店员,往来监督其商务之权。又关于内河航行权,可参见 1898 年华洋轮船驶赴中国《内港章程》,同年《内港行轮补续章程》,1902 年英清条约《附属书丙号》第一条至第三条,1903 年《中日条约》附属书第一号第一条至第三条。

② Cf.Grunzel,*System der Handelspolitik*,S. 465.关于中国陆路贸易之特惠关税,请参见第四编第四章第三节。

③ Cf.Chin Chu,*The Tariff Problem in China*,p. 12.

第三节　外国法权制度

现今欧美各国在东亚劣等国中所有之片务的领事裁判制度,系发生于中世纪中土尔其,随西方东渐而来者也。土耳其初蔑视其基督徒无参与保护回数圣典之价值,不使其服从本国之法权,其后此种习惯发达,每遇与他国缔结 Capitulations 时,必插入此项规定。然中国领事裁判权之根柢则与此不同,系因彼此之差异与国力之强弱而来者也。[1]　就此点而论,可知领事裁判权与片务的协定关税其起源相同,其存在之理由亦同,均因中国制度不备与官吏腐败之故,列国乘中国战败,在中国强制实行者也。领事裁判权制实为侨华外人生活之根据。何以言之,假令各国在条约上虽能取得如何有利之关税之协定,苦无保障居住安全之法律,若无可信赖以实行此协定之法官,则外人即不能安心从事通商;又关于关税之争议发生时,外人若任中国官吏专横处置,而无可以救济之法权,则关税上之协定终成一片空文而已。

由此观之,领事裁判权在列国虽为重要制度,而中国国权则大受侵害,此虽不若协定关税之直接现诸表面,而间接则于税权上发生种种之不利与弊害。例如(一)对于外人厉行关税规则时,遇事必得领事之协助;(二)中国人不爱国者,常与不正外人通谋而将其店铺与船舶登入外籍,中国政府对于本国人即不能厉行内地税之赋课权。[2]　此种弊害,虽因中国法律不备与官吏诛求无厌之故,致使中国境内之外人与华人之地位发生优劣利害之差,而自他面观之,其为外国法权存在之余弊,亦无可争辩者。因此之故,遂使中国有识者流对于外国贸易常不能脱离限制的闭关的思想,致使顽迷之官吏采取妨害外国贸易

---

[1]　鸦片战争以前,中国国力强大,中国对于外国人之犯罪者主张有裁判权,而实际上行使此项裁判权之例亦不少。外人深知中国法律之苛刻与官吏之不公,常欲脱去中国法权之羁绊,此问题之得解决,实在《江宁条约》缔结之后,当时中英全权委员交换文书,至于 1843 年中英订立《通商章程》时始成为条约上之规定(Cf. Morse, *International Relations*, Chap. V; Koo, op. cit., p. 137)。

[2]　曾有华人之小汽船一支,因裁判之关系,历次改换英、法、美、意国籍至四次之多。又有狡猾外人,在中国通商口岸不费一文资本、一臂劳力,仅将其名义假给中国屠牛人以免屠牛税,所得利益折半均分;又有一美国人与一荷兰人将其名义贷给牛皮输出业者,得不纳牛皮捐,所得利益亦归彼等分配。甚至有赠外国旗一面而得千金之利者。

之态度。要之,将来中国之法制与行政若能改良而达到与文明国相近之程度,则领事裁判权当与协定关税及通商地制度同时撤废,于中国于列国均有利也。然而前途遥远,至少今后数十年之间,领事裁判权之于中国境内外人生活当不可一日缺者也。①

第四节　外债关系

中国外债有三种特征:第一,比本国之收入太大;第二,外债大部分均因外战与内乱而生;第三,以关税收入作重要担保。今兹所欲研究之问题乃为第三种之关系。外债起源虽有数说,要因前世纪中叶补充对外战争之军费而起,以关税作担保而发生,此无可疑之事实也。② 海禁初开,中政府尚未脱排外思想,据向蛮夷之人募外债而不为怪,而不通晓中国财政之外人亦公然应募而不觉其危险,此种现象似乎令人难解,而其实不然。盖因关税自 1850 年以来即为外人所管理,实为一种绝好担保品,可以调和此种矛盾也。今就关税所以至于利用为外债担保之理由,由内地两方面观察之如下。

(A)由中国方面观察之理由:

(一)关税系课诸外国贸易而由外人完纳者,今作为外债担保最为适当,

──────────

① 参见 1902 年《中英条约》第十二条,1903 年《中日条约》第十一条。中国之忠仆赫德论领事裁判权之撤废,能变更中国政府之思想与感情,关于国际交通贸易之保护与尊重,亦能使中政府增高其责任之念,结果于通商上亦有利益。又有在中国海关供职多年之莫里逊氏则有反对之意见,彼谓外国商人与教士留居中国时,领事裁判权之保护,实为不可缺之要件。

② 关于中国外债之起源,大概有下列五说:(一)1858 年 5 月中英 Arrow 号事件发生时,福州地方官以关税作担保托英领事募集月息三厘之外债 50 万两,此外债起源之一说也。(Cf. Notification of H.B.M.Consul, *Foochow in the N. China Herald*, 9 May, 1857)(二)1860 年第二次英法联合战争之结果,约定以关税收入五分之一充赔款之用,分数年摊还,此外债起源之又一说也(参见 1860 年《中英条约》第三条、《中法条约》第四条)。(三)1865 年为筹充讨伐伊犁之战费,由俄国借入军器弹药及若干之资金,此外债起源之又一说也。(Cf. S. R. Wagel, *Finance in China*, p. 22)(四)1876 年左宗棠为筹充讨伐伊犁军费,用关税作担保向上海外商借入 120 万两,此外债起源之又一说也。(见《民国行政统计汇报》财政类第五章第六节)(五)1874 年沈保桢因台湾事件向外商借款 200 万作海防费,此外债起源之又一说也。(Cf. H. Cordier, *Histoires des Relations*, III, p. 30, 及台湾旧习调查会编纂:《清国行政法》第六卷,第 273 页)关于外债之起源,本无详论之必要,予以第四说为可信,即 1867 年(同治六年)为关税担保之外债之发端是也。

此幼稚之思想也。

（二）关税在海禁初开时即利用以赔偿英法两国战费，著有良好成绩。

（三）中国人民缺乏国家思想，国债观念尚未发达，内国公债不能募集。

（四）关税为海通以后之新财源，虽用为担保，而于中央政府、于地方财政，均不感受痛痒。

（B）由外人方面观察之理由：

（一）关税为中国唯一确实之财源，得由其收入之外部而确知之。

（二）得使用外债之利券完纳关税。

（三）利息之步合有利。

（四）关税归外人管理，万一中政府怠于履行债务时，即可行使担保权以保护其债权。

据以上所述各理由，而关税之担保遂成为募集外债之最良条件，数十年来，利用之以募集外债者约有二十次之多，故关税制度与外债遂至结成不可分离之关系。

欲知关税制度与外债之关系，第一项研究关税所担保之外债究为何物，第二须研究外债于关税管理权究有何种关系。

（一）关税担保之外债。中国外债除铁路、矿山等所谓经济借款以外，殆皆以关税作为担保者，今以充担保之关税之种类为标准，加以观察，得分为四期：第一期为中日战役以前之外债；第二期为中日战役中及战后之外债；第三期为团匪事件之外债；第四期为革命以后之外债。

第一期之外债，系以补充伊犁反乱、台湾事件、东京事件之军费为目的而募集者，前后十余次，均为小额外债，皆以海关税作担保。当时外人应募之目的，重在经济的利益，并无何等政治的关系。[①] 中国政府亦不怠于偿还之义务，全部债额至 1917 年止，已完全清理，故此期外债，于本问题研究上无何等重要关系。

第二期之外债，系为充中日战役之军费及战后赔款之用而募集者，合计两次，债额共达 5400 余万磅之多。列国自此时起即视中国为埃及第二，应募外

---

① Cf. Cordier, op.cit., III, p. 302；Wagel, op.cit., p. 24.

债时以政治的利益为主,以经济的利益为从,利率虽比前期为低,而偿还期限则较长。此期之外债中至今尚未偿还终了者如1895年之俄法四厘息外债,1896年之英德五厘息外债,及1898年之英德四厘半息外债三种。而可以认为此三种外债之特质者,当时俄法与英德两方,互相连衡承借外债,以为在中国争得政治的势力之手段,故中国因此势均衡之关系,比之战期以前表面上反得以有利之条件募集外债。然而各种重要权利,亦于此时大受其损失①,其最显著者有二:(1)与各国约定将海关税作担保之外,更加入内国关税一部之盐税及厘金,而将其一部分之征收权移归海关管理;(2)约定不变更关税行政,以确认海关上外人之地位。

第三期之外债中与关税有直接关系者为团匪事件之赔款。当时列国虽课取中国赔款4.5亿两,而因中国财政穷乏之故,又将此赔款改作为39年本利偿还之四厘息金货外债,其担保品除海关税盐税之余款以外,新增常关税,且将商埠之常关移归海关管理。唯可为中国侥幸者,40年来未得列国同意之进口税率,今得而改正之而已。

至第四期中政府财政穷乏如故,又加以革命之乱,殆陷于破产状态,列国对此特共同供给大宗外债,一面欲援助中国恢复财政状态,同时又欲监督中国财政,此本期外债之特色也。此时之大借款,虽以盐税为担保,而中国之盐税,其一部分可认为一种内国关税。② 此外更有与关税制度有间接关系之事项,即1913年五国借款契约第五条之规定是也。此条项规定中政府若至该借款本利偿还之期而不履行债务时,则与以相当犹豫期间之后,即将盐政移归海关管理,且以其收入保护公债所有者之利益。

(二)外债与关税管理权。由上述外债与关税之担保关系,可知外债使海关制度发生两种之变动。即第一种为海关地位之保障,第二为海关行政范围之扩张是也。第一种关系系根据1896年及1898年之英德借款契约而来,此

---

① 租借地势力范围、铁路铺设权等问题,与外债有密切之关系。当时俄法两国虽欲借外债取得中国海关管理权,而因1898年英德借款之成立遂遭失败。(参见光绪二十四年二月初十日总理衙门关于续约英德商款之上奏文)

② 盐税自近年来经英人 Sir Richard Dane 渐次改良,已带有生产税之性质,但地方与地方间运输之盐斤依然课税,故又可认为一种内国关税。(参见 Woodhead and Bell, *The China Year Book*, 1916, p. 381)

等契约约定至借款清偿之日为止,前者定为 35 年,后者定为 45 年,在此年限内,中政府不得变更海关行政组织。① 最初插入此条项之理由,一在于充分保护外国债权者之利益,二在拒斥俄法两国管理海关之野心。1906 年中政府设立税务处欲干涉海关行政,卒以此约存在之故,未能见诸实行。将来至少在此项借款未清理以前,无论中国或列强均不许变更现行海关之组织者也。第二种关系,则为 1898 年英德借款契约第六条第一项之厘金税管理问题及团匪事件最终议定书第六条戌项之常关管理问题。② 而当时将江苏以外数有厘税移归海关管理一事,实开厘金改革之端,乃系最有希望之重要规定,卒因地方官民强烈之反对,又因外人对于不法厘税供担保之非难,遂失实行继续管理之机会。③ 虽在今日亦仅实行间接之管理权使各厘局每月纳一定收入于海关而止。④ 其次通商埠之常关管理问题,虽亦不无地方官之反对,而战败后之中国政府,不能蔑视国际条约上之规定,于 1901 年 11 月遂将天津、牛庄、芝罘、芜湖、宜昌、沙市、九江、上海、温州、宁波、三都澳、厦门、汕头、广东、梧州、琼州、江门、北海⑤等 19 处商埠之 50 华里以内之常关移归海关管理。⑥ 然此事实非中政府所愿为者,观于 1901 年所开各商埠之常关,至今仍未移归海关管理可知也。⑦

---

① 参见 1898 年 3 月 1 日签订之第二次英德借款契约第六条第二项,及 Franke, *Ostasiatische Neubildungen*,S. 324。

② 依该借款契约第六条第一项,除以关余供担保以外,更加入苏州、淞沪、九江、东浙之百货厘金及宜昌、湖北、安徽之盐厘金,合计每年有 500 万两之收入,故有即行派委总税务司代征广东六厂办法之字句。

③ Cf.Beresford, op.cit., pp. 116,193,397.

④ 前记七处厘局,自最初起每月并未照数缴足,革命之后,完全停止,中央政府亦不能填付此项无定额之款项。故总税务司于 1914 年 1 月与财政部交涉之结果,协定盐厘金由盐税稽查总所每月提付分担之权于总税务司,百货厘金则由该省财政厅每月提付分担之权于总税务司,以充还付外债本利之用(参见 I.G.Circ., No.2184 of 1914 所揭总税务司与税务处之来往文书)。

⑤ 原文各地名间无标点。——编者注

⑥ 当时天津牛庄因外国军队占领之故,广东因海关监督与宫廷之关系,故延期移交。(Chin Chu, op.cit., p. 128)谓因 1911 年革命之故,常关收入减少,不能履行债务,故海关始实行管理通商埠 50 万以内之常关云云者,盖误也。

⑦ 唯江门一处虽于 1904 年开为商埠,而因该处在以前曾为寄泊地之关系,故其常关与广东同时移交于海关,此为例外。又如安东,在 1913 年时,税务处虽命收常关移交海关管理,而因地方官之反对,遂未见诸实行。故论中国关税制度之著作,往往误以为一切商埠之常关均由海关管理也。

关税制度与外债关系上更有可以注意之事件，即中国因革命不能履行外债义务之结果是也（参见第一编第四章第四节）。中国政府虽以关税作外债之担保，而于外债本利之偿还，并无必须将全部关税进款充用之束缚，即以他种进款充数亦无不可，中国政府果能如约履行外债义务，则列国关税收入之处分实无容啄之权利。然若一旦怠于履行外债义务时，则担保权于是发挥其效力，即以关税收入充还外债。1912年1月列国政府与中国政府间所订关于处分关税收入之协定，即根据此理由而来者也，其大要如下：①

（一）革命以前各地海关监督所有支用关税进款之权限均须移交各地税务司。

（二）革命以前上海关监督将各地关税收入交付国际银行委员会之权限，须移交于上海税务司。

（三）革命以前，各地海关为外债清算而解送于上海者为关税收入之一部分；革命以后，则使各地税务司解送收入之全部。

（四）关于上述一切责任均委任于总税务司。

上列之协定，即举全部关税收入充偿还外债之用，按照各国债权之顺序与多寡于每月末分配于各国，换言之，即关税由征收保管以至于交付于国际银行委员会等事，完全委诸海关之外人办理是也。依此协定，而各国对于中国所有之债权，始得充分之保护，虽经1913年之第二次革命及1916年之第三次革命，及以后种种变动，而中国以此协定存在之故，亦能按约履行债务也。②

要之，关税在过去半世纪间，既供外债之担保而著有伟大之效力，复能救济中国财政之穷乏，乃自经中日战役、团匪事变及第一次革命以后，而其收支管理之全权，遂完全委诸海关外人之手。此可谓为列国已开始踏入监督中国财政问题之第一步。嗣后1913年之五国大借款，又使中国任用盐税监督与财政审计官，是为列国干涉中国财政之第二步。而中国之需要外债，又日急一

---

① Cf. I. G. Circ., Nos. 1858, 1865 of 1911; Nos. 218, 2125 of 1913; No. 2143 of 1914.

② Cf. *The London and China Express*, 1st Aug., 1916.

日,将来中国问题之中心,其必在于外债与监督财政问题可知。① 在过去及现在于中国财政最有密切关系之海关,将来对于此问题必更有演出重要任务之时机也。

---

① Lord Cromer 所著的 *Modern Egypt* 上开首即云:The origin of the Egyptian Question in its present phase was financial.由此观之,可知中国问题之将来亦在于财政,其为埃及第二与否,视中国之利用外债与否而决者也。

第 三 编

海 关 论

第一章　海关之本质

第一节　海关之基础

中国海关之略史已于第一编详述,兹撮其大要,约分五段如下:(一)中国海关行政腐败已极,海通以还,列国官民不胜其苦;(二)洪杨倡乱时,上海中国官吏之征税机关暂时停止作用,英、美、法三国遂各代表一名,铲除积弊,助中国官吏征税;(三)海关新政之效果日著,中国政府遂于英法联军战役之后,实行将此项新政扩张于各商埠之海关;(四)因中日战役团匪事变之故,而关税与外债之间发生特别担保关系,使海关地位发生变动;(五)革命时中国政府不能履行外债义务,因此遂将关税收支两权,完全委诸海关中之外人管理。简言之,即现行海关制度发生于 60 年前之内乱,经过两次对外战争而日益发达,更经革命以后之内乱而遂告完成,赫德所谓 The inspectorate is the natural growth of foreign intercourse 者是也。① 然就海关之性质言之则有两种变化:第一生于中日战役前后之间,为《天津条约》缔约人所未预期之变化;第二生于革命前后之间,为赫德自身所不及料之变化。因此予得举出二理由作为现行海关之基础。即第一为补充中国官吏在关税行政上之无能,第二为谋外债担保之安全是也。而第一种又可称为海关产生之理由,第二种又可称为海关存在之理由。

基于第一理由以任用外人,则内国税吏腐败无能以致损失关税收入等事可以防止,因中外制度之差异而惹起冲突之机会可以减少,中国政府因此

---

① Cf.I.G.Girc.No. 24 of 1878.

采用之以为行政上之便法,此不过中国政府之任意的措置而已。1858年中国与英、美、法三国所订之通商条约中,虽曾插入任用外人之条项,而非拘束中国政府之性质之规定。是年《中英通商章程》第十条之字句,即系阐明此意者,至于采用适当方法以保护对外通商之关税收入,在条约上中政府本有自由选择之权,然其最良方法,则以全国各商埠一律采用上海关制度为宜,故中政府亦表示同意也。因此中国政府得不依外国官吏之推荐或指名,自由选任外人辅佐海关行政,实行征收关税,防遏秘密贸易,确定商埠界限,职掌商务事宜,安置灯台浮标等事,中国官吏苟能廉政明敏以处理关税行政,则任用之外人,当然可以解职。故就此点言之,外人之蟠居于海关,其性质与外人在中国取得之他种权利不同。海关现行制度,非列国强制中国采用之行政机关,与中国因外力及条约效力而让与之各种利权相异,中国得因必要以保护自国利益,而自行创设扩张之者也。[1] 聘用客卿补充本国人行政才能之不逮,此乃未开国家普通之现象,今土耳其、波斯、埃及、暹罗等国,聘客卿充顾问者亦居多数。[2] 唯中国海关中客卿之多、组织之完备,斯为异例耳。

至于第二理由则其性质与第一理由完全不同,盖因中国政府对于外人管理海关制度之存在曾受列国之拘束,即根据关税与外债之担保而来者也。中国政府自中日战前以来,虽常以关税供外债之担保,而战后之英德借款,则与从前之外债异,更有一种特别条件存乎其间,即在该款未清偿之45年间,外人

---

[1]　Cf.Toung Pao,p. 515,1906.光绪二十四年正月十三日总税务司赫德致总理衙门之公文云:"溯查咸丰四年红头贼占据上海,地方官均已逃散,惟中国贸易仍系照常,彼时英、法、美三国领事官不欲中国课税顿失,随会派委员三人代办江海事务。次年贼退,该委员等即将所征之税全数交出,而江苏大宪因税收数目增巨,大异昔年,实有裕课便商之益,随定为仍照上年新法接办,此关税委外人之起点,有何欲网利权之情势。嗣因津约议定通商各口一律办理,亦系中国大臣之意,并非外人所强……咸丰九年,总税务司为粤海关副税务司,是广东延用外人,系由上海推及粤省,出督宪之意,亦非外人所强。后于咸丰十一年……由通商大臣江苏巡抚薛派署总税务司,及至京中,复由恭亲王特派总理税务,此后历开通商各口,将一切事权委归总税务司一人,均由中国王大臣作主派办,无一事由外人强索,而总税务司请办各事,王大臣均有驳不准行之权……"

[2]　Cormer谓埃及司法行政各方面使用外人之理由有二:一为补充埃及人在以前无机会学习之专门智识,一为救治埃及人因多年恶政发达而来之品性上之缺点(参见 Modern Egypt,p. 590)。此言正可以适用于中国海关。

管理之海关仍须继续存在是也。此契约系由英德银行团与中国政府订立,本为私法上之契约,然当时之借款因英德两国政府之外交的后援始得成立,1898年中国政府又曾就总税务司之地位致觉书于英使,今就此觉书之精神及此借款成立之事实综合推论,则此契约条款,即视为中政府对英德两国表明不变更现行海关制度之意旨亦无不可。1901年之最终议定书,虽未明白插入现行海关制度须继续存在之条款,而就关余充赔款担保,海关权限扩张于全国各主要常关之点观之,是中政府已默认现行海关制度之继续存在矣。加以革命之故,中国不能履行外债义务,遂使海关基础,至少在1943年中国完全清理以关税作保之外债以前,仍确乎不能变动也。

第二节　海关之国际的性质

聘用客卿充用本国税史,如波斯聘用比利时人,暹罗聘用英人等例,此在劣等国家并非奇事,至于负有国际义务,任用外人组织税关,且委以完全之管理权,此则号称独立国家之中国所仅有之制度也。故中国海关在国法上虽为中国政府行政机关之一,然与他种行政机关较,则性质不同,此即所谓imperium in imperio,在事实上则构成一种国际的官厅者也。[①]华人与在华外人普通称海关为洋关者,盖表明此意义也。至于海关所有之国际的性质其具体之事实,约有三端,即:(一)任用各国人为海关员;(二)关税担保外债;(三)国内外有变乱时海关取中立地位是也。

第一种国际的性质,始发生于1854年,其时上海关成立,英、美、法三国各派代表组织关税管理委员会,自1858年以后,海关外人遂失其代表本国政府之性质,完全成为中国政府佣聘之官吏,而其组成分子仍成为国际的性质如故,且更有逐年扩张之趋势。海关人员任用之规定,虽仅载在中国与英、美、德各国所订诸约之中,而总税务司则务欲多用列国人以谋海关行政上之便利,世

[①]　参见 H. Norman, *The Peoples and Politics of the Far East*, p. 242。关于此点莫耳士(Morse), *Trade and Administration*, p. 361.曾有反对之意见。盖因海关为中国行政机关之一语,系中国忠仆赫德之观察,注重以中国利益为主之行动故也。

界各国人民几无不采用,即与中国无通商关系之无条约国人民而亦采用之。① 至关于此国际的关系之发达维持,在内固因为中国政府之所瞩望,在外则列国之后援亦与有力也。② 由第二种外债关系观之,海关中之外人自总税务司以下,均有为中国政府之官吏之资格,又具有为外国债权代表之资格,后者之性质在革命以后愈益显著,故实际上海关之为国际的机关,其地位早已不能否

---

① 海关人员,约罗致 20 国之人民,就下表观之即可知其国际的性质。

英国人	265	738	884
日本人	……	21	103
美国人	46	88	69
德国人	34	170	220
法国人	28	64	59
瑞典人	12	49	29
丹麦人	9	42	59
奥大利人	5	18	9
西班牙人	5	14	9
比利时人	4	10	8
意大利人	3	30	28
俄国人	3	20	101
挪威人	2	68	64
葡萄牙人	2	27	28
荷兰人	2	15	12
匈牙利人	2	1	……
希腊人	1	……	……
瑞士人	1	3	2
朝鲜人	……	……	3
暹罗人	……	3	……
土耳其人	……	……	1
罗马尼人	……	……	1
卢森堡人	……	1	1

参见 Morse, *Trade and Administration*, p. 364; *Customs Service List*, 1914。欧战以还,属于交战国人民之海关人员多有辞职回国者,又胶州海关重开之后,日本人数大见增加,故现在海关人员之国籍别,与上表不同。但战后海关中之欧人当有一部分回任,故此处以战前之数字比较之。

② Cf.*Letter of the U.S.Minister Burlingame to the U.S.Consuls*, *January*, 1864; I.G.Circ.No.25 of 1869.

认。第三,海关中立之性质系因洪杨倡乱时上海租界为局外中立地点之故而生,此原则早为有关系各国所遵守,如中日战争时上海海关之中立,拳匪事变时天津海关、牛庄海关之中立,列国均一致承认者是也。① 又如第一、第二、第三三次之革命以及后来之变乱,南北两军均不敢占领海关押收关税,由中国人亦已承认此海关之国际的中立性质可知矣。

此外由海关之国际的性质而生者,更有一种特征,即海关办事采用英汉两种语言之二重制度是也。② 此两种语言,不仅为各关日常对内对外应用之官用语,即会计、统计、往来文书及各种报告之记录亦用之。如此,不但妨碍办事之敏捷,且亦多耗经费,不过在他方面亦有许多便利处,此则不能否认者也。英语所以被采用为海关官用语之理由有四:(一)英语在中国沿岸一带,早已成为万国语;(二)英人常为总税务司,关员中英人又居多数;(三)中国国土广大,汉文虽统一全国,而方言则不免大有差别,故其结果,华人常不能操华语以疏通其意旨;(四)英语能使在华外人与海关关系增加方便。③ 于本国语言外更采用通行之外国语为官用语,在劣等国家亦不乏其例,如欧战前埃及采用法语及土耳其语为官用语者是也。

第三节　海关行政之范围

税关之本质,本系国家管理对外贸易征收关税事务及与此有直接关系之交通与财务行政之机关,而其行政范围,则因各国立法之不同而有差异。日本现行关税行政,以大藏省主税局为中央机关,以各地税关为地方机关。税关之事物,约分八项:(一)关于关税吨税及税关等收入之事项;(二)关于保税仓库税关临时设置场及其他保税地域之事项;(三)关于取缔船舶及货物与收容货物之事项;(四)关于处分违反关税法及吨税法者之事项;(五)关于移出入或

---

① Cf.*Customs Decennial Reports*,*1892—1901*,I,pp.13-32.

② 在大连、青岛等租借地,得依特别之协定,使用有关系国家之国语为官用语;又在一部陆地海关,便宜上亦有得使用有关系国家之国语为官用语者,但此系例外。

③ 海关、铁路、邮局、电局等处之华人书记,殆无不谙英语,故南北人民有时亦操英语以会谈者。此其故并非因彼等故意炫其能操英语以惊人,盖因实际上之必要而然者也。

输出入货物之庚税及交付金之事项;(六)关于取缔输运通道之事项;(七)关于输入或移入之砂糖、织造品、石油消费税及骨牌等之课税事项;(八)关于移入税之事项。① 英国财政部之关税局,于征收关税外,更常管下列七事:(一)船舶吨数之计划;(二)船舶登录;(三)灯台税之征收;(四)遭难船之收容;(五)海业条例之执行;(六)检疫事务;(七)商标之查验。② 至于中国海关,如前所述,其性质与文明各国海关之性质不同,而法制上又缺乏明确之规定,故其行政范围漠然无定,随时伸缩。从前可以视为海关行政事务之条规者,1858年之《中英通商章程》第十条曾规定之。

> ……任凭总理大臣邀请英人帮办税务,并严查漏税,派人指泊船只及分设浮桩、号船、塔表等事,毋庸英官指荐干预,其浮桩、号船、塔表、望楼等经费,在于船钞项下拨用……

依此条文,其行政之范围,可分五项:(一)管理海关收入;(二)防止秘密输入;(三)港务行政;(四)安置灯台浮标等;(五)收支吨税。至此处所称之海关收入,除外国贸易之关税以外,沿岸移出入税及子口税内部关税收入,当然包含在内。

然现时海关之行政范围不止上列五项,此外更有许多附带事项,兹举其重要者如次。

(一)领港业者之取缔;③

(二)裁判关于关税之纷议与违反税则;

(三)无条约国人民及无领事国人民船舶出入之时,税关兼为准领事之事务;

(四)对于香港、澳门与沿岸各地间之帆船贸易,征课进出口税及厘金税;

---

① 日本税关官制,请参见明治三十二年四月二十二日敕令第一六一号及其后所发改正之敕令。

② Cf. Palgrave, *Dictionary of Political Economy*, I, p. 475.

③ 领港总则系 1868 年时制定,仅得列国之同意。各港海关根据此总则,斟酌各地情形,设立细则。据此,各国人得海关认可,即可为领港人。

（五）管理各商埠及其周围50华里以内之常关；

（六）验疫事务；

（七）装载移民船舶之检查；

（八）气象之观测。①

以上诸项，或根据条约之结果，或因国内行政之便，而使海关兼理者也。又有因地方情形，而将河港修筑税之征收及水上警察等事委之海关办理者。此外，在昔日如内外债及博览会出品事务等，海关所贡献之事业亦不少，尤以邮政之创设扩张，及同文馆教育事业等功绩为最显著。② 依1902年《中英条约》之规定，海关之权限须扩张至于登录商标及监督国内消费税，其后中国政府所制定之商标条例，以未得列国同意，故现今唯有上海、天津两海关临时为外人登陆商标。③ 又该约关于消费税之规定，与进出口附加税之项目相同，均未见诸实行。要之，海关行政之范围，至本世纪初叶止，虽渐有扩张之倾向，而因利权挽回运动之转换，近年来有渐次缩少而回复至征收关税之本务之趋势焉。

---

① 各地气象观测事业，系1869年总税务司以少许费用创设者，各地海关，每日观测气温气压雨量风速等天候之概象。此种设备之不完全，本不能与他国同日而语，而徐家汇与香港之气象台关于中国之气象，贡献于学界及航海业者实不少。

② 鸦片厘金，自1887年以来原由海关征收，1917年4月鸦片之输入及吸用绝对禁止以后，海关收入遂失一要项。

③ 据《中英条约》第七条第二项，规定南北通商大臣各在管辖范围内于海关管理之下，设登录外国商标之事务局，但官制改正之结果，因农商部之异议，未能成立。又据第八条第十项、第十一项，各省督抚须与总税务司协议，于各省任用一名或数名之海关员，使监督常关事务，消费税、盐税、内地鸦片税等事。中国税吏中有不正行为时，须依有相当资格之中政府代表及英政府代表与海关员共同审查；若证据充足时，则重惩该税吏，英商所受损失，由海关附加税收入中赔偿之。1903年之《中美条约》第四条，亦有同样之规定。

第二章　海关之组织

第一节　官　制

一、海关之统辖关系

今于述海关官制之前,先以图说明海关与中国政府之隶属关系,其系统如下:

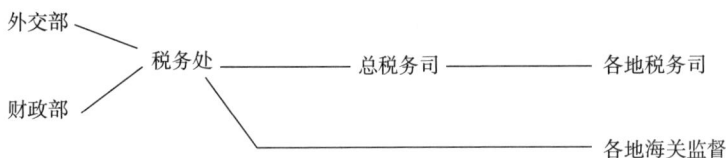

```
外交部 ┐
       ├─ 税务处 ──────── 总税务司 ──────── 各地税务司
财政部 ┘        └───────────────────────── 各地海关监督
```

总税务司,最初属于总理衙门,自 1901 年起,改隶外务税部,至 1906 年以后,则归新设之独立机关税务处(Revenue Council)管辖。① 税务处最初设立之目的,原期挽回海关利权,嗣因英国抗议而失败,但海关隶属关系之变更,在税务行政上不得谓为无意义。② 盖关税行政,在各国法制上,大致隶属财政部,中国海关之应属于财政部,亦系当然之事;惟因特殊事故,故有设税务处之中间机关介在其间之必要。海关行政事项之中在与列国缔结通商条约之关系上,多涉及外交,若将海关完全隶于财政部,又有许多不便。故海关虽由税务

---

　　① 　日本安政开港以后,当各地税关称为运上所之时,始隶于外国事务局,后属于外国官管辖,次移辖于外务省,至明治四年八月始改隶大藏省。盖在开埠通商之时,外交内政之范围难于明确,尤以外国贸易事务,多涉及外交,故由外务省管辖关税行政也。中国之情形亦同,且海关多用外人,故亦由外务部管辖之也。

　　② 　China Chu 谓中国税务处之设立为中国关税制度史上划一新时期;全国收税机关之改良统一监督及关税改正等事,中国方面之所以能采取自动的政策,实端于此也。

处管辖,而又与外交财政两部有密切之关系。当1906年税务处设立之时,外务部核办,支用税项应由度支部指拨外,其余凡有关系税务各项事宜,统应经税务处核办,此即说隶属之关系者也。①

税务处行使海关监督权之方法有二。第一,经由总税务司间接命令各国税务司;第二,直接命令各地海关监督是也。而海关事务,在制度上则由外人充任之,各地税务司与华人海关监督协同处理,各种报告亦由此途径上达。各地税务司仅直接奉总税务司之指挥命令,而海关监督则仅直接服从税务处之命令,此种二重制度,实中国海关制度之特质。然此系为官制上之隶属系统,而实际上一切权限均操诸总税务司一人之手。各地总税务司即系总税务司派出主持各地海关之代表,中央税务处与地方海关监督不过一空衔之监督机关而已,故余所论之海关,与世间通用之名称相同,即除去税务处与海关监督而专论外人管理之关税行政机关者也。

二、海关之职员

中国海关行政之范围比他国较广,殆为一独立之官厅,故其职员之编成,亦与他国不同。据现行官制,海关系由下列三部构成:

（一）征税部（Revenue Department）；

（二）海事部（Marine Department）；

（三）工务部（Works Department）。

征税部为征课关税并总辖一般关税行政之主要部;海事部为管理灯台、浮标及港务等海事行政之副部。工务部关于海关所属财产之保护及管理,仅办理技术方面之事务,无对外之关系。②

（一）征税部。征税部与各国关税行政机关相当,分职员为内班（Indoor Staff）外班（Out-door Staff）及海班（Coast Staff）三种。现今文明各国税关之职员,大概分管理部与监视部两阶级。③ 中国海关职员虽分上述三种,而内班则

---

① Cf.I.G.Circ.No. 1361 of 1906.

② Cf.I.G.Circ., No. 1887 of 1912.

③ Cf.Conrad, *Handwörterbuch der Staatswissenschaften*, 3 Aufl. VIII, S. 1050. 中国海关官制,始取范于英国,分内外两班,后因海关增设,加设海班,其数极少。

属于管理部,外班及海班则属于监视部。内班在海关内部办事,为处理关税吨税之赋课、征收、统计、报告、会计、庶务等关务全体之干部;税务司以下之重要事务官书吏均包括在内,依中外人之区别,分为下列数级。①

(1)外人:税务司,副税务司,帮办,嘱托医员。

(2)华人:帮办,供事,见习,文案,司书,录事。

外班地位不如内班,以检查船舶、查验货物、防止密输等事为本务,由掌管船舶出入及一般监视事务之干部与掌管检查货物之副部而成,更依内外人分下列诸阶级。

(1)外人:超等总巡、头等总巡、二等总巡、三等总巡、超等铃子手均为监视官。超等验估、验估、头等验货、三等验货均为验查官。以下更有称为铃子手之监吏。②

(2)华人:补助外人外班之下级人员,分铃子手、巡役、称货等职。

海班,依巡逻船掌管沿岸水上之关税警察,采用有海事上之专门智识之外人充之,分下列诸级:管驾官、管驾正、管驾副、管输正、管输副、砲手、巡艇办。

(二)海事部。专管以吨税收入而举办之海事行政,其本部设在上海,以巡工司为部长,其下设副巡工司、巡江工司、巡段江工司、小输工司、测量师、监事、供事、绘图师、匠董等职员。地方机关分下之三班。

(1)港务班:理船厅,指泊所,供事,管理机房,巡江吏。③

(2)灯台班:巡灯司,灯船船主,灯舯大副,值事人。

(3)巡船班:管驾官,管架正,管架副,管输正,管输副,砲手,船主,巡艇办。④

(三)工务部:此部本为海事部中之一课,至1912年时始分离而出,经费由征税海事两部支出,本部设在上海,设有总营造司、营造司、副营造司、建筑师、副建筑师、监事、供事、绘图师、工师、匠董等职员。工务部执行之事务,对

---

① Cf.I.G.Circ.No.1807 of 1911.

② 哈尔滨、安东、大连、胶州等四关,更有一种下级人员称为就地巡役,日俄人之不娴英语者,多任此职。

③ 理船厅(即港务长)之职除上海、广东两埠外,他埠由征税部外班总巡兼理;又巡吏(即水上警察)除上海、福州外,他埠无有。

④ 巡船班之组织与征税部之海班同,又其人员得斟酌经费之多寡使海班兼理。

于征税部之土地、建筑物、动产及海事部之财产、灯台、灯台船、机械等等,担任技术上之工作。但除灯台船外,其他船舶之筑造修缮等事则属于海事部。

以上三部中,征税部为最大之干部,人员占全体海关人员之数八成以上。① 海事工务两部,常由征税部受人员及经费之补助,始能行使其职务,故此三部之分类,仅职员录及内部组织之区别而已。从中国政府观察,海关之为物,纯系一种征税机关。各地海关之征税行为中,凡属于海关之土地、建筑物及船舶等管理上所必要之一切行为,当然包含在内,故征税部为海关之首脑,其他两部不过占隶属之地位而已。各地税务司为征收部之要职,关于各关全体行政,直接对总税务司负责,间接对中国政府负责。然税务司关于海事方面事务,必须得海事部长巡工司之专门知识与援助,始能尽其职责;关于技术方面之事务,必须得工务部长总营造司之专门智识与援助始能尽其职责。故在关务上涉及此两方面之总税务司之公文,均应由此两部长接受并具覆;反之,巡工司及总营造司遇有与某海关有关系之事务,亦必由该管税务司与总税务司用文书来往;总税务司对于各部发命令时,若与两部或三部有交涉之事项,亦照样通达。故三部须互相调协,更须以少数之关员,谋关务进行上之敏捷。②

三、中央机关

总税务司除躬自裁决政治上外交上及财政上有关系之重要问题外,普通之关务,由总税务司署六局之局长分理之。六局长之名称如下:

（一）总务局长（Chief Secretary）;

（二）汉文局长（Chinese Secretary）;

（三）统计局长（Statistical Secretary）;

（四）审计局长（Audit Secretary）;

（五）伦敦局长（Non-resident Secretary）;

① 据 1916 年 6 月 1 日之记录,海关人员总数 7646 名中,征税部外人 1192 名,华人 5074 名;海事部外人 21 名,华人 1237 名,工务部外人 18 名,华人 14 名,三部共计外人 1321 名,华人 6325 名,外人占重要地位,华人占下级地位。总税务司以下三名之长官均为英人。日本人皆属于征税部。

② Cf.I.G.Circ.No. 1887 of 1912;No. 2566 of 1916.巡工司与总营造司均与税务司同等,有独立之会计。各地建筑修缮灯台港务等经费均由各关支出。

（六）人事局长（Staff Secretary）。

各局局长均由税务司阶级中邻选干员充任，对海关所发之命令，与总税务司之直接命令有同等之效力。

总务局长占六局长中最重要位置，1910 年副税务司一缺裁撤后，所有以前职务即通常关务，事实上归其统辖。汉文局长，任用税务司中善汉文者充任，各关所上之汉文报告，均归其审订，并主持税务司与中国政府间各种往来公文。统计局长系在 1873 年时设置，与他局局长不同，该局事务所设于上海，掌管海关所辖之印刷所，凡四季及每年之贸易统计报告以及发行关于中国问题之有益书籍，印刷各关所需之书类，与购置文具等事，并审定各地税务司之贸易报告统计。现今中国唯一可信之贸易报告统计，即由此局局长编纂而成，外人海关所贡献于中国贸易上之功绩，可谓以此一事为最伟大。审计局长于1874 年时设置，总辖海关之会计，并审查各地海关之会计。此局之设，原定每年一次巡视各地，实地查验会计，并实行解决总税务司与各地税务司间所生之各种问题，但在今日仅数年巡阅一次而已。又此局局长巡视之时，若发见有滥用或肥私之税务司时，得即时命其停职，在总税务司未裁决以前，有代理该关税务司之职权。伦敦局长亦于是年特别设置，掌管海关用品之购入、关员之试验与采用，以及休假期内关员薪俸及归任旅费之支出等事。人事局长系在最近分设，掌管关员之更换及记录等事，同时又兼充总税务司之秘书官长。又各局之下有副长一名及帮办数名，辅佐局长统辖全国关务。

四、地方机关

除不直接办理征税事务之总税务司及奉天海关外，征税部系由各地海关组织而成。① 各地海关中有外人税务司一长官，统辖海关全体行政事务。各地海关之组织虽因贸易之情况及事务之繁简而微有不同，而大体上各关之官

---

① 总税务司系与各国之关税局相当之中央行政机关，且北京本非通商埠，其无征税事务可办，固不待言。奉天虽为开市场，而因中国缺乏 port of delivery 制度之故，地理上实无征税之事务。此处所以设置海关者，当不外两种目的：一在于使当地税务司监视满洲贸易，此通商上之目的也；一在于使当地税务司兼东三省外交顾问，此政治上之目的也。但在今日，表面上只成为新任帮办学习华文之地，已不啻一废关矣。

制,约分下之六课:

(一)总务课;

(二)秘书课;

(三)会计课;

(四)统计课;

(五)监查课;

(六)验查课。

上列六课中,自第一课至第四课,以外人内班之帮办为课长,第五、第六两课,以外人外班为主任。① 在贸易繁盛之商埠,有置副税务司以辅佐税务司者,有于六课之外增设数课者,有于总务课设置分课者。又常关税例由海关管理,在收入多而事务繁之地方有时设置独立常关,以副税务司为主任,但通常多于海关内设常关课,以外人帮办为课长。② 上列诸课中重要之干部为总务课,因总务课总辖船舶出入,关税征收及庶务等事务故也。

税务司为总辖各关全体事务之唯一负责人,除主要事务以外,日常关务由各课长分任之。然一切税单由海关监督或税务司之名发行,必须帮办署名;一切往来文书,必经总税务司署名或出于命令之形式。③ 尤以会计法至为严密,若无税务司或外人课长之署名,即一文亦不许支出。又关税吨税及其他金钱之收受,不直接经过关员之手,必依据一定契约,由中国银行或外国银行过兑者也。④

---

① 各课主任必以外人充之,若在小商埠,如秘书、统计等与外部无关系之各课亦有用华人充任者,但此无宁属诸例外。又各课不必任用一课长,视地方情形如何,亦有一人兼数课者。

② 副税务司之设置,仅限于繁盛之区域,为天津、大连、青岛、汉口、上海、九龙、广东等商务繁盛之地,以及天津、广东、汕头、九江、芜湖等常关收入较多之地是也。故天津、上海、广东等地,设有两名以上之副税务司。上海海关在全国占最重要位置,总务课更分为 Import, Export, Duty Memo, Re-export, Clearance, Wharfage Dues Desks 诸股,六课以外又有 Transit office, Pass office, Drawback office, Bonding office, Scrutiny office, Appraiser's office 诸课。

③ 华人帮办及供事所办之事,为责任甚重大之通常关务,在各地,只限于可以即时改正其谬误之事务及记录任用华人办理。凡送致北京或他埠之书类及各种许可证、见税证、庋税证等重要证书,均由外人帮办处理之。

④ 中国银行为中政府之金库,不收纳关税,依据银行与各地税务司之契约,以处理关税,如普通之银行然。因关税供外债担保之关系,若使中国政府之金库处理关税,非所以保护外国债权者之利益也。(参见民国二年十一月八日总税务司致税务处之公文)

第二节　总税务司

一、总税务司与中政府之关系

总税务司(Inspector General of Customs)为海关行政之长官,同时又为列国债权之代表。总税务司对于海关收入之管理及关员之任免黜陟,掌握全权,为他国行政官无比之独裁的行政长官。然而总税务司之权限,亦并非自始即有如许广大之权限者。当最初依 1858 年《通商章程》第十条之规定设置总税务司一职之时,仅辅佐中国官吏办理普通关税行政事务而已,其权限并未经规定,1861 年(咸丰十一年)总理衙门大臣恭亲王下署理总税务司赫德及 Fitz-Roy 两氏之任命书,开章即已说明总税务司之职责,原文云:

Now, therefore, the Prince instructs the said functionaries, Fei-Sze-Lae and Heh-Teh, that it will be their duty, officiating as Inspectors of affairs in accordance with the Treaties; not allowing Foreigners to sell goods for Chinese, or the goods of Chinese to be clandestinely included in Foreign cargoes, with a view to the commission of frauds; distinguishing carefully Imports from Exports, and Native from Foreign Produce, and preventing the one being confounded with the other.

It will be their duty to report quarterly the amounts of Duties and Tonnage Dues collected, together with the expenses of collection; their statements must be truthful, perspicuous, and accurate, and should be transmitted in duplicate, one copy being for the Board of Revenue, and the other for the Foreign Office.

It will be their duty, in as much as it is impossible for the Chinese Government to form an estimate of the merits of the different Commissioners and other Foreigners employed in the public service, to take cognisance of the same and make examination and inspection from time to time.

As regards the salaries to be paid and the sums to be expended, the Chinese Superintendent of Customs and the Inspectors General will proceed conjointly to determine the same in accordance with the state of the Revenue at the ports,and with the attention to the prevention of waste and excess.

For the transaction of all business connected with the various classes of Foreign merchant ships that arrive or depart,the Chinese Superintendents of Customs are commanded to consider it their duty to act in concert with the Inspectors General；and the Inspectors General must make strict and faithful inquiry into all breaches of regulations committed by ships that presume to move about in contravention of law, and into all cases wherein smuggling is attempted or the revenue defrauded. Should any such irregularities and offences be allowed to occur,the Inspectors General will be held responsible for the same.①

上述任官命令中,关于总税务司之职责,有可注意之两项:第一,各商埠海关行政,应协同海关监督办理;第二,中政府无由判别外人关员之能否,而由总税务司自行查验是也。第一项虽为委任总税务司征收关税,第二项虽为委任总税务司以任命关员之根据,然不能据以解释中政府有完全放弃此两种权限之意志也。三年之后(即同治三年)总理衙门所定海关募用外人经办税务章程中有云:

(一)总务司凡有应申陈本衙门事件,及更换各口税务司务,务即随时申报本衙门查核,仍一面分别申陈南北洋通商大臣,并知会各本关监督。

(二)总税务司系总理衙门所派至各口之税务司及各项办公外国人等,中国不能知其好歹,如有不妥,惟该总税务司是问。

(三)各关所有外国人帮办税务事宜,均由总税务司募请调派,其薪水如何增减,其调往各口以及应行撤退,均由总税务司做主。若某关税务司及各项帮办人内,如有办理不妥之人,即应由该关监督一面详报通商大臣及总理衙门,一面行文总税务司查办。

---

① Cf.I.G.Circ.,No. 1 of 1861;Morse ,*Trade and Administration*,pp. 257–259.

由此观之,外人关员任免之权虽完全委诸总税务司,而关于关税行政,则须奉总理衙门命令以行。① 至外人关员永远继续雇用一层,中政府并未给以保证。赫德自身亦认定外人海关制度之矛盾,早晚当遭废止,往往借此以促起关员之注意,即此可知此制度并非永久性质也。② 直到如今,外人海关所以变为半永久的制度,总税务司掌握行政上之实权者,实有内外两种原因。一为内的原因:第一,赫德居总税务司地位至数十年之久,其品性伎俩,深得中政府之信任;第二,中政府有一种传统愚惰习惯,不知外人海关制度之侵害本国行政权,反以为岁入确可以因此而增加,又可以省去对外交涉之烦累。③ 其次为外的原因:如前所述因多年习惯而筑成之总税务司之地位,中国政府在外债与关税之关系上又屡用国际的文书确认之是也。

基于以上之理由,故总税务司之权限益见扩张,而其他位亦愈益巩固也。现时总税务司与中国政府之关系,大概可由下述几项解释之。

(一)物之行政(administration ad rem),即关于关税事务,中政府之命令并非不行。总税务司当发布重要规则或训令时,亦常采用依据中政府(税务处)命令之形式,但实际上多由总税务司提案行之。又中国关税规则,殆皆依据各种与外国订定之条约制定,中国政府对于关税之命令权,范围极小。

(二)人之行政(administration ad personam),即对于人事行政一方面,凡外人关员,中国政府向委总税务司统辖,华人关员亦因系外人补助员之故,其任免权亦委诸总税务司。故关于此点,总税务司之权限实无制限。④

总税务司每年由中国政府支付海关行政所需之一定经费,会计规则支出之权。而常年经费数目,虽应因商埠之增设、贸易之增进、关员之增加、关税之扩张而逐渐增加,而大体上似以海关之收入之一成为标准。⑤ 此种低额征税

---

① 参见《约章成案汇览》乙篇第二十九卷上,第 2 页。

② Cf.I.G.Circ., No. 24 of 1873.

③ 外夷只可由外夷之一人统辖之。中政府为达此目的,故寻得此适当之人物而信用之。(参见 Morse, *Trade and Administration*, p. 362)

④ Cf.Morse, *Trade and Administration*, pp. 361-362.

⑤ Cf.I.G.Circ., No. 750 of 1896;No. 777 of 1897;No. 833 of 1898;No. 899 of 1899.海关经费实数向不发表,外间无从确知,据余之推测,每年当在 500 万两以内,据民国五年度之预算表观之,各关之经常费虽定为 1200 余万元,而税务处及海关管辖以外常关经费实包括在内。

费,即在欧洲文明国,亦所罕见;与自由贸易之英国较,英国关税收入之巨而行政费极少,此固非中国所可拟;但与保护贸易之法美两国较,则中国征税费比法美两国为更低。① 中国税制甚形紊乱,人民所负担之各种租税,供征收之消耗者约占五分之四,纳入国库者五分之一而已,唯有海关能以少许经费显出最著之功效,较之他税制,诚一极好之对照也。②

二、总税务司与关员之关系

总税务司为海关行政长官,有任命全部关员之权,此系廉政有能之职务,对中政府负全责者也。世间论者,或因总税务司与海关员有如此之关系,而谓海关员为总税务司之私用人者。③ 此种解释,若视总税务司之职为一种包办职业,固属正当,但总税务司决非包办关税者,此乃中政府依一定之形式任命,受一定之官俸而统辖关税行政之官吏也。④ 而一般海关员均系由总税务司代中国政府任命之官吏,故不能视为总税务司之暂时的私用人。又有以为总税务司署非中国旧有官制上之官厅,故谓总税务司及关员,与临时佣聘之外国顾问、教习、通译相同,实非形上之官吏。⑤ 此种论调,虽依据典籍所载之清朝官制以下解释,但此并不须问旧官制之如何,而今日之海关在形式上实质上固一俨然之官厅也。若谓海关非官厅,则将何以名之,恐无论何人亦不能谓海关为征税包办所也。海关既为中国政府之官厅,则在海关中有一定公务之官员,即不能不断为中国政府之官吏也。然而本国政府之能任用外国人为官吏与否,本应依该国之国内法解释之,至于日本,关于此层则有积极说与消极说之两种。⑥ 中国法令本不完备,并无可以发生此种疑问之规定,又如古代 Marco Polo、Matteo Ricci、Adam Schall、阿部仲磨等外人之被用为中国官吏,皆已往之

---

① Cf.Cordier, *Histories. des Relations*, I, p. 167.
② Cf.Beresford, op.cit., p. 357; Morse, *Trade and Administration*, p. 91.
③ Cf.Navarra, *China und die Chinese*, S. 675; Chin Chu, op. cit., p. 152; J. von Gumpach, *The Treaty Right of the Foreign Merchant and the Transit System in China*, p. 119.
④ 《海关募用外人帮办税务章程》第四条云:各关虽系征收洋商之税,然其事实中国之公事,所用之人虽非中国人,其所办系中国之事,其薪水亦中国所发,应较中国人格外尽心办公云。即此可知海关员并非总税务司之私用人。
⑤ 参见台湾旧习调查会编纂:《清国行政法》第六卷,第 149 页;Gumpach, op.cit., p. 115。
⑥ 参见清水博士《国法学》第二编(行政编)第二卷,第 345—373 页。

事实也。① 如前总税务司赫德者,历任清朝三代,生前曾升叙尚书衔。故称总税务司以下海关外人系被任用之中国行政官之解释,由中国国法及惯例上言之,并无不当。织田博士在《清国行政法》中,谓初任用为钦天监之外人虽为官吏,而总税务司则非官吏,此拘于前清官制形式之误解也。钦天监与总税务司之间,其在实质上均为官吏,何差异之有;所不同者,总税务司与钦天监之职责不同,而其权限广大,中政府又委以任命部下关员之权,直可认为一行政长官而已。

总税务司颁布各海关之命令,约以下列四种方法行之。

(一)各关均带有共通性质之重要事项,定为 circular instruction;

(二)各关带有特种性质之事项,定为 despatches;

(三)带有前两项之补充的性质或须守秘密之事项,定为 semi-official letters;

(四)关于特种问题之专门的事项,定为总税务司署各局长之 notes 或 memoranda。

依上所列,形式虽分四种,而其为总税务司命令之效力则无以异。各地税务司,除每月、每期、每年之各种定期报告以外,随时更须依照必要情形,而依 despatches 或 semi-official letters,向总税务司详细报告各地政治、财政、经济上之状况,外国官宪之移动,以及关务之要件与关员之人事等事。② 因此之故,中国政府中最通晓各地方情形者,无出总税务司之上也。关员关于一切公务,欲向总税务司申述意见,或关于私事而欲请愿时,得请所属之税务司为之传达,不得直接与总税务司交涉。

三、总税务司之地位与英人

如前所述,1854 年上海发生之海关制度,为英、美、法三国人之委员制,后

---

① Cf.Koo,op.cit.,p.19.

② 此处更须附记之事项,即海关自创设以来,各地税务司并未举行一次会议,又除总税务司于 1860 年创设新关时巡行一次外,总税务司或税务司亦未出巡一次。如此能省无益之经费与时间,仅由文书往来而使少数人员的圆滑的处理关务,诚海关行政上之一美点也。但亦有缺点不能否认者,即各地海关办事,不免因此而有所不统一是也。

不久遂变为英人独裁制，而此制度变更之动机，大致因海关制度出于英领事之考案，且英国委员比法美两委员尤善华语，技能亦较优之故。但就实际言之，60 年来所以使英人长占总税务司之位置而不许他国人染指者，盖亦有两种重要理由：一即英人总税务司之个人的势力较大；一即英国在政治上通商上之国家的势力占优越地位是也。今分论于下。

（一）英国委员 Lay 氏最初得就总税务司之职，系 1858 年《通商章程》之结果，嗣于 1863 年彼因购买军舰事件失败免职，赫德氏遂袭其职，而大发挥其手腕。赫德为总税务司历四十余年之久，彼精通中国语言及中国情形，自始即深得中国政府之信任，彼以尽忠中国为一生之使命；关务以外，直接间接参与贡献于国政之枢机者亦不少。[①] 现行海关制度，悉由彼之组织的才能以致之，若非彼有博得部下悦服中外信任之大人格，虽有英国为之后援，恐亦不能安于总税务司之地位也。1885 年英国政府任彼为驻华公使时，彼所以始允就任而复留居总税务司之职者，虽或由于后任乏人复经中政府之挽留，实则彼以海关制度之存续为一生事业，且欲因此而支持英国之势力也。[②] 1908 年时彼因老病之故辞职归国，中国政府念其忠诚尽职，曾拟以彼之义弟副税务司 Robert Bredam 继其任，因英国政府不赞同，遂于 1910 年擢较为后进之汉口税务司安格联（F.A.Aglen）膺此总税务司之后任。即此以察之，亦可知英国甚慎重总税务司之人选矣。

（二）英国在华之政治的势力，因鸦片战争与英法联军之役而筑其基础，依洪杨倡乱之机会遂以确立，使中国打破闭关主义，开辟商埠，协定关税，设置外国法权，承认外国公使驻京，等等。换言之，引中国于国际的交际场者，多由于英国之武力，他国殆皆步其后尘以与中国缔约而已。即在通商上，1864 年时，已约占中国全部外国贸易之八成。[③] 至近年来，日本贸易大见进步，始超出英国之上，而在以前，英国殆独占中国之市场者也。

---

① 赫德之深得中政府之信任，由恭亲王对外人称被为"我们的赫德"一语可以知之。孙逸仙称彼为 The most trusted as he was, the most influential of Chinese，诚确评也。

② 英国政府在任赫德继 Parkes 任公使以前，当命令彼之驻华公使时，常附加 When in doubt, consult Robert Hart 一语，即此可知英政府信彼之深。

③ Cf.Sargent, op.cit., pp. 141-142.

基于以上之理由,则管理外国贸易之海关中,英人常占总税务司之地位者决非无故,至于各国,亦仅希望其采用若干本国人为海关员而止,亦无有在海关与英人争势力者。即如日本,于中国战役以前,以未获得最惠国民条款之通商条约故,至 1889 年止,日本人未有一人被佣聘为海关员者。中日战役以后,列国在中国发生之政治关系之变动,遂波及于总税务司之地位,三国干涉还辽以来,骤占优势之俄法两国,共谋驱英人而代之。于是英国与德国结合供给中国借款,又迫于必要,使中国保障英人总税务司之地位,遂于 1898 年 2 月 13 日(光绪二十四年正月二十三日)使总理街门向英国公使 MacDonald 如下之声明:①

The Yamen have the honour to address the British Minister with regard to the continued employment in the future of an Englishman in succession to the Inspector-General of Maritime Customs, on which subject the addressed a reply to His Excellency a few days ago.

They have to observe that British trade withChina exceeds that of all other countries, and, as the Yamen have frequently agreed and promised, it is intended that as in the past, as in the future, an Englishman shall be employed as Inspector-General.

But if at some future time the trade of some other country at the various Chinese ports should become greater than that ofGreat Britain, China will then of course not be bound to necessarily employ an Englishman as Inspector-General.

即向来仅根据总税务司之个人的势力与英国之国家的势力而得中外默认

---

① Cf.Hertslet, *China Treaties*, II, pp. 1151–1152; Blue Book, *China*, No. 1(1898), p. 50; *China*, No. 1(1899), p. 19.关于此问题,英公使于是年 1 月 17 日向总理衙门提出要求,总理衙门最初于 2 月 10 日答复英公使时,承认无条件继续任用英人为总税务司,嗣于 13 日公文中,加以改正,以英国贸易须超过他国为条约。故有一国之贸易若超过英国时,总税务司之应任用英人与否,中国政府有自由决定之权。

之英人为总税务司之事实,至是因此觉书而得一国际的保障。然而同时以英国贸易超出他国为条件,将来若有一国之贸易凌驾英国之时,中国政府亦无必用英人为总税务司之义务也。但在此处可成为问题者,即该声明书所指之英国贸易云者,果指英本国之贸易而言耶,抑将英国殖民地之贸易概包括在内耶,解释不同,自生差异。若谓此就英本国之贸易言,则日本在华之贸易额,近十年来已超出英国之上,总税务司必须任用英人之根据,既已破坏。① 于是又发生一问题,即日本能否要求中国政府任用日本人代英人为总税务司是也。但中国政府又未约定必用贸易占优势之国民为总税务司,故无负担此种国际义务之理由。反言之,英国之贸易若并计及广大之殖民地之对华贸易,即如以香港之对华贸易额计算在内,则日本对华贸易,固不易超过英国也。在中国之对外贸易上,香港固常占最大部分,但此项贸易额,在实际上并非英国一国之对华贸易,不过日本所占之部分太少耳。②

　　要而言之,据上所述中政府之声明,英人所以占总税务司地位,虽以英国占通商上之优势为唯一条件,然予以为总税务司之地位,非仅由贸易额多寡所能解决之问题。新近发生之新闻系,亦须加以考察,即第一为关税所担保之外债之多寡,第二为该国在中国之政治的势力如何是也。就第一点言,英国固有胜过日本之利益关系。③ 就第二点言,此虽为不能用数字说明之实力问题,而现今日本在中国之地位,实列国所公认,日本在中国之政治的势力,可谓胜过英国。故予综合此三点立论,日本实可以要求中国政府将总税务司之职改为英日两国之委员制。即退一步言,暂将总税务司之职让诸英人,而副总税务司应由日人充任,日人关员亦应增至与英人相同之数也。

---

　　① 在欧战以前之 1913 年时,中国之对外贸易中,日本(台湾在内)占 1.84 亿两,英本国占 1.13 亿两;1916 年之贸易,日本为 2.73 亿两,英本国仅为 1.05 亿两。

　　② 香港向占中国对外贸易中之第一位,至 1916 年时,日本始夺得第一位,而香港遂降居第二位。在中国之列国贸易之比例,因有香港一埠介在其间之故,不易知其确数。

　　③ 1917 年青岛海关再开后,多数日人被采用为关员时,英报 *The North China* (Oct. 30, 1915, p. 314)谓此为日本对华贸易增进之自然的结果促而承认之,但同时又论及海关税系外债担保品,债权国对于海关之地位有最强之要求权。而日本除义和团事变之赔款关系以外,更无此种之外债,故就此点言之,日本对于海关之代表要求权,应受一定之限制也。

第三节　税务司

一、地位及职责

由沿革上及形式上论之,各地海关之第一负责人本为海关监督,税务司实居第二,但两者地位,并非互相隶属,实两相平行者也。① 监督为中央政府派驻地方之代表,此种二重管理、二重职责之原则,实为海关创设以来之制度。唯依据多年来之习惯与境遇,事实上遂使外人税务司成为第一负责人。即将此种关系置而不论,而就总税务司观之,税务司实为各地海关行政之唯一负责人,除总税务司之命令以外,并不能遵奉他人之命令者也。② 故总税务司对于税务司之任命,甚为注意,原则上常由精通关务而学识、人格、技能均堪信任之副税务司及久任帮办中选任之。至于税务司之任务,颇为广泛,如久任税务司而富有经验之人 Morse 氏所谓 Jack-of-all-trade 者是也③。但据予见,其任务可分为二种:第一,由其各关长官之地位产生之一般的任务;第二,由中国海关之特质产生之特别的任务是也。

(一)一般的任务。由广义之征税事务产生,是为税务司之本务,得分为下列二种。

(1)关务之统辖。税务司第一任务,本应正确敏捷,处理关务,以谋关税之增收,然不能因此以阻碍商人之便利,与贸易之发达。尤应鉴于中国海关之特别地位,即在违反关税规则时,对于内外商人处置亦须力谋宽大。《海关募用外人章程》第九条云:"各口税务司人等逐日在关与商民交涉,均设法重税课,顺商情。各口章程分两项;一系禁止作弊,以重税课;一系将税务各事晓谕各商,以顺商情。是以各口税务司除严行防堵走私偷漏外,应每日在关察看所用之人是否尽心办公,随时体恤各商,有无刁难之处。且买卖为税课之本,若令人为难,不顺其情,不免与税有碍,应由各该税务司细心斟酌地方情形,多便贸易,以期多收税饷。但不可与章程条约相背。"此即说明此种任务者也。故

---

① 参见《海关募用外人章程》第七条。

② Cf.I.G.Circ., No. 506 of 1890.

③ Cf.Morse, *Trade and Administration*, p. 372.

各关税务司,无论其有何种要务,非预得总税务司许可,不得越出所辖境地以外。

(2)部下之统御训练。此亦系期望各地海关行政之廉正有能,长官本然之任务也。税务司之职务,对于部下违反官纪者,或由口头或书面秘密劝告,或于全体官员之前加以谴责,或遇有重大之不正行为发生时,若系上级人员,则命其停职,以待总税务司之裁判。① 其次对于部下之训练,为税务司任务中最重要之一项,对于外人帮办则直接加以训练,时时变更其所属各课,使熟习其事务,监督其学习中国语言,以期养成有能之事务官,即预备做他日之税务司。② 至对于外班之训练,虽委于总巡对于华人内班之训练,虽委之久任之外人帮办,而税务司固当负其责任者也。③④

(二)特别的任务。此种任务,更得分为下列二种。

(1)依条约或特别规定产生之任务。此种任务中,又有(a)为各地方所共通者;(b)有为地方所特有者。而共通的任务中之最重要者,为准领事官之事务(Quasi-Consular Functions),即税务司得依据无领事之缔约国人民或无条约国人民之请托,代领事办理其事务者是也。但此种事务,系代理领事所有之通商上及公证人之职务,与领事裁判权无关。1858年《中法条约》第五条中,关于此点,有下列之说明,原文云:

> En cas d'absence du consul français, les capitaines et les négociants français auraient la faculté de recourir à l'intervention du consul d'une puissance amie, ou, s'il était impossible de le faire, ils auraient recours au chef de la douane, qui aviserait au moyen d'assurer à ces capitaines et négociants le bénéfice du présent Traité.

---

① Cf.I.G.Circ., No. 25 of 1869;No. 273 of 1884;No. 442 of 1889;No. 1103 of 1903.

② 参见《海关外人募用章程》第十条。

③ Cf.I.G.Circ., No. 15 of 1873;No. 446 of 1889;No. 473 of 1890;No. 1161 of 1904;No. 473 of 1890;No. 1161 of 1904;No. 1213 of 1905;No. 2354 of 1915.

④ 各地海关中,均为外人关员与华人内班各设俱乐部与图书馆,以税务司为会长。其目的在使各埠关员之枯燥生活上,添设娱乐与修养之机会,普通外人,亦可以准会员之资格入会,有依地方情形之如何,而所谓 Custom Club 者实有益之社交机关也。

又是年《中美条约》第九条,亦曾规定:"不依友邦领事介绍,即得向海关监督请求关于船舶事务之援助。"两条约之精神,均在于使某国之船舶及商人,即在本国领事所未驻扎之地方,亦得享受通商条约上最惠国民所应享之一切利益也。故税务司所代办之此种任务,其范围甚广,下列三事,均包含在内:第一,关于船舶者(例如船舶出入手续,船舶书类;供给,海难辨明书之证明,货物交易证或送货单之证明,船员之保证等);第二,关于本国商人之利便者(例如关于商品买卖契约及土地家屋之借贷而欲得地方官吏证明,或欲得旅券之署名,或欲领得子口税三联单均须有待于税务司之援助等事);第三,关于援助船长或商人对华人之诉讼事件者。① 其次关于某地方之特种任务,重要者亦可分为两种:第一为关于河港修理之事业;第二为关于居留地行政之事务。如上海之黄浦、天津之白河、牛庄之辽河等处之改修事业及芝罘之筑港事业,均有半中半西之机关,其经费虽由海关对出入船舶及货物赋课一定之附加税以资挹注,而税务司实为改修委员会之执行委员,负有重要之任务。② 又税务司参与居留之行政事务者,如在岳州、三都墺等自开商埠,凡租地费及埠头税之征收、借地券之更换、道路桥梁之修筑等事,均由税务司与地方官吏共同管理;又如宁波、苏州、南京、长沙、岳州等居留地之警察,亦均由税务司与地方官共同管理者是也。③

(2)顾问的事务。从海关监督以至地方官,关于各种地方问题、关于通商及对外交涉事件须征求税务司之意见或要求援助时,税务司在其关税行政上,本已负有重大之责任,对于此种顾问的任务,固应避去不就,然完全置之不理实际上又属不能,有时难免有不利之处。盖税务司若果忠言协助而又稳健,则各地之行政通商以及国际关系上必生良好结果,且于贸易之发展亦多所资助也。故此种任务之取舍,完全委诸各地税务司自由决定,总税务司所干预之事

---

① 参见 I.G.Circ., No. 11 of 1870,及本编第一章第三节。

② 参见 1901 年最终议定书第十一条,1902 年《中英条约》第五条,1912 年《黄浦江改修局关协定》第一条,1914 年《关于辽河改修局之协定》第三条,及 *Returns of Trade and Trade Reports*,1913,Part II,pp. 367–368;*The China Year Book*,1916,pp. 649–659。

③ 参见约章程成案汇览乙篇第二十八卷上,及 *Land Regulations and Organization of Police*,Yochow Settlement,1899。

虽征求详细报告,而并不负其责者也。[①]

又税务司执行以上各种任务时,常不免与海关监督及各国领事有密切之关系,故以下依次说明之。

二、税务司与海关监督之关系

在理论上,税务司与海关监督之地位平等,有同僚之关系,但税务司原系中政府为便宜计而佣聘之外人,海关监督为本国行政长官。税务司之责任,通例免职为止,而海关监督之责任则非免职所能了事,依中国之法制与习惯,有时更须严格追求者。故自责任之轻重观之,监督似为各地海关之主,税务司似为监督之副。至就关税行政之实务言,税务司在海关中亲自指挥管理征税事务,而监督仅在其署内,依据税务司之报告以办理记录及报告之事务而已。约言之,税务司为事实上之监督官,海关监督仅为名义上之监督官而已。

监督与税务司之权限,向无明确之规定。[②] 故常海关创办之初,两者间常发生权限之争执,然此种关系于现行海关制度之发达亦不无小补也。大凡两头政治,其实权在原则上渐落于智识经验较优者之手,此势所难免者,况以缺乏贸易智识常以卸责为能事之中国官吏而与新政气锐之外人对立者乎。故海关行政之实权,渐入外人之手,事实上税务司反居主位,监督反居副位者,实无足怪也。且自 1911 年革命以来,各地关税收支全权,完全委诸总税务司之代表税务司之手,监督之地位,仅保留形式上之职权而已。今将革命之次年,税务处所规定之各关监督与税务司办事权限章程,列举于次。[③]

(一)各海关税项,照阴历上年十二月十六日本处札文,暂由总税务司统辖,备拨洋债赔款之用。至各关用人,除帮办供事文案仍应由税务司委派,其书办一项仍应由监督选派,推书办名目不适用,应即改为录事。

(二)除距新关 50 里外之常关归监督专责;所收税款由监督迳解中央外,

---

① 参见《海关募用外人章程》第十一条。

② 赫德云:It is impossible-and unnecessary too-to set up a fixed boundary between commissioner and superintendent,…boundary lines are always difficult to establish and frontier questions the most fruitful source of dispute。(I.G.Circ.,No.24 of 1873)

③ 参见民国元年十月五日税务处致总税务司命令第三〇六七号。

其距新关 50 里内之常关,应照案归税务司兼管,所收税项暂与新关一律备拨洋债赔款,其一切用人办事,仍照会同监督办理。

（三）所有新常两关,向由监督经发之单照,仍由监督照旧发给。

（四）新常两关征收税项,按日分报监督查核。

据此章程观之,海关员中书办一阶级及归海关管理之常关中之华人等,监督似乎均有任命之权,但实际不然。书办即录事,本系掌管计算关税,制造汉文税单及关税收入之汉文记录等事之书记,其任命之权虽操诸监督之手,而其人选之当否,税务司实有拒绝之权,且对该员办事有不满时,又有免职之权。又其任命须依税务司之请求而行,监督固不得任命者也。故对于录事之任命权,实际上监督仅有推荐之权耳。关于常关内华人关员之任命权亦同,供事由总税务司选派,其他书吏即录事而已。而常关录事之任命,与海关之同阶级者之任命,均以同一方法行之,监督亦不能专断也。要之,革命以后,实际上已成无用之长物。至于由关税收入项下支给各地监督之薪俸,决不在少数,此监督地位之所以成为中央官吏营私之具也。①

然而税务司亦非蔑视海关监督,而又代理其职务者。关于通常关务,即如征税事务,监督虽有完全不干涉税务司行为之习惯,而对于重要问题,如新订规则,或变更旧制旧习,或遇非规则习惯所能决定之非常事件,税务司必与监督熟议者也。若两者意见不一,则在北京方面未裁决之前,暂尊重监督之意见,使负其责。② 但据予之经验,现今此种意见不合之事极少。

三、税务司与各国领事之关系

各国领事本系代表本国之通商航海及其他经济的利益者,而中国之外国领事,又具有司法官行政官外交官之资格。③ 管理各埠之外国贸易又为外人

---

① 海关监督薪俸之应由关税收入项下支出与否,在革命以后,成为中国政府与外交团间问题之一。由外交团让步,遂自 1913 年 4 月起,由地方月支 1500 元至 3000 元之数。而此项月费,系包办性质,监督之薪俸及监督署全部经费均包括在内。又各地海关监督,时时更易,甚至有一年更易数次者。

② Cf. I.G. Circ., No. 24 of 1873；No. 1734 of 1910.

③ 基督教国家派驻非基督教国家之领事与一般领事之性质不同,请参见 Oppenheim, *International Law*, 2. ed., I, pp. 497–498。

税务司,故其间当自有复杂之关系。中国与各国所缔通商条约中,规定领事与海关之关系者不少。今举数例如次:

(一)海关所使用之标准度量衡,由海关监督发给各国领事,以免由度量衡不统一之故致起纷争(1844 年《中法条约》第十九条,1858 年《中英条约》第三十四条)。

(二)关税本应以银块或外国货币纳入,其与纹银之比例,应由领事与海关斟酌当时当地情形协商之(1858 年《中法条约》第二十一条。)

(三)航路、标帜、灯台等之建设安置,由领事与海关协商之(1858 年《中英条约》第三十二条)。

(四)关于货物之估价、纯量之算定等事,外国商人与海关发生争议时,由领事与海关监督协商决定(1858 年《中法条约》第九条)。

(五)航舶出入之手续,一切经由领事行之(1858 年《中英条约》第三十七条至第四十一条)。

据以上数条,可知领事虽以贸易监督官资格保护本国商人利益,并图增进贸易等普通职务,亦与海关发生许多交涉。故为税务司者平日对于各国领事,无论为公为私,均应往来亲密以谋关务进行之便利,此固无待言者。[1] 然于此有使领事与税务司之关系更趋于错综复杂者,则所谓领事裁判权是也。凡在华之外人,均各自服从其本国之司法权,故外人违犯海关规则时,海关非得领事之协助,不能强行处罚,而其解决方法,有 1868 年所制定而获得各国公使同意之会讯章程,税务司之责任愈益加重。但税务司对于一切争议常不遵照此章程,一切务期与各领事就近平和解决之。[2]

第四节　普通海关员

一、资格与任用

海关员虽为中国政府之官吏,而其任命权,中国政府则委诸总税务司行

---

[1]　参见《海关募用外人章程》第八条。

[2]　参见第四编第九章。

之。而总税务司对于外人关员虽亲自行使其任命权,至对于华人关员,除帮办、供事等高级人员之外,其余人员则委诸各地税务司任命之。外人帮办,在关员中占居主要部,此项人员之任用最为重视。由各国人中选拔而出,以该员个人的价值为主,须斟酌该国在中国所有贸易额之大小、债权额之多寡,以及政治的势力之如何而采用之,是为任命之原则,但亦有不依照此标准者,大致由英人总税务司一人之判断定之。① 中国政府,已将官员之任命权委之总税务司,不能加以丝毫干涉,外国官府之推荐,亦仅有间接之效果而已。英人总税务司既有此项大权,故不免发生不公平之事,如关员中英人常占大部分,约居全数三分之二是也。日本在近年虽被采用多数之关员,而比诸日本对华贸易上之地位,其数不免太少,海关中帮办任用之资格,向例以曾受高等普通教育而品行良好、身体强健之青年为要件。盖帮办所任之事务,固无须高等专门教育之智识,此因总税务司用人之方针,在依照驻华英领事府官制,重在采用以后之实际的训练,期养成良好之事务官故也。日人之充帮办者,多由大学或专门学校出身,其学问程度,比同级之欧美人较高。唯以海关采用英语之故,日本英语程度虽较低,而日人对于汉学之研究,则非欧美人所能企及。至于日人之要求海关多采用日人为帮办,固属日本对华贸易上正当之要求,即自海关之行政上观之,亦为有利之处置也。②

华人帮办,系在1906年税务司设立以后所任命,由久任供事而又有能者之中采用之。1913年以来,税务学校优等卒业生,得免试采用,但供事中之优秀者仍得升为帮办。供事向例仅试验英语、算术、汉文即行任用,但近年来多

---

① Cf.Morse, *Trade and Administration*, p. 362;Cordier, *Histories des Relations*, I.p. 164.
② 1898年副总税务司答复某国公使(日本公使?)私函之觉书,说明帮办采用之方法如下:(一)帮办由总税务司从一切有条约国人民选择任命之。(二)帮办由总税务司之友人中选任,或者本人之履历、品性得有切实之保荐时亦得采用之,候补人须直接向总税务司提出请求书,并附上推荐书、履历书及本人相片。(三)候补人之年龄从19岁起至23止。(四)候补人应为未婚者。(五)候补人须先试验其英算、地理及近代语之程度,然后采用,其标准须与欧洲各国之高等文官有相等之社会的地位,及有高等教育程度者。(六)候补人之数超过所采录之名额时,须行甄别考试。(七)检查体格时,遇有肺病心脏病遗传病者、吃者、跛者,以其太过于近视者,均不采用。(八)在外国采取之人员,支给一定之旅费。(九)人品、能力及华语等项若有不及格者,即经采用,总税务司亦得免其职。

采用税务学校卒业生充之。① 又文案、司书,由各地税务司试验汉文及笔记合格者采用之,录事由各地海关监督之推荐任用之。其次外人外班在海关员中最占多数,内班次之。外班即为重要职员,其采用之标准,以健康及品性为主,不置重学术试验,唯其限制条件须在年满 30 岁以下且为未婚者而已。② 普通采用此项人员之方法,多在伦敦、上海、九龙、广东、大连、安东、青岛等地举行简单之试验,加以采用,试用 6 个月之后,即正式任命之;内外班职员之任命,通例均自最下级起,最初无有采用为上级人员者。

二、制裁与转任及免职

海关员与顾问、教习等临时佣聘之外人不同,任期无限制,非遇有不正行为或缺乏能力时,不能无故免职,除供事以下之下级华人以外,其余人员,均由总税务司根据各地税务司之人事报告,亲自裁决一切关员之转任及免职。又人员之升进,大致均斟酌关员之资格、手腕、品性、健康、华语程度及特别技能等项行之,较为公允。③ 中国海关系集合多数风俗习惯不同之国民组织而成,殆一国际官厅也,故关员之转任及更易,均属至杂之事,调协各国人之分配及关务之便利进行,此则总税务司煞费苦心之职务也。④ 但总税务司命令甚严,不可更易,关员无论转任于何种偏僻之地,均不得拒绝;如不到任,唯有辞职而已。尤以华人之供事、文案,无请愿转任之权;如拒绝不奉转任之命时,则被课取罚款。⑤

---

① 税务学校(1908 年开办,四年卒业)卒业生,过海关有缺时即采用之。见习一年成绩良好者任为帮办,其余升为供事,向来供事。大概学术浅薄,汉学智识不足,税务学校毕业生则甚优。

② 内外班有年龄结婚之制限,但在用日本人时,并未切实厉行,因日本家族制度与欧美不同故也。但候补人数过多时,年少未婚者自当优先选用也。

③ 汉文汉语之学习,最为海关所重视,外人内班则强制学习,设有一定之试验法,不达最低标准者免职。又无最高标准之智识者,不得升为正副税务司。外班外人虽不强其学习华文,却设有奖励之法,善汉文者受奖金。

④ 总税务司分发人员于各关时,本应考虑当地贸易状况及其所属国家之政治的、通商的关系,而在原则上常多采多数之异国人杂之。安东关多用日人,北满多用俄人,九龙腾越多用英人,蒙自多用法人,此毋宁属诸例外,又如大连胶州之完全任用日人者,实依据特别规定而然者也。

⑤ Cf.I.G.Circ., No. 1422 of 1907.

制裁违犯官纪之关员,亦系总税务司之权限,例如不精不洁、怠慢、好喧闹、不服从、不严守时间等事;如未经许可,擅自缺勤或宣布关务等事;如为民刑诉讼之当事人;如滥用职权、私糜公款、收贿、欺诈等直接间接与商业航务有关系之恶德;如饮酒过度、品行太坏、殴打华人等事;如演说关于中国政治问题,或披露此项议论于新闻杂志等等,均为违反服务纪律者也。轻者由各地税务司加以相当制裁;重者暂以半俸停职,听候查办,一面调查肇事始末,及本人辩护,并征询税务司之意见,由总税务司裁判之。总税务司根据此项报告,分别轻重,或降其等级,或停止升进,或命其转任,或迳免其职。① 至于外人铃子手与三等灯台守,及华人供事以下之下级人员,其处罚免职之权虽属于税务司,而上级人员则由总税务司制裁之。如系华人关员,除由税务司罚款或免职外,若更有不正行为者,则由海关监督送交地方官,要求处刑;如系外人关员,则因有领事裁判权之关系,不能课罚金,且为省烦复之手续计,多免职了事。但遇有私吞公款之重大事件,则出诉于领事法庭惩治之。②

三、中外关员之待遇

关于海关员之待遇一层,近年来外人外班中固不免有鸣不平者,唯比之在中国服务于他种职业者,则待遇较优。③ 关员虽不如他国官吏得受恩俸之特典,然地位安全,殆有终身官吏之概。④ 而外人关员多有受高等专门教育者,税务司中老朽无能者亦不少。又实际办事时精勤将事者亦少,不过指挥监督

---

① 外人关员被停职之时,为保护自身利益计,得要求税务司开设审查法庭(Court of Inquire)。税务司遇有此项要求时,即由该员之上级人员中选出三人组织法庭,审查事实,调查证据,判断其是否违法,开陈意见报告于总税务司裁判之。又税务司有不正行为时,由总税务司任命四名之税务司(四人中应有一人与该税务司同国者)为审查委员,以总务局长为议长,开审查法庭。但近来此种审查法庭,并未见诸实行。处罚外人关员时所以如此慎重将事者,因关员国籍既各不同,而海关组织又带国际性质,所以避免不公平之处置也。

② 1916年春第三次革命之际,孙逸仙携数十万金由日本乘输返沪时,被上海海关中之三英人所迫,卷其金以去。翌日唐绍仪自赴上海海关代孙诉告此事于税务司,孙遂得收回此款之一大部分,该三名海关员因此免职,并受上海英国法庭所惩治。

③ Cf.Cordier, *Histories des Relations*, I, p. 164; I.G.Circ., No. 2612 of 1917.

④ 在制度上,总税务司以三个月之通告,无论何人亦能解职,但自开关以来,实际上从未有淘汰人员之举。故海关员中继续在职历三四十年之久者不少,而此中老朽无能者亦不免占居多数。

华人造作而已。华人关员甚多,约占外人关员之六倍,惟地位均在下级,开关以后,华人中仅有一人被任为西藏亚东之代理税务司,且非参与征税事务者。除此以外,华人从未占居重要地位,亦从未有一日为一关之主任,专备充外人部下之补助机关而已。① 故其薪俸、登庸、赏与、休息等待遇,原则上均不及外人之优。② 华人居本国行政机关而如此受差别之待遇,仰外人之指挥,实可谓矛盾之至。然此种矛盾即所以说明海关存在之理由也。何则,大凡华人之为属吏者,其勤勉忠实之处固不亚于外人,然置之有责任之地位,则即时发生腐败不法之事,此中国宦海之通弊也。此种通弊在税务行政上为尤甚,征之前编所述通商前后关税行政之状态可知也,即如今日各种内国征税机关中长官舞弊之事,几乎所在皆是。由此观之,海关中外人之地位,正可谓为少许之防腐剂,华人地位因有防腐剂始能变为清净之物质也。故华人地位之高下及多寡,应以不致使外人地位之效力薄弱的程度为标准。加以关税收入系供外债之担保,而海关又系事实上之国际行政机关,外人关员地位比华人较高,其较受优待者,亦所难免者也。

---

① 参见宣统元年四月初三日税务关于设立税务学堂之上奏文。

② 外人内班之月俸,自四等帮办之最低额 125 两起至税务司之最高额 1500 两止,华人帮办由 80 两起至 350 两止,供事由 40 两至 250 两止。但华人关员之待遇虽不如外人关员,而比之他项官员则较优,外人待遇关员亦较善,故无怪近年来华人志愿入海关者日多也。

第三章　海关员之法律的地位

中国海关最初任用外人之目的,原在于补助华人在关税行政上之道义的及智识的缺点,乃因数十年来特殊的国际关系之故,致使外人势力日益增加,外人关员之数,竟达千余人之多,占诸他国无比之地位。此等外人在法律上之地位如何,问题颇为复杂,亦颇饶兴趣,今就行政法上、司法上、国际法上之关系观察之如下。

一、行政法上之地位

海关外人为中国政府之行政官,其在行政法上应受中国政府之支配,固无待言者也。其性质既与临时佣聘之外人不同,又得一定程度之行政权,故其与中国政府之关系,与普通之华人行政官无异。唯因海关为特殊行政机关之故,中国政府对于此等外人未完全行使行政权而已。至于外人关员以行政官资格执行之公的行为,系出于中国政府之委任或命令,故只应对中国政府负责,而与其所属之本国,实无何种之关系。故海关外人当因公务问题而被外人告发于外国法庭时,究有受外国法庭之审判与否,实一问题也。[①] 关于此点,土耳其曾于189□年制定一种法令,凡被佣于土耳其政府之外人,均应提出该国领事之保证书,保证本人因执行公务发生事故时,该国领事不得向彼行使领事裁判权。[②] 中国对于此点,国法上虽无何种规定,然予以为外国政府既承认自国臣民为中国海关员之资格,则海关员因公务发生之问题,不当使自国法庭管辖之,唯对中国政府,依司法上或外交上之手段以求补救而已。英人对于英人海关员在中国政府给与之权限内之行为(以及虽在权限以外而中国政府承认其

---

① 1862 年最初之税务司 H.N.Lay 对于此点曾征询英国法律家之意见。当时法律学者间有肯定否定说,并无一致。

② Cf.*Journal du droit international privé*,1899,p. 223;*Moniteur oriental*,28.Nov. 1898.

应负责任之行为），素拒绝自国法庭之管辖者也。①②

又关员因执行公务而受妨害或侮辱时,加害者若为华人则由海关监督要求有关系国之领事裁判之。若领事拒绝审判或判断不公时,得报告此事之原委于总税务司,采取外交之手段。

二、司法上之地位

海关员虽为中国政府之官吏,而非归化于中国者,故在司法上各应服从其本国之法权,与普通在华外人无异。③　然外国政府既许其本国人民取得中国官吏之身份,则对此等人民之地位与待遇自应设一特例,此于中国政府之便宜上,于此等外人官吏之利益上,均可谓为必要之处置也。但各国国内法对此则无特别规定也。然则外人在中国海关中既取得中国官吏之地位,又享有外国之法权,此二者究应如何调协乎？关于此问题,海关内规中曾就民刑诉讼事件与为证人,或为陪审人时,设有下之区别。

（一）海关员欲为民事原告时,须预得总税务司之许可（在最急之时亦须得税务司之许可）。不得许可而起诉者免职。④　海关员之已为民事被告者,暂行停职。⑤　又因负债被控而不能清偿者免职。

---

①　英商 Bowman and Co. 曾因货物被没收之故,诉英人上海税务司 Fitz-Roy 于领事法庭,发生一次争论。后经英国领事与海关道台交涉数次之后,道台认税务司之行为为彼自身之行为,使其负责。事虽了结,此案结果,当时英外务大臣 Lord Russell 曾就此事训令英公使 Bruce,据此训令,英人为中国海员者若系公之行为,不受英国法庭管辖。

②　外人有因故意过失损害关税收入时,该地税务司得依中政府之命令,代表中国政府起诉该外人于外国法庭。英商 Shanghai Dock and Engineering Co., Ltd. 自 1906 年至 1913 年之间,该公司华人店员帮办舞弊至 200 次以上,漏税至 26675 两之多。后此事发露,上海海关税务司遂于 1914 年 4 月起诉该公司于上海高等法院,判决之结果,公司方面失败,被迫缴漏税之数目。故从理论上言,海关员有不法行为致受损害时,外人得诉该海关员于中国法庭。唯因中国法律不完全,法官又难信托之故,即诉之中国法庭亦难得实效,故此时仅有借外交手段以来补救耳。

③　Hall 将被外国聘用之英人地位,分为文官、武官二种。文官在行政法之范围内虽受佣聘国之支配,而在司法上则应服从英国法权；武官虽亦为英国法权所及,而就其职务之性质上言之,佣聘者应服从佣聘国之法权者也。

④　Cf. I. G. Circ., No. 20 of 1870; No. 146 of 1881.

⑤　然此系混同民事与刑事之观念之规定由现今之法理观之,亦可谓陋矣。海关员之为民事被告,在现今复杂之经济生活中,实属难免之事,且亦不必因其有可以非难之行为而然者。况有可以延请代理人出庭之方法而不致妨害公务乎。

(二)海关员欲为刑事起诉人时,与民事同,亦须得上官之许可。又为刑事被告或因嫌疑被法庭呼唤时,须由本人报告其事实于税务司,先行辞职以受本国官吏之裁判。若遇特别情形,不能履行此手续者,海关当将此人免职。但审理结果,判决无罪时,辞职或免职均取消。①

(三)关员为证人被外国法庭呼唤时,不能不去。② 此时关员出庭作证,若系外国法庭欲利用彼在中国政府官吏地位所得之知识,则又分公事、私事之别。若关于私事,中国政府当然不禁止其发表;若关于公事,则非得中国政府之许可,不能发言。故法庭所欲利用者若关系公事,则税务司务必与海关监督协议,就发言之范围作成觉书交给本人。其次海关员又有在其本国法庭为陪审人或陪席判事之义务者,关于此点,除英国枢密院以明令免除与战前之德国在青岛执行同样之处置外,他国法令并无何种规定。③

三、国际法上之地位

如上所述,外人关员一面受中国行政权之支配,一面又受本国司法权之支配,赫德所谓 extra-territorialized Chinese officials 者是也。而所以使此种矛盾之地位更趋于复杂者,系由海关中立性产出之关系,故外人关员实似有中外两重国籍之 Cosmopolitan 也。海关员此种特性,昔在战时往往表现之,兹列记于下。

(一)1859 年中国与英法两国因 1858 年《天津条约》批准事重开战端,是时上海、广东两关中多数英法人关员,对此战争究应采取何种态度,在当时曾成一问题。而当时两国公使之见解,不仅不承认彼等有辞职之必要,且以为彼等辞职为失计,不如照常任事,反于交战国双方有益。中国官府亦未提抗议,故北方虽开战,而中南两部仍继续通商,遂生出使外人管理本国海关之矛盾。英法政府听其本国人为敌国政府之官吏,征取本国船舶之赋税而不视为反逆罪,中国政府亦不解雇敌国人,此盖由于通商上及财政上之利益而然者也。

(二)当 1884 年至 1885 年时中法因东京事件开战时,法人之为海关员者

---

① Cf. I. G. Circ., No. 146 of 1881.

② Hinckley 谓中国海关之外人有免除出席领事法庭作证人特权者,误也。

③ Cf. I. G. Circ., Nos. 221, 241, 253 of 1883.

依然任事,中政府亦不免其职。

(三)中日战争之际,多数欧美人在中国海关办理征税事务,其中有依中政府之希望而参加于交战行为者,而日本政府对此亦未提抗议。唯总税务司为保持关员职业上之利益,中政府财政上之利益,及列国通商上之利益计,认外人海关有存在之必要,仅训令官员,严禁关员不得有惹起日本抗议之违反中立的行为而已。①

(四)拳匪之变,中国虽敌视外人而与列国宣战,而中南各部之未加入战争者姑不具论,即如天津、营口等交战区域内,地方官仍继续使用敌国人,行使关税行政;且两江总督刘坤一因总税务司身在北京围城中,不便办理关务,遂任命统计局长英人 F.E.Taylor 代理总税务司之职务。又据当时赫德与总理衙门往来之文件观之,当时赫德甚努力为中国政府谋外人海关行政之继续,而中政府亦将海关行政委之外人而不以为怪。②

(五)1911 年革命以来,数经变乱,各地各种行政机关均陷于纷乱状态,然政府与革命军均未尝妨害海关行政,此盖由于华人尊重海关之中立性也。

欧战之时,中国在最初为非交战国,故仅命关员遵守中立义务并禁止议论战事而已,关员中如有归国参战者,即须辞职,战后亦不许回任。③ 1917 年 3 月,中德绝交后,德人仍继续为海关员(德人税务司给假),至对德奥宣战以后,始将两国人之为关员者解职。海关之中立性,此时似已破坏。并盖因此次大战,与中国向未参加之小战争不同,凡与中国利害关系较深之强国,殆无不卷入漩涡,故如海关之国际机关亦不能贯彻其中立性,而至于将海关员中之敌人解职,中政府因恃有列强援助始出此英断者也。然而战事既平,德奥人之当再任海关员,亦不难想像而知,海关之国际的性质必恢复原状也。

又关于华人关员之地位,尚有一言者。海关中之华人,原处于辅佐外人关员者之地位,故华人虽在中国法律之下被用于本国行政机关,而在行政上则完全受其上司之外人所指挥命令,与中政府无直接之关系。故华人关员办公时,

---

①　Cf.I.G.Circ., No. 662 of 1894.

②　Cf.I.G.Circ., Nos. 951,961 of 1900.

③　通例辞职后之关员,虽不再采用,但因欧战而被本国政府征集者则在例外,故战后许其仍回本任。

税务司负其责,税务司认为不法时得免其职,并得引渡于中国官吏而惩治之。又在司法上,华人关员当然服从本国法律,但较之普通华人,得直接间接避去中国官吏之专横的待遇。例如中国官府逮捕华人,或为被告或为证人而被传之时,须先得长官之外人税务司认可,与被佣于外国使馆及领事馆之华人同。但关员在此种情形中之司法上之手续,与根据外国居留地行政权或外人家宅不可侵权者,其性质当然不同,亦非依据中国国内法之规定也。此种特别习惯,仅因中国官吏执行国际中立性之关务之便宜并尊重其长官之故而来者也。①

---

① Cf. Hall, op. cit., pp. 143–145；Hinckley, op. cit., p. 86.

第　四　编

关税制度之内容

第一章　总　论

言关税者大致均以货物流动之方向为标准而别为进口税、出口税、通行税之三种。进口税者对外国货之进口,出口税者对本国货之出口,通行税者对外国货之通行国境而加以征课而言,固无俟说明者也。唯出口税与通行税二者,在文明各国,今殆已全废,其尚存者,不过限于特别情由或劣等国之情形等例外而已。故现今普通所称为关税者,意即指进口税而言,而所谓关税政策上之问题,殆无异一入口税如何布置分配之问题也。然中国之关税则异于是,第一对于一般出口货今尚有出口税之存在,第二外部关税与内部关税并立,而此二税在财政上有与进口税相等之价值焉。于此可知中国之关税制度,从其种类之繁赜与关系之错综言之,实非如世人所想象者之简单也。

现今中国实行之关税,可依(一)货物输送之机关,(二)适用之税则,(三)管理之机关,(四)贸易之内外四者为标准,而为种种之分类如下。

(一)以货物输送之机关为标准,则有:

(A)汽船贸易关税:(1)外国贸易进出口税;(2)沿岸贸易进出口税;

(B)帆船贸易关税:(1)外国贸易进出口税;(2)沿岸及内河贸易进出口税;

(C)陆路贸易关税:(1)外国贸易进出口税;(2)国内通行贸易出入税;

之六种,若更以出入分之,则达十二种之多,殆不胜其繁。

(二)以适用之税则为标准,则有:

(A)条约上之关税;

(B)国法上之关税;

之二种。条约上之关税者,即基于协定税则之关税,外国贸易之进出口税均以此为依据。唯兹所谓国法上之关税,其性质与各国所行之国定税则不同,仅能适用于国内贸易之一部分而已。而依外国式船舶之国内沿岸贸易及与外国贸易有关系之国内通行贸易,则皆依条约上之协定税则办理。故此种区别,虽谓之缺乏明确可也。

(三)以管理之机关为标准,则有:

(A)海关税;

(B)常关税;

(C)厘金税;

之三种。外国贸易之归海关管理者固无论矣,而以外国船舶来往之沿岸贸易,亦概归海关所管理,故普通所称海关税之中,除外国贸易之进出口税以外,更有沿岸移出入税,吨税及子口税亦包括在内。加以常关税之中,一部归海关管理,一部又归地方官管理,故以征收机关为标准以区别关税,亦不免失之纷繁也。

(四)以贸易之内外为标准,则有:

(A)外国贸易关税;

(B)内国贸易关税;

之二种。然外国贸易关税中,海路贸易与陆路贸易之间税则亦异,而对于帆船贸易所课之关税中亦有例外存焉。又内国贸易关税中,亦不无与外国贸易适用同一税则者,故此种区别,亦稍欠明确也。

据上述四种标准以区别关税之种类,均不免有一得一失,然则当此论述中国关税之际,果以采用何者为适当乎?世人之论关税者,其最普通方法,均采用仍照征税机关之分类,即(一)海关税、(二)常关税、(三)厘金税之三种是也。① 然此区别,一则海关税之中,本包含内外各种之关税,已如前述,二则常关税与厘金税,同属内部关税,本质上无大差别之可言。有此二点,而欲就中

---

① W.von Kries 曾分中国关税为海关税与内国关税两种,更分内国关税为河关税与陆关税二类。此即以通路为标准之分类法也,骤视之似乎别出心裁,然窥其说明,则所谓河关税者,不过为常关税之新名称,陆关税者不过为厘金税之新名称而已。至海关税之不可与内国关税并立,盖因海关税与外部关税并非一物而实包含内部关税之一部分故也。且彼以河陆之分,即认为常关税与厘金税之别,亦甚误解,读后文之说明可知。盖常关税以就海陆上内国贸易所课之内国关税为主,而课于河道交通之税,不过为其一小部分而已,而厘金税者,其色含陆路交通之关税,固属当然,即河海交通之课税亦包含其内。故依河海陆三者而立之关税分类,虽属简明,实则不符实际之定论也。

国关税制度举明确之观念以示人,其不能也明矣。予于本编,为贯彻前面屡次言之之旨趣,以为采用内外之贸易为标准,将中国现行关税分为内部关税与外部关税之两种,实为至当。外部关税与各国之国境关税相当,内部关税与中世欧洲各国盛行之国内关税相等;前者将永久存在,随中国之进步而变化;后者则不久必归于全废也。又内部关税,在今日虽受条约上之拘束,然与外部关税所受之拘束不同,中国若果有实行撤废之决心,列国毫无容喙之余地。予以为论中国关税时若先著眼于此,而为如下之分类,于学理上于实际上均两得其宜也。

(一)外部关税:

(A)进口税;(B)出口税。

(二)内部关税。

(A)沿岸移出入税;(B)子口税;(C)常关税;(D)厘金税。

但外部关税中,对于陆路国境贸易及香港、澳门之帆船贸易,有税则上之例外存焉;对于胶州及大连租借地之贸易,有行政上之例外存焉。此二例外,可括以特殊地关税之名称记述之。又自关税之管理机关观之,则外部关税之全部,与内部关税中之沿岸移出入税、子口税,及一部分常关税,均属于海关,厘金税及一部分常关税则属地方官管理。

中国之关税制度,绝对以财政的收入为主,不问为国外之进出口或为国内之出入通行,凡可以课征之货物,无不网罗搜括而课征之,此其目的也。然虽以此为目的,而亦不无例外存焉。即第一为依据国际条约协定及固陋经济思想而规定之违禁品与免税品,第二为近年来依据抵制外货奖励国货之旨趣而对于国内新工业品有免税减税之办法是也。此两种例外,与国民经济及外国贸易有直接间接之关系,予以此为关税制度研究上最有兴趣之问题,故欲以特殊关税之名称记述之。又吨税与河港改修税二者虽为一种交通税而非关税,然以其与关税相似,且于海关同时与关税征收,即包含于关税制度论之中,亦无不可。① 且此二税者,在中国均依据条约及国际的规定而定,亦研究中国关税制度时所不可忽视之问题也。

---

① 关税虽为关税行政之主要收入,而手续费之公课及类似关税之租税,亦与关税行政有关系者也。

　　要之，关于中国关税之税则，虽有依条约之规定与否之别，然外国人及外国商品，则殆皆受条约上之协定所保护者也。故关于运用税则之法规，亦非依据中国之商业政策制定，大致均因对付中国不完全之税制与专断之税吏而以保护外人与外货为目的者也。而犹不止此，中国政府又举构成关税主要部之海关税管理权，委之外人，故此种保护遂取得二重之保障焉。

第二章　外部关税

第一节　进 口 税

进口税,以课税之目的为标准,得分为财政的关税与保护的关税两种。财政的关税,专在于谋国库之收入,于商业政策上无所谓目的者也。故采用财政的关税之各国关税问题极其简单。尤以中国之进口税,须完全由条约协定,固无施行关税政策之余地,即遇有财政上之必要,亦不许变更其税目,上下其税率也。故予于本节所欲记述者,唯下列二事,即第一条约上之进口税则应如何规定,第二进口税应用何种方法征取是也。

一、进口税之协定

中国之进口税,与亚非两洲劣等国之进口税相等,有两大特质,即税率极低、税目分类极简单是也。

(一)进口税率。各劣等国之进口税率,以暹罗之从价值百抽三为最低,以土耳其之值百抽十一为最高。土耳其当与各国缔结 capitulations 时所协定之进口税率,一律值百抽三,迨 1861 年、1862 年与欧洲各国缔通商条约之际,则增为值百抽八,其后屡次求增,均因列国反对而未成,延至 1907 年乃得基于与各国取缔之共通协定,而增至值百抽十一之数焉。埃及于 1879 年,依土帝之敕令,得与诸外国缔结通商条约之权,以增加进口税为值百抽十之目的而着手改正条约,因未得列国同意,遂沿用从前土耳其所行值百抽八之税率,依 1904 年英法殖民条约之规定,此税率将继续至 1934 年云。[1] 中国之进口税,

---

[1]　Cf.Grunzel, *Economic Protectionism*, pp. 55-57.

自 1843 年以来,始终以从价值百抽五为原则,与日本之旧协定税率及波斯之现行税率同,而 1858 年及 1902 年之税率改正,仅以从量税改算而已。即中国税率乃于 1902 年 8 月以 1897 年至 1899 年之三年间平均市价为标准,与英、美、德、日、比和西奥八国委员协定之后而经意俄(1903 年)、丹、法、瑞、挪、葡(1904 年)诸国之追认者,非得此等十四国之同意,中国不得任意变更税目增加税率也。[①] 其可认为唯一之例外者,即对于小包邮件之入口,得依特别设定,便宜上以从价税代从量税而已。[②] 故中国进口税虽以值百抽五为原则,而重要进口货则协定为从量税,事实上以从量税为主,以从价税为副者也。

关于从量税与从价税之课税法,各有一得一失。在理论上虽以从价税为公平,而易招虚伪之申告,与税史之腐败,且价格难于查定,课税手续烦杂,反不如从量税之为简便也。故现今文明各国中,除价格有差异与变动较显著之贵重品外,普通采用从量税者为多。唯为矫正从量税之不公平计,则细分其税目,而时时改算其税率,使与物价之变动相适合可也。然在半开国家,通商条约殆带有永久性质,不易改正税率,从价税反较从量税为有利。然就与此等国家通商之列国言之,则以长期从量税率而不许其变更者为有利。故就此点而论,中国与列国之利害实正相反。为中国计,从价值百抽五之束缚,虽不得已而忍受之,而从量税之改正期限,应与通商条约改正之期限有别,至少有数年改算一次以恢复利权之必要。

中国政府参与欧战之交换条件,遂得协商改正进口税中之从量税率,然此亦非变更从价值百抽五之原则者,故将来必又有从量税不适合从价税之不公平事发生也。

(二)税目之分类。采用财政的关税之国家,其税目之简单,盖不可与采

[①] 1902 年进口税率协定之前文,关于此点之规定有云:Should it be ascertained hereafter that any articles have been omitted from this Tariff which it is found can be conveniently provided for on a specific basis in terms of the Final Protocol of 1901, it is understood that the necessary additions shall be made at rates to be mutually agreed up by Representatives of the various Powers by whom this Tariff has been signed(*Treaties*, I, p. 737)。

[②] 参见 1903 年中日两国关于小包之规定,由外国进口之小包,在税额半两即价格 15 元以下者免税。又中国之日本邮局代海关处理征税事务,每月以其收入交付海关,而他国在华邮局,多有不采用此方法者。

保护关税国家之繁多同日而语。中国之进口税，凡进口货皆课之，税目自当比诸自由贸易国家为多，然协定之从量税目之分类，则极简单。盖工业幼稚之国家，所需之主要贸易品甚少，不特中国为然，凡劣等国莫不皆然也。假使将来国内经济发达，外国货之需要同时增加，外国贸易亦因而增进，此时若将税目详细分类，则不仅于专谋增加国库收入之中国有必要，即在对华通商之各地观之，亦公平而有利之处置也。例如纱，在现行进口税表中，每担课税九钱五分，依支数之粗细而有差异焉。此在中国唯有粗纱进口之时代，尚无特别障碍，而在细纱进口日见增加之今日，乃对于英国印度日本输入之纱，课以同率之税，其不平甚矣。他如棉布、毛织物之类亦然，甚至因税表中无可以适用之从量税率之故，即对于廉价之粗货亦课以值百抽五之税，其负担反比优等货之进口税为高。此种实例，不堪枚举。是故举从量税目而细分之，使符合于贸易之实际，实中外之利害一致之举也。

二、进口税征收法

从量税之课税法，依现于外部之课税货物之件数、大小、重量为标准，有总量主义与纯量主义之分。总量主义之方法虽极简单，然为课税之公平计，则不如纯量主义为优。[①] 中国虽亦依各国之惯例而采用纯量主义，而实则不依法定纯量主义，乃采用斟酌各种情形以查定实际之纯量之方法者也。[②] 至于海关与外人因包皮发生争论时，则由领事与海关监督商议解决之[③]。但实际上此种纠葛殆无有也。

从价税货物之课税法，常有种种之困难与弊害随以发生，此各国所难免者也。在中国，税表中未经揭载之进口货，均值百抽五，而因其中新贸易货物颇

---

① 从量税中总量纯量之分，各国不同，而两者并用者为多。唯瑞士为纯采总量法之国家，而瑞典、挪威、丹麦和兰比利时、波斯、日本、中国、北美合众国为采纯量法之国家。其在二法并用之国家，何物应依总量，何物应依纯量，亦无截然之标准，往往有因税额不能达一定之高数而用总量法者。例如法兰西、塞尔维亚、保加利亚，则每百基罗抽十法郎，如德意志则抽六马克，如奥匈联邦则抽七可朗（crone）半，如意大利则抽二十利拉（lire），葡萄牙则抽五特司（reis）等是也。

② 凡棉织物之类，其重量尺码不与税表所载相符者，则依从量税率之比例征收之。又从量税之单位若为担或为加伦，则其适用只限于未装包之时，若同一货物而以瓶以小罐以小包装就进口者，除未经特别规定者外，均按从价值百抽五课税。

③ 参见 1858 年《中英条约》第四十三款，《中美条约》第二十款，《中法条约》第十九款。

多之故，评价时往往发生争论。其尤为此问题所苦者，则为由日本输入之廉价杂货品。故于此有就条约之规定与实际之习惯略加说明之必要。凡依从价税制定之课税价格算定法有二种：第一条以出口地之运出或购入当时之趸卖市价为标准者；第二系以到达进口地时之趸卖市价为标准者是也。方今文明国家中采用第一法者唯一美国，其余各国皆采用第二法。① 至进口地之课税价格，在原则上虽概以出口地之原价加入装载运送保险等费用，即所谓 c.i.f. 价格为基础，然其间固不无商人以少报多及税吏估价不公之余地也。据 1902 年改正税率表附属税则观之，中国虽采用第二方法，而关于计算方法亦有应行注意者。该税则第二条云：

> Imports unenumerated in this Tariil will pay Duty at the rate of 5 per cent. ad valorem; and the value upon which Duty is to be calculated shall be the wholesale market value of the goods in local currency. This market value when converted into Haikwan Taels shall be considered to be 12 per cent higher than the amount upon which Duty is to be calculated.

依此规定，则算定课税价格之标准，并非由市价减去其 12%，而折算关平之市价，乃较课税价格多 12%者也。故须依下列烦杂之算法，方能算出课税之价格焉。

Market value in local currency × rate of exchange = Market value in Hk. Tls.

$$= \text{Duty paying value} + 12\%$$

Duty paying value = Hk. Tls. market value × 100 ÷ 112

此 12%究以何者为基础而算定者乎，据该税则之汉文云：

---

① Cf. *Foreign Import Duties*, Appendix.

所估之货应按该处市价为本,至市价银两即按平色为准,照此平色合足关平若干。惟此数系有值百抽五之税银并洋行经手各色 7 两之使费在内,自应在估价 112 两之数控除 12 两,方为货物起岸之实价,按每值百两抽税五两。①

观此可知以 5% 为进口税,以 7% 为各种使费也。

输入地之市价,不免时有变动,而调查市价、决定课税标准价格,属海关之权限,如彼埃及,价格之算定固不许商人干涉者也。② 然外人对于海关专断之估价亦不无争持之权利,税则于此为保护外人计,规定下列二种之方法。③

(一)报关前有交易情事者　此时报关人得提出善意之契约书(bona fide contract)于海关,以契约书之价格,作为市价之证据。④

(二)报关前无交易情事者　此时虽以海关之评价为原则,而报关人有不服时,得要求仲裁委员会裁决之。

---

① 上海海关为省略此种烦复之计算法起见,取上海两之市价,乘以十分之八,即为课税价格,此法略于商人有利。

② 埃及除烟草外,一切均课从价税,关于重要进口货,则由税关与有关系之商人协议,制定课税价格表。但因市价不免时有变动,此项价格表限于 12 个月以内有效,税关或商人得于期满 15 日以前,要求改正之。此项价格表登载政府官报。

③ 拟比利时之关税法,高人对于税关之评价有异议时,有要求专门家鉴定或使税关买收该货物之方法。中国曾于 1871 年《中日条约》第十二条有买收法之规定,但现今与各国所订各约,无此规定,故买收权唯对于华人行使之。

④ 税则第一条所称善意之契约,究指何种契约而言,文意甚为暧昧。中国进口货买卖契约,普通有四种,即(一)f.o.b.(二)c.i.f.(三)c.i.f.c.(四)ex-godown 是也。第一条所谓由契约书所载总数控除一成二分之规定,当仅限于第四种。今举上海海关对于上述四种契约之待遇法如下。:

(一)f.o.b.契约:此时于契约金额,加一成为运费保险费等项费用,作为课税价格。

(二)c.i.f.契约:此时即以之为课税价格。

(三)c.i.f.c.契约:此时控除契约金额之七分为商人之 commission,作为课税价格。

(四)ex-godown 契约:控除一成二分为税金等项费用,作为课税价格。但此一成二分之算定法,照注四(即本部分第四个注释——编者注)所记,以十分之八乘上海关之契约额。

除以上契约之外,如军器或机械类之契约,其买卖价值中,含有利息、吨费、技师旅费及报酬,以及契约当事人之法外 commission 等项在内,因此契约之价与原价不免大有差异。此种契约不得认为普通善意契约,应作为特别契约,予以特别待遇。又如专卖特许品或专卖药品等买卖契约中含有广告费手续费等项在内,此时市价与原价之差不止一二成,有多至十成、二十成者。遇此情形,海关与商人间评价时不免争议,此亦从价税之一弊也。

在第一种情形,更视其为 c.i.f. 与否,而待遇有所不同。若为 c.i.f. 之契约,则即以该契约所载之数目为课税价格;若为非 c.i.f. 之契约,则认定该契约书所载之总数目为市价,由此数控除前述之一成二分。其在第二种情形之仲裁委员会,如第九章第一项所说明,此为有国际性质之特殊制度,由三名委员中之多数意见裁决之。

以市价为课税价格之基础时,则各地各关市价不同,故当实行课税之际,常有不公平之事发生。尤以中国幅员广大、交通机关又不发达,币制十分紊乱又乏公定物价机关,其对于同一物所课之从价税而各地有不同者,盖势所难免也。若夫对于为供给同一地域而进口之同一货物,依出货地之情形而课税上有异同之分,此则不仅在进口商人为不公之处置,且使进口贸易依人工的方法由高税地转入低税地也。1916 年以来,海关为谋除此弊计,采用一种方法,即各地交换价格表(value list)方法是也。① 此法将全国各海关,大别之为七区,以哈尔滨、牛庄、天津、上海、汉口、广东、厦门七关为中心;中心关之验查长官,每四半期作成进出口货物价格表,分配所属各关;各关亦每期将各地价格表送交中心关,又关于货物之分类评价有疑虑时,得随时征询中心关之意见。② 盖此法之目的,在以最小费用谋各邻地间价格表之统一,其效果如何虽尚不可知,然至少在地方状况相等而运入同一货物之各区以内,课税价格可以接近,如往日不公平之课税法,当可以减除数分也。唯海关验查官之专门智识与研究力不足,有累及此计划之成功之缺点耳。③

又关于进口货之验查更有应行附记者,向来一切进口货之验查,本属海关

---

① 参见 I.G.Circ. 1914 年以来,牛庄、大连、安东三关之间,每年开验查官会议一次,以图三地价格表之统一,结果甚佳。总税务司遂以此法推行各地,惟因经费与人员之关系复杂实行之故,乃采用价格表通信交换法以代验查官会议。

② 七区所属海关如下:(一)哈尔滨区,爱珲,三姓,绥芬河,满州里,珲春,龙井村;(二)牛庄区,安东,大东沟,大连;(三)天津区,秦皇岛,芝罘,龙口,胶州;(四)上海区,南京,镇江,苏州,杭州,嘉兴,宁波,温州,芜湖;(五)汉口区,重庆,宜昌,万县,沙市,长沙,岳州,九江;(六)厦门区,三都澳,福州,汕头;(七)广东区,九龙,拱北,江门,三水,梧州,南宁,琼州,北海,蒙自,思茅,腾越,龙州。

③ 数年以来,上海、广东、汉口、天津等重要贸易地,虽于验查官之上设置鉴定官,然此亦仅将老练之验查官升进之而已,且其数少,尚未普及于各地。又自 1915 年以来,采用英人一名为织物专门鉴定官。

权限,然亦有限之人员验查无限之进口货,实际上确属不可能;且对于某种商品,若非有特别专门智识之人,又不能评定其价格者也。故海关随时保留其使报告人提出发票之权利,若遇可信托之时,则仅验货物之一部分,或采用免验之便法。至于依据发票或契约许可免验通关与否,则归各地海关总务课之外人决定之。至于享有此项特权者,虽以欧美商人为多,而日商之得均沾利益,则仅限于少数有信用之商会,多数日商均与华商相同,其发票并不足凭信,须受烦琐之查验。此种不公之事之所以发生,虽或因于日人占居海关要地者过少,与欧人待遇之不公所致;然亦因日商中奸商多有捏造报告,或利用伪发票之故而然者,此诚日商于对华贸易上所应注意之一事也。①②

第二节　出　口　税

一、出口税之意义

在昔关税被视为一种交通税之时代,出口税一项,即在欧洲各国,亦曾与通过税同时盛行;而自自由贸易思想勃兴之后,至前世纪中叶,则此项出口税殆已全废,其尚有对于极少数生产品而征取之者,唯俄罗斯、奥匈国、意大利、西班牙、瑞士、瑞典、挪威、罗马尼亚、希腊诸国而已。③ 欧洲各国之所以废止出口税者,盖因出口税徒减弱其本国货在外国市场之竞争力,又阻碍本国出口贸易故也。故现今出口税在关税政策上之地位,已不如进口税之被重视矣。虽然,出口税亦有不能一概排斥者,例如在下列各项情形时,亦有可以征课之

---

① 欲借发票免验者,其发票固应真实,且须用英文打字机誊写,俾能一见了然。又制造本废发票,本店与支店间之发票,均不能认作课税价格。发票等类书件之应正确明了,不仅于验货一事有利,且当课税上有争论发生时,亦有作重要证据之价值也。

② 在华日商捏造报告,伪作发票者之多,大受海关外人所非难。日商之报关者比欧美人较多,日商中奸商之多,亦势所难免。然欧美巨商中享有借发票通关之特权者,其捏造报告伪提发票之事亦在所必有,例如英商 Shanghai Dock and Engineering Co.漏税事件是也。虽彼等因多年来享有免验通关之特权之故,被发觉之事较少耳。

③ 英国已于 1845 年全废出口税,当 1901 年南亚战争之际,曾课石炭每吨出口税一先令。法国于 1857 年废除出口税,普鲁士于 1865 年废止出口税(唯褴褛出口税,至 1873 年犹存),奥匈于 1865 年除褴褛、兽皮、兽骨外,一切出口税均废止之。又南美、中美、阿非利加、菲律宾、海峡殖民地等处特产品之出口税,欧洲各国、坎拿大褴褛、木材、铁矿等出口税,均请参见 Grunzel, *Economic Protectionism*。

理由,此多数学者所共认也。①

（一）因本国出口货在世界市场中为独占的产物,而欲课税以增加国库之收入时;

（二）基于经济上及军事上之理由,有将某种特殊生产物保留于本国内之必要时;

（三）凶荒之年,为维持公安计预防特种产物之缺乏时;

（四）当关税战争之际,用为对抗敌国之报复手段时。

就第一种情形言,如伯拉西尔之咖啡、智利之硝石、古巴之烟草、意大利之硫磺,虽课以出口税,而其负担则可转嫁于外国消费者,故课税国得有关税收入之利益,而于贸易上又无影响也。但一遇有竞争品或代用品出现于市场时,此类出口税仍妨害出口贸易,此则不待言者也。在第二种情形,系以保留必要原料于国内为目的,虽为近来欧洲各国采用为新重商主义政策之手段,而其利害得失则须就各情形分别决定者也。又如第三、第四两种情形,乃系稀有之问题,此种出口税要不外一时权宜之计而已。故现今对于一切出口货均课出口税者,唯为财政上之必要所迫之劣等国耳。

中国之出口税与土耳其、波斯、旧日本、朝鲜相等,全以国库收入为目的,并非基于前述商政上之理由者也。中国在 19 世纪前半期时代,茶与丝之供给,在世界市上曾占有独占的地位,此时正与上述第一种情形适合,于出口贸易上不至有大不利。但今则丝业盛于日本,茶业则兴于印度,均中国之强敌也。故就丝、茶二宗而论,中国已失其征取出口税之理由,中国出口税之大有损于外国贸易,征之妨害出口贸易之增进,以及年年输入超过之事而甚明;但中国之所以不能废止者,一则由于财政上之窘迫,一则由于中国人尚未根本了解出口税之弊端也。

二、出口税率

出口税之始依值百抽五原则而协定为从量税率者,实与进口税同时规定

---

① Cf. Grunzel, *System der Handelspolitik*; Conrad, *Grundriss Zum Studium der Politischen Oekonomie.*

274

于 1843 年之《通商章程》中。此项税率仅依 1858 年之《通商章程》修正一次，尔后六十余年，继续沿用，实际上自 1894 年以来已降至值百抽五以下，今则除数种例外货物以外，一切均已减至值百抽二或值百抽三之程度矣。[①] 然此项出口税虽低，而与各国之力谋助长进口贸易，甚至发给出口奖励费，或敢于实行 dumping 者相比较，则中国对外贸易之政策，实逆反时代之趋势者也。唯近年来可认为中国政府觉悟之征候者亦有二事焉：其一为减少茶叶、麦秆、地席之出口税；其二为免除罐头果物、drawn thread works、laces、hair-nets、switchs 等物之出口税是也。[②]

其次关于出口税尚有奇异之规定，即上述 1858 年《通商章程》第一条进出口税率混用之条项是也。

Articles not enumerated in the list of exports, but enumerated in the list of imports, when exported will pay the amount of duty set against them in the list of imports; and similary, articles not enumerated in the list of imports, … will pay the amount of duty set against them in the list of exports.

Articles not enumerated in either list, nor in the list of duty-free goods, will pay an ad valorem duty of 5 per cent, calculated on their market value.

此次新定税则凡有货物仅载进口税则未载出口税则者遇有出口皆应照进口税则纳税，或仅有仅载出口税则未载进口税则者遇有进口亦皆照出口税则纳税。

倘有货物名目进出口税则均未赅载又不在免税之列者应该核估时价照值百抽五例征税。

据此条文，似乎缔约人之意，务欲多设从量税货而少设从价税货以期减少课税上之纷争者然。又如对香港贸易及陆路境界贸易，实际上进出口货当为同一种类，故上项规定对于此种情形当有多少便宜，但就关税税则言，此诚混

---

① Cf. *Customs Decennial Trade Reports*, Vol. II, p. 337, 1902—1911.

② 据 1858 年之出口税则，茶叶每担 2 两 5 钱，麦秆真田 7 钱，地席每 40 磅 1 卷 2 钱，至 1914 年 12 月以后，茶叶改为 1 两，麦秆与席之税减半。

用进出口贸易货之拙劣办法也。且由关税收入之点观之,适用从量税之货物可以增加,故亦不免有多大之损失焉。又对此规定而有一疑问者,即 1902 年进口税率改正之结果,如前述所适用出口税之进口税率,究应为新率或旧率是也。向来解释此疑问者有二说:一说此为新进口税表之税率,一说此仍为旧进口税表之税率。然予以为二说皆误也,夫《通商章程》第一条第一项规定进出口税率混用之拙劣,姑置不论;而本条之规定,仅能适用该章程所载之税表,固不待言者。故进口税率既经改定,其无混用已废旧税率之理由也明矣。又新进口税率,非经特别规定,当然亦不能混用于出口货方面。故该章程第一条税率混用之规定,与 1902 年进出口税率之改正同时失其效力,其尚有发生效力者,仅限于不适用新进口税率之陆路贸易之特别地域而已。而中政府对此意见不一,据现今各地海关用为出口税表之税率表①观之,系依前述之第二说,仍认定 1858 年进出口税之混用,例如按照该入口税表将该出口税表所未载之中国纱之税率,定为每担 7 钱是也。然而中政府自 1916 年以来,又将 1858 年税则上规定无税之木炭及薪束,按照新进口税表将木炭每担之出口税定为 3 分,薪束定为 1 分,似又依据前述第一说之解释者然。② 无论如何,均不免违背条约,而尤以将无出口税货物作为有税货物,且任意适用进口税率一事,直可谓为暴举。③ 虽华纱在今日尚未输出外国,薪炭尚非重要出口货,不至引起世人注意,而其为违反条约则无以异也。

---

① Cf. *General Tariff of 1858 for the Trade of China*, 5th Issue(1911).

② Cf. I.G. Circ., No. 2290 of 1914; No. 2422 of 1915; No. 2592 of 1916.

③ 进出口税须经协定之旨趣,在禁止中政府课税至税率以上,但减低至税率以下或竟免税,则听其自便。

第三章　内部关税

第一节　概　说

中国外部关税受条约上之束缚,进出口税均系以值百抽五为原则之财政的关税,故其税则亦非常简单。内部关税则反是,其关系甚为复杂。今于说明其内容之先,特就内部关税之性质及其所包括之税项,说明其大致之观念于次。

外部关税系对外国贸易征课之关税,内部关税系对国内贸易征课之关税。换言之,内部关税者,即对于在国内水路交通要道出入通行之货物而征取之一切移出入税、通过税、入市税等之总称也。近代文明各国,因此种课税法妨害货物流通之自由,殆已完全废除,而在中世欧洲各国尚未成为统一的国家之时代,各洲各地则均无不以此种收入作为主要之财源者也。中国政治上与财政上之制度,尚有未曾脱离中世的制度者,故有实行此种税制之必要也。盖中国自古虽称统一之国家,但自财政上观之,各省今尚在半独立国之状态,且各省之中又有道与县之行政区划,殆皆有独立自主之财政组织。是亦中国内部关税制度所以大形发达之一因也。其次中国官府权力薄弱,不敢实行新设直接税,常以增课间接税中最易征收之关税以为便。增加军队也,改良警察也,增设学校也,凡遇有增税之必要时,各地均无不求财源于关税,遂使内部关税制度愈趋而愈繁。欧洲之法、奥、意及巴尔干诸邦之都市,今虽有 Octrois 之存在,东亚各后进国今虽亦有某项内国关税之存在,而其内容之普遍与烦苛则未有如中国内部关税之甚者也。

然则中国内部关税制度之内容之性质果如何乎? 其种类之繁多,其征税法之烦琐,即中国政府之当局者亦不能明确解答者也。局外人欲窥知其底蕴,实最难而且不可能之事,予今兹仅大别之为次列之两种而观察之。

第一,受条约上之限制者。此种关税,其税率由条约规定,其赋课征收由海关管理之,更得分为下列二种:

(一)沿岸移出入税,凡用外国式船舶装载从一通商地运至他通商地之本国货均赋课之。

(二)子口税,不分水路陆路,凡于通商地与内地或内地与通商地间输运之外国贸易货物(外国进口货及内国出口货)均赋课之。

第二,依国内法规定者。此种关税又分为常关税与厘金税两种。而其税率与课税法,各地均不相同,又同一性质之税种,亦有因地方而异其名称者。中国政府自《南京条约》以来,虽曾数次对各国约定公布其税率与课税规则,卒未见诸实行。如《中英天津条约》第二十八条,1898 年内《河航行章程》第七条,同补续章程第八条,虽经规定应将有关系各地之税则公布;而地方官则不肯实行调查,难欤,怠慢欤,或虑及利害关系欤,均未履行此等条约,列国亦不加深究,徒诉称内地税局之弊害而已。① 又如收入一项究达几何,除海关所管理之常关税随同海关税公布以外,全国各地之实征额,全属不可知之数。民国成立以来,政府虽曾将收入列载于预算表之中,然岁计预算之为物,未能一次实行,政府公布之数字固无征信之价值,比之全国各地之实征额固有天壤之别也。②

以上两种内部关税之中,第一种由海关征收,并记于海关贸易统计,故在制度上包含于海关税之内。通俗所知为内国关税者,系指第二种关税而言者也。而第二种关税中所谓常关税与厘金税究应依何种标准区别,予以为可由沿革上、税率上、位置上、管辖上之四点观察之。

---

① 1898 年 7 月之《内港航行章程》第七条云:If such steamers have vessels in tow, they must bring to at whatever Likin stations the vessels towed are required to stop at, for inspection and for the respective cargoes of both vessels to be dealt with as local rules prescribe. The rules to be employed on foreign merchants must be in accordance with treaty provisions and as well be published in full by the Customs. 又是年 9 月补续章程第八条补正此点云:As regards the publication of the rules and regulations in force at the several place where dues and duties payable, referred to in rule 7, it is understood that the publication is to take place before the end of the Chinese year. 但虽经如此规定,亦未见诸实行。

② 民国六年,财政部明令各省财政厅、各地常关监督、京师税务监督,规定整理税务办法六条,命将各局卡收入之明细数目,造册报部,并详细报告内地关税各项之税率及附加税率。但此亦未见实行,徒成具文而已。

（一）沿革上之区别。常关税系周代以后存续之关津制度之发达者，最古之关税也。而厘金税则始于1850年洪杨倡乱之时，最初采用为战时税，战后遂普及于全国各地。最新之关税也。

（二）税率上之区别。现行常关税之根本税率系前清户部及工部依照皇谕颁行者，其实际上之税率虽因各地增征附加税手续费之故，不尽相同；而就制度言之，则有全国略相类似之税则。且近年来政府亦曾屡次发布命令以谋税率之统一焉。然厘金税则反是，自始即以各地异其税率为原则，其间并无统一之点。而常关税与厘金税二者，若就一地方论之，则前者重于后者以为常，唯厘局多于常关，货物通行远距离时，则厘金税不免超过常关税焉。

（三）位置上之区别。常关多设立于水上交通要路，厘局则多设于陆上交通要路。故有对海关称常关税为河关税，称厘金税为陆关税，而以水陆分别者。此说之谬误，已于本编第一章注一论之，如陆路亦有常关，河路亦有厘局，交通要衢、商业中心之都市中常关厘局并设，是其明证也。

（四）管辖上之区别。常关直辖中央财政部，由中央派遣监督管理之；厘局则分辖于各省，其税吏亦由各省财政厅监督之。故前者有国税之性质，后者有地方税之性质。数年以前，民国政府虽基于整理财政之见地，曾分之为全国租税为国税与地方税，将厘税亦编入国税中；然在财政组织未根本改革之今日，岁计上依然未废各省分担之主义，徒模仿文明国税制而分国税与地方税之别，毕竟徒劳无补也。且厘金税依然归地方征收，作为地方经费，实质上其为地方税无疑。

要而言之，常关税、厘金税云者，均系对于出入通行之货物而赋课之关税，其本质实无可以区别之根据；唯就制度上观之，可视常关税为国家的内部关税，厘金税为地方的内部关税耳。然则《中英 Mackay 条约》规定裁撤厘金税而许容常关税之存在者，全由于不谙内部关税之意义之故，其以裁厘代增进口税者，谬之至也。

第二节　沿岸移出入税

一、移出入税之意义

用外国式船舶贩运内国货之沿岸贸易，归海关所管理，出口时课出口税，进口时课复进口半税。① 前者之税率与外部关税之出口税同,后者之税率为前者之半。即此种关税,对于出口货物,不分贸易之内外,均课同一之税,其税名亦单称出口税,海关贸易统计中亦一并记载之。② 又对于沿岸移入货物征课之关税,既非进口税,亦非出口税,乃作为一种特别关税揭载之。予今兹基于中国关税内外各别之见地,为明了此中国系起见,特借用日韩贸易上所用移出入税之名称,称沿岸出口税为移出税,称沿岸进口税为移入税,以免关税性质因用语夹杂至生误解焉。

二、移出入税与沿岸贸易权

沿岸移出入税为内部关税之一种,故对此虽适用任何课税法,本应属于中政府权限以内。然至今受条约之束缚者,其故何在? 此问题盖与外人所有沿岸贸易权之发生有密切之关系。何以言之,外部关税之限制,虽以防止中政府不当之课税,保护外国贸易之进出口货为目的,而沿岸移出入税之限制则异于是,此盖以保护外国船之沿岸贸易权为目的者也。

外人在中国之沿岸贸易权,系由海通以后自然发生之习惯而来者也。《南京条约》对于沿岸贸易权,并无若何之规定,而海通之初,沿岸交通处最危险之状态中,使用中国船比使用外国船较为安全,故中国政府因此种关系,殆默认外国船有无制限之沿岸贸易权。③ 此种贸易权不仅为有条约国之船舶所享有,即直接于对华贸易无关系且无条约国之船舶亦得均沾之。④ 甚至扩张及于非通商地,地方官因其于自身之收入有利之故,亦习以为常。⑤ 故当《天津条约》缔结之时,仅规定外国船舶得于一通商地卸下其所载货物一部之后,再输送其余货于他港(《中美条约》第十九款,《中法条约》第二十四款),及禁

---

① 外人所雇用之中国式帆船,即所谓 chartered junks 者,若经一定手续,亦得与外国式船舶受同一待遇,但其数极少。

② 全部出口税中,向外国出口之税应占几何,沿岸移出税应占几何,略可由移入税推算之。海关贸易统计年报虽亦以此法分配税额,惟不甚精确耳。

③ Cf. Morse, *International Relations*, p. 568.

④ 1850 年至 1860 年间,Hanse Towns 及 Scandinavia 诸国之小船队,活动于中国沿岸者多,故 Elbe、Weser、Baltic 沿岸之小船主,因此获得莫大之利益。

⑤ 汕头、温州、南关、泉州等地,《南京条约》本规定为非通商地,然外国船出入此等地方者多,且英国军舰时游弋于沿岸,以扫荡海贼,保护商船。

止外国船在非通商地贸易为止(《中英条约》第四十七款),而对于沿岸贸易权,则无何等限制之条项,仍依向来习惯默认其为外人已得之权利也。至关于课税方法,外国货在沿岸移出移入时,仅课一进口税为止,又内国货在沿岸移出时,与对外输出者一律待遇,以期关税收入之增加;内国货移入时,或与外国货之再进口者等,作为无税,或与用中国式船舶装载之移入货物一律课税,或有收贿之情弊等等,课税方法盖因地而异者也。以如此不统一之课税方法,既有损于关税收入,又危及正当之外国商人之沿岸贸易,故中国政府于外人管理海关时,依总税务司之意见,于1861年制定沿岸贸易法,公认外人之沿岸贸易权,而将其课税方法统一之。①

三、移出入税在条约上所受之限制

如上所述,条约以外,因习惯发生之沿岸贸易权与国法上所规定之课税法二者,其插入于通商条约上之规定,实始于1863年之《中丹条约》。该约第四十四款云:

"丹国商民沿海议定通商各口载运土货约准出口,先纳正税,复进他口,再纳半税后欲复运他口,以一年为期,准向该关取给半税存票,不复更纳正税,嗣到改运之口,再行照纳半税。"

因此外人在华之沿岸贸易权予以确保,其后与各国间所缔之约,大致均有同一之规定。故中政府无论发生何种财政上之必要,而对于外人使用外国式船舶之沿岸移出入税,无变更税率之权,其得实行增税者,唯本国帆船之沿岸贸易而已。故其结果遂至于促速帆船贸易之衰落,增加各地帆船贸易业者之困难也。② 此种弊害即能忍受,而与外人以无限制之沿岸贸易权,徒困国人航

---

① Cf.*Regulations rel.to Transit Dues*,*Exemption Certificate*,*and Coast Trade*,1861.当时制定沿岸贸易规则之理由,表面上本期于中外船舶间为同一之课税,谋担负之公平,而实际上则因海关税总收入中有五分之一充偿还英法两国赔款之用,故谋得与赔款无关系之他种关税收入,此应注意者也。(Cf.I.G.Circ.,Nos. 2-8 of 1861)

② 中日战役以前,中国帆船之沿岸出入税,比轮船之沿岸移出入税,其税率为更轻,外国轮船业者因此种差别之课税阻碍沿岸贸易之自然的发达故常有不平之鸣。(Cf.Letter from Messrs. Jardine,Matheson & Co.to the Commissioner of Customs,Shanghai)然战后迫于财政上之必要,帆船贸易税率愈益增加,而轮船贸易之税率不变,两者地位,遂至互相倒置。费数千金建筑之帆船,所以多朽腐于海滨者以此。

业之发展,致不能对抗外国船舶有力之竞争,此与税权之束缚相对,国民经济上之不利实不少也。此中国今日之轮船公司所以除一招商局外而无足数也。

第三节 子 口 税

一、子口税之意义

所谓子口税(transit duty)者,乃系海关征收之一种特殊关税,为免除商埠与内地间往来之外国贸易货物之种种内部关税而赋课者也。其目的在于保护外国贸易,而国内流通之土货之保护不与焉。① 本来商人贩运外国进口货与出口货者,其愿于各地纳各种烦苛之内地税,或愿向商埠之海关纳一子税,本有自由选择之权,而普通则多承认纳子税为有利。对于此层,1896 年之《中日通商条约》曾于日文用"抵代税",于英文用 commutation tax 之字句,似乎名称其实,然有一缺点,即所抵代者究抵代何税是也。② 又子口税之文字,据字义上解释之,子口即内地关卡(inland barriers),是即内地关卡税之意,而英文条约所载之 transit duty 或 transit dues,仅为通商税之意,有不适于表明此税本意之嫌。③ 惟子口税之名称,久已通用,且其文字之奇异,又足以使人联想此税之特别性质,故予亦用前述之意义,使用此名称焉。

二、子口税制之由来

子口税为现今世界最奇异之关税,其规定于约章中者,实始于 1858 年之《中英天津条约》。以前《南京条约》关于内地通过税虽有所规定,次年中英间虽更有特别之规定,然其税率仅限制中政府不得超过旧有之税额为止,并无如

---

① 子口税之特权,不及于输运于在国内运销各地之土货。日人之反对中国增税,误解子口税,与沿岸贸易之移入税相混同,殊不知土货出口时之子口税,其税率虽与沿岸移入税相等,而其种类则彼此完全有别,此宜注意者也。

② 参见《中日通商条约》第十一十二款。

③ Cf.Giles,*Chinese-English Dictionary*.一说"关"乃指户部则例所揭载之税关而言,"卡"指《江宁条约》以后增设之税局、厘局、分局检查所等而言,即新 barriers 之意。然《江宁条约》以前,关以外未尝无课通过税之税局,而户部则例所无之税局亦多存于各地,落地税局即其一例也。

今日之抵代一切内地税之 commutation tax 之意。① 至此时所称之内地税究由何种税项而成，其税率究为若干，外人不得而知，且其制限仅限于外国进口货，而出口货不与焉，故条约上限制内地税之规定，事实上并无效力。当时中国政府既不了解条约，又无遵守之诚意，因迫于财政上之必要，乘条约上对于内地税之规定不严，乃对洋货为无限制之加税，尤以厘税创设以后，默许地方官任意课征，进出口贸易因而大受其阻碍。② 《中英天津条约》之缔约人所以将子口税之限制列为条约中之一款者，盖欲扫除此弊也。该约第二十八条云：

...it is agreed that within four months from the signing of this Treaty, at all ports now open to British trade, and within a similar period at all ports that may hereafter be opened, the authority appointed to superintend the collection of duties shall be obliged, upon application of the Consul, to declare the amount of duties leviable on produce between the place of production and the Port of Shipment, and upon Imports between the Consular Port in question and the inland markets named by the Consul; and that a notification thereof shall be published in English and Chinese for general information.

But it shall be at the option of any British subject, desiring to convey produce purchased inland to a port, or to convey imports from a port to an inland market, to clear his goods of all transit duties, by payment of a single charge. The amount of this charge shall be leviable on exports at the first barrier they

---

① 《南京条约》第十条曾规定若干率之 transit duties，次年中英之议定书中，又限制为 present rates on a moderate scale 之通过税。关于此层，太平、关外二关对于广东与北方各省间往来货物之课税率，曾经揭载于 1844 年 2 月 20 日之香港政府告示中，但其后逐年增征，遂至违反条约之规定。又海关税厘金税之外，中国之内地税究由若干种类而成，此问题据 1878 年德国公使 M. v. Brandt 根据大清会典综合而成之解说观之，内地税可大别为下列两种。

（一）属于工部之税：(1)木税；(2)苇税；(3)商税；(4)货税。
（二）属于户部之税：(5)田赋；(6)漕运；(7)盐课；(8)茶税；(9)参税；(10)矿税；(11)关税。
而关税中又有 (a) 货物正税，(b) 船税，(c) 船规之三种。此外未经户部揭载而由地方征课之税，则有 (d) 落地税，(e) 商税，(f) 京城铺税，(g) 杂税，(h) 蚕茧税，(i) 鱼课，(j) 当税，(k) 牙税，(l) 矿锐之九种。由此可知内地税在厘税未发生以前，已极复杂，事实上依关税形式课征之税，已有十数种之多。

② Cf. Oliphant, *Lord Elgin's Mission.*

may have to pass, or, on imports, at the port at which they are landed; and on payment thereof, a certificate shall be issued, which shall exempt the goods from all further inland charges whatsoever.

It is further agreed, that the amount of this charge shall be calculated, as nearly as possible, at the rate of two and a half per cent. ad valorem, and that it shall be fixed for each article at the Conference to be held at Shanghai for the revision of the tariff.

现定立约之后，或在现通商各口，或在日后新开口岸，限 4 个月为期，各领事官备文，移各关监督务以路所经处，应纳税银实数明晰照复彼此，出示晓布，自国商民均得通悉。

惟有英商已在内地买货欲运赴口下载，或在口有洋货欲进售内地，倘愿一次纳税免各子口征收纷繁，则准照行此一次之课，其内地货则在路上首经之子口输交，洋货则在海口完纳，给票为他子口毫不另征之据。

所征若干综，算货价为率，每百两 100 征银 2 两 5 钱，俟在上海彼此派员商酌重修税则时，亦可将各货分别种式应纳之数议定。①

约言之，此项规定即为对于内地税之赋课以保护外国贸易，采用下列两种方法，使英商对于内地税与子口税二者有选择之权是也。

（一）使中国官吏公布通商口岸与内地市场间之内地税课税额。

（二）英商认为于己有利时，得依值百两抽二两五钱之率，纳税一次以免一切内地税；此项税课，若为进口货时则完纳于海关，若为出口货则完纳于途次首经之子口。

关于子口税最初之规定，其简单明了如此。然《天津条约》以后所缔之《中英通商章程》第七条，则取消前述公布内地税额之第一项，变为纳子口税之第二项，而出口货与进口货相等，均完纳子税于出口地之海关。第一项之变更，或由于各地海关监督不能公布内地税额之故，而外人则因此缺乏了解内地额之种类与税率之机会，致不能活用第二项之纳税选择权。至第二项之变更，

---

① 英文文字后面的这三个段落原文无标点符号，标点符号系编者所加。——编者注

或似乎于外人有利,而地方官之收入致被海关(即中央政府)之收入所吸收,甚至惹起地方官对于子口税之反对或妨害。要之,由此二点观之,可谓《通商章程》实将《天津条约》子口税之规定弄坏,后来子口税制之种种弊害,大致由此产生者也。① 然以后所缔结之各国通商条约中,关于子口税之规定,悉依据此《通商章程》第七条,并未改善。故现行子口税制度,系以此章程为基础,其次则依照 1861 年及 1898 年之子口税规则而定者也。②

三、子口税制之要点

子口税制因进口洋货与出口土货之两方面,得分为内外两种;第一种以保护通商口岸与内地市场间进口货之运送为目的,第二种以保护内地市场与通商口岸间出口货之运送为目的。今综合关于子口税制之各种现行规则,述其大要于次。

(一)进口货子口税制度(inward transit pass system)。

(1)进口货子口税之特权,惟进口洋货得享有之,不问其货主为华商或外商。③

(2)税率为进口税率之半,若系从价课税货物及进口无税货物(除金银块货币手提包)时,每值百两抽二两五钱。

(3)凡欲纳子口税贩运进口货于内地者,须将货物之性质、数量,进口船名、送达地点,及其他必要事项,详细申报于进口之海关。

(4)海关验货征收子税以后,发给子口税单(即运洋货入内地之税单 inward transit pass)。④

---

① Cf.Beresford,op.cit.,p.394.

② Cf.Mayers,*Treaties*,p.217;Beresford,op.cit.,pp.395-396;I.G.Circ.,No.815 of 1898.

③ 土货之经过香港而由一口输送他口时,亦作为洋货课税,故亦得享有子口税之特权。但为其与洋货区别之故,对于此种货物之子口税单中,注印"外洋某处运来"字样,一面防止内地税之偷漏,一面便于内地税局之验查。又不经海关而以帆船载运通商口岸之洋货,当然不能享有子口税之特权。

④ 关于进口货物请求发行子口税单之期限,并无限制,亦不须原包装载,只需能证明其为进口货,海关不能拒不发行税单。(Cf.I.G.Circ.,No.666 of 1894)至于天津,则先由海关发给税单,货物之验查,由常关之分局行之。此在商人虽为一便法,但常关验货时每一子口税单征四角之手续费(stamping fees),此系违反条约者也。外国商人中对此亦有抗议者,惟因为数过少,且以其验查之便,遂亦默认之。盖他口之子口税货物,概由海关查验,货物之运费且不止四角之数也。

285

（5）货物之所有人或其代理人须将此单呈送沿途各税请其验货，税局不征手续费。

（6）子口税货物至税单内指定之地点，无时期之制限，或由水路，或由陆路，均听商人自便；又沿途卖去其一部或全部，亦无妨害，但贩卖其一部时，须报告附近税局，请于子口税单上记入其数量。①②

（7）子口税单货物全部售罄或到达其指定地点时，须将税单缴还附近税局，请求取消。

（二）出口货子口税制度（outward transit pass system）。

（1）出口货子口税之特权，惟对外出口土货取得享有之，不问其货主为华商或外商。③

（2）税率为出口税率之半，若系从价课税货物及出口无税货物（除金银块货币手提包）时，每值百两抽二两五钱。

（3）凡欲纳子口税装运货物出口者，如系外国人则须经由领事，如系华人则须经由税务司，向海关监督领取三联单（即买土货之报单 transit pass memorandum）。④

（4）该项商人或其代理人持三联单赴内地买出货物之后，须将其货名、数量、购入地点、出口地名等事记明，提出于途中首经之税局。税局检查之后，将三联单换给运照（conveyance certificate）。

---

① 子口税单之有效期间，条约上并无限制，1880 年《中法条约》第七款虽有限期 13 个月之规定，而他国则无受此项拘束之理由。

② 沿途贩卖，本为条约所不许，其后 1897 年经德使 Heyking 之要求，中政府遂亦允许之。（Cf.I.G.Circ., No. 815 of 1898.）

③ 出口货课子口税之特权，限于条约上外人所买进之货物。因此华人借用外人名义者多，外人亦有将三联单卖给华人者。中国政府为除此弊见，采总税务司意见，遂于 1896 年许中国人亦得享此项子口税之特权。此乃当然之事，贸易上设内外人之别，置本国人民于比外人不利之地位，愚之至也。中政府所见不及此者垂四十年，乃一方诛求本国人民，一方叹外人滥用子口税制，其矛盾固可怜矣。

④ 三联单发行之手续，各地有宽严之别。据条约所规定，海关监督依领事请求发给无费之空白联单，商人购货后，按照格式记入，提出于第一税局（见 1858 年《中英通商章程》第七款，1861 年子口税规则第二条）。但有等地方为防止滥用子口税制起见，使商人具保状；其最严者称为（镇江制度），于未发三联单之前，使商人提出保状于海关，具明违反子口税规则时甘愿罚税六倍。如安东海关更进一步，须交存于子口税之六倍相当之票据于海关。

（5）运照之货物不许中途贩卖，商人经过各税局时，均须呈示运照，听候验货；及抵最后之税局即距出口口岸最近之税局时，须呈报于海关。[1]

（6）海关按照运照所载货物征收子口税之后，许其进入出口地。

（7）纳完子口税之货物，须于一定期间内出口，出口时再行验查，课出口税。[2]

观以上之规定，可知进口货与出口货两者间，手续大有差异，进口货一方面虽极简单，而出口货方面则颇为复杂。盖因进口货之子口税须于运售内地以前完纳，持有税单为保护，出口货之方面则不然，该货物须俟运至出口口岸附近时始纳子口税，其以前所持以保护货物之三联单或运照，实际上仅一纳税约束手形而已。[3] 故若于中途贩卖出口货物以图免纳各种内地税，或纳子口税而不输出国外时，则此类货物即不啻比他种土货少纳内地税矣。故由中政府之收入上观之，对于发行三联单一事，实有采用保证制度以谋防止漏税之必要。此近年来新开商埠于发行三联单时所以多采用保证制度也。但此种办法并非根据条约而定，故欲适用于外人，须得各国领事之承认。1910 年，天津海关监督，欲于天津采用保证制度，曾与各国领事协商，领事团一致拒绝，谓此未经条约规定。且中国官吏既不自遵守关于子口税条约之义务，对于子口税货物往往有抑留勒索情事，今乃强外人以保证制度，实不当之要求也。此在外人固属当然之处置，海关监督既无防止内地税局非法课税之能力，又不负赔偿外商此项损失之责任，是对于子口税制度之运用并未加以保障也。而犹要求外商遵行保证制度，虽谓之违反条约可也。又如日本领事者，对于安东关发三联单须预交六

---

① 税局亦有不发运照而发给一联之三联单者，其第二联存于本局，第三联送还于发行之海关。又三联单之有效期间，条约上未曾规定，天津英商 Wilson & Co.曾于光绪十六年使用 12 年以前即光绪四年所发行之羊毛三联单，于是发生一问题。其结果，总理衙门遂于 1890 年与各国公使商定，按照各地状况，由海关与各国领事协定其有效期间。其最宽大者为天津、甘肃、新疆、乌里雅苏台等处定为三年，山东、山西、河南、陕西、奉天、黑龙江、吉林、库伦、哈克图、内蒙古、乌公旗等处定为二年，直隶定为一年，但遇有"不可抗力"之时，地方官须特别许其延期。（Cf.I.G. Circ., No. 816 of 1898）

② 据 1896 年《中日条约》第十二款，纳子口税之货物，须在纳税后 12 个月以内输出于外国。各地虽不一致，而普通则均定为一年。

③ 出口货之子口税，虽于货物运至出口附近之地点完纳，而纳税义务，则于在内地以三联单换运照开始运送货物时发生。故中途虽遇有失漏、被盗、损害情事，而商人则须照运照所载货物纳税，此中政府之见解也。（Cf. I.G.Circ., No. 1916 of 1912）

倍罚税之手票之办法,似乎与以默认者然,是无异使日人负条约以外之义务也。

四、中政府关于子口税之见解

子口税制度设立之旨趣,原期以一次之纳税以免各子口征收之纷繁,俾便于外国贸易之流通,然由反面观之,即不啻将地方财源移作中央政府之收入也。故地方税局及地方官吏,雅不喜此种制度之发达,其欲直接间接对子口税货物为不当之课税者,在所难免也。此种不当之赋课,可大别为二。第一系于子口税货物通过之税局课取之税吏之私的杂赋,第二系于子口税货物之消费地或生产地课征之税局之公的杂赋。第一种杂课,违反条约,虽为中政府所禁,而实际不历行之处亦多。此系中国一般税制之通弊,官纪之紊乱,固非慢性的中国政府所能容易祛除也。第二种杂课经政府所公认,此种弊端系因对于子口税制之根本的见解之谬误而生。中国政府之见解,以为进口货子口单系免纳通商口岸与内地指定地点间之各种通过税,出口货子口单(运照)为免纳购货地与通商口岸间之各种通过税,在前者系于进口货运达指定地点以前许地方税局以课税权,在后者系于出口货未经外人购买以前许地方税局以课税权者也。① 即前者依落地税、销场税等名目征收各种内地税,后者依出产税等名目征收各种内地税之地方不少。英国政府对于上述之见解虽表同意,而在华英人常表示反对,其后英政府亦变更其态度焉。②

---

① Cf.I.G.Circ., No. 14 of 1873;No. 512 of 1890;Tsungli Yamen's Circular Letter to Chinese Mininsters Abroad,March 1878;Hart, *These from the Land of Sinim*, pp. 171-181.又光绪二十二年五月二十一日总理衙门关于机械制造品之课税法之上奏文有一节云:"溯查洋商贩运洋货进口,大率每值百两征收正税五两,运入内地再交子口税二两五钱。洋商请领三联单入内地采买土货,完纳出口正税外,再纳子口半税,即允装运出口。是洋货贩运货物无论进口出口,均以一正税一子口税为断,而于土货未入洋商手之先,洋货既入华商手之后,均须完纳厘金,以补税课之不足"云云,此即公然以种种名目赋课厘金为言者也。

② 英国商务院(Board of Trade)于 1869 年关于进口税之子口税制通告其意见于外务部云:

All that Her Majesty's Government can claim in this respect appearsthat the importer... shall have the right to send goods to any internal market which he may select,free from any other charge than the customs duty on importation,and the stipulated transit duty;but that both at the port and at the internal market,when once the goods have passed out of his hands,they must take their chance in common with native goods,and bear whatever impositions the rapacity or necessities of Chinese administration may inflict.(Despatch of Board of Trade to the Foreign Office,May 19th 1869).

　　然则条约上关于子口税之规定,果能容纳中国方面之见解否耶? 据前述最初规定子口税之《中英条约》第二十八条观之,已说明子口税货物得免除一切税课(all further charges whatsoever),汉文条约中亦曾使用"一次纳税免各子口征收纷繁……他子口毫不另征"之文字。① 又与《中英条约》同年缔结之《中美通商条约》第七条款亦有"The transit dues on merchandise shall be levied once for all,no others shall be demanded after they have been paid"之文句。尤以1896年之《中日通商条约》第十一条,或阐明此种关系起见,规定一经纳抵代税之进口货得免除一切内地税;又第十二条规定纳抵代税之出口货,除完出口税以外,各地之税金赋课金、手续费、厘金种种税项均免除之。由此观之,列国之条约,其以子口税免除一切纷杂之内地税也明矣。若如中国政府之见解与阴险之税制,无论其迫于财政上之必要,又无论其将直接之负担加于中国人,此不仅违反条约,且亦大悖协定关税之精神也。

五、子口税制改良之方策

　　有一部分学者,对于上述之弊端过于认真,谓子口税制度完全失败,而子口税货物比他种货物,结果多负子口税之税额云云。然据予之实验,此不过对于某地方局部之弊端所下之臆断而已。由中国全部观察之,虽有多少弊害,而外国所受子口税之利益亦不少,此不可否定者也。且子口税之存在,间接即有牵制增课内地税之作用。何以言之? 盖纳子口税与纳内地税二者系由外人自由选择,内地税若过于苛取,则商人之利用子口税者必骤见增加,地方之收入必因而减少,故地方官之增加内地税必不能超过一定限度以上也。至于纳子

　　当时有攻击外务部之对华方针为商务院所左右者,故是时之驻华公使与领事,因外务部态度软弱之故,不能充分保护英商之权利,遂使子口税之弊害愈益增加。如上海英人之China Association,当英国联合商会特派员 Berresford 来游之际,曾提长篇之决议书,攻击本国政府之态度(Cf.Berresford,op.cit.,pp.88-90)。英国态度自 MacDonald 之公使时代为始,对于此层,即与法国政府同取强硬之态度。

　　①　《天津条约》之缔约人 Elgin 于1858年致外务省公文中说明子口税云:"A sum in the name of transit duty which will free goods,whether export or import to pass between port of shipment or entry to or from any part of China without further charge of toll,octroi,or tax of any description whatsoever." 又云:"I have always thought that the remedy(against arbitrary inland taxation)was to be sought in the substitution of one fixed payment for the present irregular levies."

口税与纳内地税二者孰为有利,此须按照各地情形比较担负之轻重方能决定。除极短距离之输运以外,大致以纳子口税为有益。

于对华贸易上既承认子口税制度之必要,则不得不讲求方法,祛除弊窦以副条约之精神。从来对于此点提议者亦有二三件,但或则未触及问题之根本,或则难以见诸实行,均有缺点。①② 予特开陈私见,提议子口税制改良之方策如下。

(一)将子口税收入移为各省收入。子口税所抵代之各种内地税,原属地方政府之收入,故1858年之《上海通商章程》将其收入吸收于中央政府者,实不合中国财政组织之原则者也。子口税之诸弊,大致根据此理由而生,盖如前所述,实因地方官吏为自身利害关系计,阻害其圆滑之运用也。欲除此弊,子口税仍可由各地海关征收,但其收入则须由海关划交地方政府,而以使地方官切实厉行子口税制度并负完全之责任。

(二)设立关于子口税之特别法庭。内地税局对于子口税货物留难勒索,中外商人不胜其苦,为裁决此类事件计,须使各通商口岸之领事、税务司及省长代表组织会审法庭(Mixed Court of Inquiry),审查案情,严罚不正税吏,商人所受之损失则由子口税收入中赔偿之。

《天津条约》之缔约人,不仅束缚中国外部关税之主权,即对于内部关税而亦束缚之,其所以然之故,盖在于谋外国贸易之安全发达,其方法固甚善也。然为确保外部关税之统一的课税法计,则采用外人管理海关之制度,而对于内部关税之子口税则不讲求遵守条约上各种规定之方法,诚可谓一大缺点也。

---

① 据1869年《中英Alcock条约草案》第三条,凡棉布、麻布、棉毛混织物等重要进口货,均与进口税同时课子口税,其后一切之内地税免除之;又据第四条,出口货虽于内地课种种内地税,但出口时若其所纳之税超过子口税即从价百抽二点五之税额,则由海关返还之。又1876年赫德之提议亦与此相似,重要进出口货之子口税,与进出口税同时征收,至此项货物流通于内地时则不给子口单,唯以其为洋货之故,免得除各种之税课。然此类提议,均不过以中国之利益为主,而对于内地税吏之诛求,并未讲求预防之方法。英政府之不批准Alcock条约者,盖当然也。

② 英商之间有一部分人,谓内地厘局对于子口税货物如有留难苛征情事,应由地方道台负责,而与领事以取缔罚金之权利,其罚金须交付海关;如此,则北京政府为增加其收入计,应实行追索罚款,道台为收回其已纳之罚金计,则应努力检举枉法税吏而处罚之。(Cf.Beresford,op.cit.,pp.399—400)此无理之暴论也。何以言之?盖外国领事课独立国官吏以罚金,法理上无此根据,而中政府亦无忍受此种屈辱之理由也。

补救此缺点之方法,一方面须不损中国政府之主权,一方面须不遗外国领事以烦累,故予信予之提议作为内部关税之间接的监督法,适得其当。

第四节 常 关 税

一、常关税之意义

常关税为中国固有之最古的内国关税,其性质如何,可比较之于海关税与厘金税而得其大体之观念焉。即海关税以课征轮船贸易为主而常关税以课征帆船贸易为主,厘金税为地方的关税而常关税为国家的关税是也。然就其为内国关税之本质言,则与沿岸移出入税及厘金税等无以异,惟以其由常关(Regular or Native Customs)征收之故,故称常关而已。至谓常关究为何种税关,此不过清代户关及工关之变名而已。户关、工关之名称在清代亦未能通用于全国,因地方之不同,而有所谓钞关、老关、旧关、大关等称,要而言之,除外人管理之海关以外,凡以关名之征税机关均应包括于今之常关中者也。① 全国之统用常关一名称者,实自民国四年始。

现有之常关,以其管理机关为标准,得分为三种:

(一)属海关管理者。基于拳匪事变最终议定书第六条之规定,凡在海关外人所管理之重要商埠 50 华里以内之常关均属之。

(二)属海关监督管理者。通商口岸周围 50 华里以外之常关均属之。

(三)属财政部直辖者。由财政部任专任监督征税之内地陆路常关均属之。

以上三种常关,通全国计算,本关五十有余,分关分局达六百数十处以上。而各关各自为政,故其征税之种类亦有异同,惟原则上则均以(1)货物之出入税、(2)帆船之船捐为正税,陆路常关无船税,是为例外。

① 1901 年最终议定书第六条戊项中之常关(Douanes indigenes)云者,究指何种税关而言,当通商口岸之常关归海关接管时,中政府委员与各国公使之间,对此见解各异,曾惹起一烦琐之问题,结局遂决定除海关盐税局厘金局三者之外,其余一切内国税关均称为常关。(Cf.I.G.Circ., Nos. 976, 983 of 1901;光绪二十七年九月初三日总税务司上全权大臣庆亲王李中堂之呈文,及是月初八日全权大臣答总税务司之覆文)但实际被接管之常关,比此时所协定之范围更狭,且其数仅全国通商口岸之一半而已。

第一种常关由外人管理,故其课税方法较其他常关稍为统一;惟总税务司改革常关之方针,注重各地习惯,采取渐进主义,接管以来,今逾十稔,各地尚未实行共通之规则。① 所已行者,仅将各地税则删繁就简,减除烦琐之附加税,废止不正之手续费,规定严密之取缔法以矫除收贿诛求之积弊而已。今全国常关中可称模范关而其收入最多其征税法最简者宜莫如天津常关,然就其税课言之,除正税有货物出口税、船捐(boat licence fees)、进口货(junk port fees)外,更有以下三种附加税:

(一)征费(stamping fees)。货物税额满 5 两以上之税单,每纸 5 钱。

(二)免照费(free pass fees)。免税品之免照,每纸银 4 角。

(三)旗费(flag fees)。已纳捐帆船之船旗,每面银 1 元。

海关管理之常关尚且如此,则属于内地官吏专管之常关,其于正税以外必更有各种名称之附加税、手续费,以及税吏勒索等费焉,此可想而知者也。而况于此类常关中,其分局有采用包税法者乎。

二、常关税之税率

常关税之税率,大致以 18 世纪前半期雍正初年或乾隆中年时代所制定者为基础,而由各地随时加适当之改正者也。② 故其法定税率(official tariff)比之现时之物价,恐未超过值百抽二点五以上。然法定税率之为物,唯在海关所管辖之常关印刷公布,严格适用,至他处常关则不然,税率概藏于属吏腹藏之内者也。③ 加以多年宿弊,繁苛之杂赋,税吏之诛求,实际税率(actual tariff)不几倍于法定税率,殆绝无而仅有。且其税率又非一定不变者,随时随地而有宽严伸缩之别,与厘金税无以异,唯其标准各关则以征满中央政府所定之岁收为最低限度,多多益善。民国政府财政部,鉴于各地常关税率之低,且又有不划一之弊。遂于民国三年命令各关以值百抽二点五为全国通行之常关税率,即其额等于出口税率之半。但常关中其税率有超过此额以上者,则不命其减低,且附加税手续费等项又不完全废止,由此点观察之,则可知其所谓统一税率者

---

① Cf.I.G.Circ.,No. 1294 of 1905.

② Cf.I.G.Circ.,No. 2206 of 1914.

③ 参见海关编纂 *Native Customs*,1902,Vol.I,Part IV,p. 92。

实为第二目的,而其主要目的乃在于增加税率与收入也明矣。① 不特此也,对于海关管理以外之海关,且制定所谓岁额征收考成条例,各关每年须征足一定之收入,其实征额比官定标准有高下时,则设有繁复之赏罚法焉,直可谓与制定统一税率之旨趣实相矛盾,恐真实廉正之监督官即欲在任一年亦不能也。②

中国政府之所以将常关税率定为进出口税率之半额者,实出自德国人之考案。据1899年中德关于胶州海关之规定书第十六条,凡出入于租借地之帆船贸易亦归青岛海关管理,德国税务司 Ohlmer 因此从事调查该地常关及厘局施行之实际税率,但管内之各税局,税率各有不同,何去何从,殊难决定。③ 其后虽由芝罘道台处接得记载法定税率之户部税则,但项税则并无一处实行,若依旧率,实无意义,故断然采用新案,以海关税之半额为税率,以其收入之五分之四为常关税,以其五分之一为厘金税,卒得良好之结果。其后八国联军之役,联合军占领天津据关征税时,亦照此法以进出口税率之半为常关税,以其四分之一为厘金税,以期课税之简便,并以其收入作为大部分之民政费,此予当时所亲见者也。中国政府即仿行此例,谋常关税之改正,其旨趣并无不善,若更能以之统一于全国,则中国所谓裕国便民之理想未尝不可以实现也。惟胶州、天津两处之所以办有成效者,实因外国官吏或外国军队之威望及外人管理之故有以致之。至于本国官吏所办理之常关则缺乏此两要素,其税率在形式上即欲谋统一,恐亦不能得同一之结果焉。即如现今属海关管理之常关,其以海关税率之半额为税率者,除天津外仅数关而已,其他皆依地方情形之不同而税率与课税法仍各相异也。民国统计局所编纂之行政统计汇报财政类(第三章第二节)载称"各国次第推行,所未改者不过江海、琼州等一二

---

① 参见民国三年五月二十一日税务处下总税务司之命令。

② 现行常关考成条例,制定于民国三年,民国五年曾加以改正。为使税吏倾吐中饱之税款计,而与考成条例相似之课税法,自古即已经施行(参见《光绪会典事例》第二三七卷)。又《粤海关志书》第一卷第9页云云:"雍正八年圣谕……向来各处落地税银大半为地方官吏侵渔入已,是以定例报出税银四百两者准其加一级,后因报渐多,吏部定议报出税银八百两者准其加一级,多者以此计算。"是则共和民国政府此举即不啻准二百年来之旧法以奖励税吏之诛求也。此种谬法,久则必成具文。此乃当然之理,由民国五年上半年之常关税收入成绩表观之,对于增征人员虽曾记功或奖以勋章,而对于少征人员,则以其有地方不靖影响金融等理由,一律从宽免议(参见民国六年五月一日政府公报四六八号)。

③ Cf. *Native Customs*, 1902, vol.I, Part IV, pp. 1–2.

关,或以地处进出口货物总汇之区,欧战发现,商务停滞,或以孤悬海岛,形格势禁,不得不需以时日也"云云,此种记载,或系有所为而隐蔽事实欤,抑或以为中央政府之命令即可实行于各地欤,二者必不免有一误谬也。上有强行考成条例之旧例之政府,下有以诛求商民为能事之腐败税吏,虽欲谋税务之统一得乎。

三、常关改革私见

常关之数比厘局少,其收入亦约值厘税四分之一。故常关及常关税之改革不如子口税或厘金税改革之难也。予对于常关改革之意见亦极简单,即以下数条是也。

（一）开港场以外之常关完全撤废。

（二）一切开港场之常关,委诸海关管理。

（三）出入货物之税率,定为海关进出口税率之半额。

（四）船捐须依装载量计算以统一于全国。

（五）一切附加税杂课完全废止。

采用此法时,内地常关之收入虽然丧失,而他方面节省之常关管理费可以相抵,商民船户所得利益之多,收入可以自然增加。其结果不出数年,中央政府之收入只有增加而无减少之虞,此征之胶州、天津之前例而自明也。1899 年 7 月以前胶州湾之常关及厘局之收入每年 2.6 万两,自归海关管理以后,收入即增至二倍,不出数年,年收竟达 7 万两,较前增至三倍以上。[1]又如拳匪事变以前,天津常关之收入,最高每年不过 45 万两,解交中央政府之年款,不过 7 万两,自归外人海关管理以后,竟多至百万两内外。[2] 是故正廉之行政与贸易之增加,自然可期常关收入之增加,迥非彼考成条例之恶法可比也。

---

① Cf.*Native Customs*,1902,Vol.I,Part IV,p. 10.

② Cf.*Native Customs Trade Returns*,1907,p. 7.芜湖常关之收入,在 1913 年为 21.8 万两,至 1914 年增为 42.9 万两,至 1915 年增为 63.7 万两。前者收入之增加系因征税监督认真办事所致,后者收入之增加,系因税则简易,各种手续费裁撤,报关行禁除之故所致也。(Cf.Returns of Trade and Trade Reports,1915,Part II,p. 640.)

第五节　厘 金 税

一、厘金税之意义

厘金税之为内国关税比常关税更新,而其普及于全国以阻碍交通贸易上之发达,则为比常关税更甚之恶税。① 故厘金税之名称,比他种内国关税为尤广。通俗所称之"厘金",意即指一切内国关税而言。欧美著作家以及新闻杂志等所用之厘金(likin)一名,多用于此种意义。然予今兹所论之厘金税则非此种广义之厘金税,但亦不仅限于由厘金局之征税机关所课之狭义厘金税也。依第一节所说明之标准,所谓厘金税者,乃系地方官吏为谋得地方财政之收入而赋课之地方的内国关税,故税之名称如何非所问也。② 此种地方的内国关税,各地厘金局或厘捐局所课之诸税固应包含在内,此外即如不用厘金之名而以捐、税、饷、费等著称者,凡有对于出入通过之货物征课之一切地方的关税,予均欲总称之为厘金税焉。例如近年有数省不用厘金名称而以统捐、统税、货物税、出产税、销场税等新税名代之,政府近年亦于其预算表中揭载暧昧之货物税一款,更分为第一项货物税,第二项统捐税,第三项厘金税,第四项产销税之四种,然此不过厘金之变名,略改变其征税法而已。又预算表中货物以外人之正杂各税,正杂各捐之项目中,亦多带有厘金税之性质焉。③ 民国政府厌恶厘金之文字能使外人联想为一种恶税,为努力准备裁厘加税之故而附以各种之新税名,固未尝不可,但不得据此即谓厘金税在事实上已渐归于裁减也。革命以后,固亦有暂时宣言裁厘或企图减厘之地方,卒因财政困难之故,遂以复

---

① 厘金征收局,山东十处为最少,江苏五十八处为最多,全国共计六百有余。合分局分卡计算,全国无处一万,其依厘局为活者,全国殆共有十数万人。

② 《清国行政法》不以厘金为关税,而以为消费税。此说之非,由下列三事可以知之。第一,厘金并非对于一定货物课取之关税;第二,关税为一种消费税,对于一定区域内出入通过之货物而赋课者也;第三,关税不必与货物之出入通过同时完纳,即基于出入通过之事实先纳后纳均可做也。又如坐厘,虽采用为课征坐商之方法,然此在便宜于货物移动之前后课税而已。普通所谓厘金,即系于货物通过时对行商课征之行厘。论者固亦承认之,若谓厘金非关税,此则对于普通课税法与例外课税法二者,误下其观察者也。

③ 参见《民国行政统计汇报》财政类第二章。

活,且更有变更税名大征苛税者。① 加以中央政府更于民国三年制定所谓考成条例,假严核各省厘收为名,而实则奖励各地苛敛诛求,与常关税相等,故厘金税决不能谓为比革命以前已经轻减也。

二、厘金税之种类

在前世纪中叶时代,厘金税作为特别战时税征收,带有人民为自卫计任意担负捐款之性质,故此时被税货物颇少,而其税名亦极简单。迨后迫于财政上之必要,其发达之途径,各地不同,至于今日,遂对一切货物课税,因而税之种类与名称,各地殆有千差万别之概。② 然厘金税一项,若以课税之场所为标准,大体可以分为三类:第一为出发地厘金(departure likin),第二为中途厘金(transit likin),第三为到达地厘金(terminal likin)是也。所谓起厘、出产税等属于第一种,行厘验厘、进省税、过境税等属于第二种,坐厘、埠厘、落地税、销场税等属于第三种。③ 第一种厘金系在出产地或市场课税;第三种厘金系在货物到达消费地点课税,故其纳税上之烦累较少;至第二种厘金系在货物通行时课税,故纳税与验查之手续极其烦琐,不免受税吏以留难勒索之机会,大阻交通之自由。结果所至,商民固大受损失,而地方财政厅亦多耗征税之费,此无俟说明者也。近年来有数省为除此弊计采用一种新厘金,即统捐(consolidated likin)与产销锐(production and consumption likin)二者是。统捐

① Cf.*The North China Herald*,July 11,1914,p. 115.江苏省曾于 1911 年 10 月废止厘金,而于翌年 5 月设货物税;浙江省于 3 月采用统捐制代厘金。(*Returns of Trade and Trade Reports*,1912,Part II,pp. 551–567)

② 课厘金税者不仅货物,即对于人口亦有课厘金税者。Parker(China:Past and Present,p. 397)曾举一实例,称厘金局曾经警察之默许,对于由四川贩至陕西之妇人,每名抽厘税约值二先令,且同种之厘税亦行于妇人名产地之浙江温州等地云。

③ 落地税大致专对以下两种货物课税,即依子口单运销内地之洋货及依三联单运载出口之土货二者是,广东某处有对于所谓坐贾即内地市场之坐商课税,以表示非由外人征收者。此税在今虽应认为一种厘金税,然其起原则最古。据雍正十三年之圣谕有云:"朕闻各省地方于关税杂税外,更有落地税之名,凡檾锄箕帚薪炭鱼虾蔬菜之属,其值无几,必查明上税,方许交易。且贩于东市,既已纳课于西市,又复重征。至于乡村僻远之地,或有司耳目所不及,或差胥役征收,或令牙行总缴,其交官者甚微,不过饱奸猾之私囊,而细民已重受其扰矣。著通行内外各省,凡市集落地税,其在府州县内人烟凑集贸易众多且官员易于稽查者,照旧征收,不许额外苛索,亦不许重复征收;若在乡镇村落,则全行禁革,不许贪官污吏借名色巧取一文,著该督抚将如何裁革云云。"可知此种地方之官税,其渊源已久,其积弊已深矣。

制度之目的在以一省为一厘金地域,依统一税率将前述三种厘金税作一次征收之。产销税制度在前述第二种之中途厘金,而于货物之生产地课出产税,于货物之消费地课销场税。① 财政部虽于民国三年命各省采用产销税,于四年命各省采用统捐制,但至今采用统捐制者仅江西、湖北、陕西、甘肃、浙江、四川、新疆七省,采用产销税制者仅奉天、吉林、黑龙江及江苏等省所辖地方而已,他省则仍续用旧式厘金制度也。但近年来铁路增设之结果,基于营业上之必要,亦有使输送货物之厘税征收法趋于简易之效,此亦真确实之事实也。②

三、厘金税率

厘金税为地方税,其税率与课税法,由各省政府决定之,而各省各因财政上之必要,随时变更不定,故其错杂而不统一,非厘金税可比。中央政府能于各省厘金中获得一定之解款即为满足,在名义上对于税率虽有许否之权,然亦从未实行干涉焉。原厘金之税率本为从价1%之轻税。适如命名之义,但原率逐年加重,且征收稽查之局卡,增设于全国市邑,至今仍按旧率征税者,全国中无论如何穷乡僻壤亦所罕见。光绪会典(《会典事例》第二四一卷)虽有"抽厘之法,有值百抽一抽二,有值百抽九,照章征收,毫不得多取"之记载,然此仅中国所独有之具文,事实上正与此相反,既无一定之税率,又苛征至章程以上,此真厘金税之特质也。1892年英德第二次借款之担保条件,以苏州以外

① 采用统捐制之地方,其最初之旨趣,原期于数年后即行废止,故现今统捐之名存而实无者亦多。例如湖北,清末采用统捐制,至民国元年则更为过境销场二税。其过境税系在沿途一时征收,虽与统捐为近,但至民国四年一月,则更设落地销场税、过境税、转运销场税,此外尚有课子口税货物之落地捐,故实际上厘金之弊害,仍不得谓为减少也。宣统二年十二月二十三日之《中外日报》,评论同省之统捐制云:"商民虽已完税,每经一卡,仍复多方挑剔,或指为货票不合,或指为斤两不符,或指为石斗不实,吹毛求疵,留难百出。黠者重赂以求出脱,懦者饮泣以听苛罚,厘金之税不但复见而且过之。"又如江西,最初虽采用统捐制,而今统捐以外,更移入统税及百货税,其烦杂苛敛与厘金之旧制毫无以异。

② 京汉铁路之厘金税制,系于光绪三十一年制定,分为直豫间及鄂豫间及鄂豫间之二区,税率均按值百抽二点五。北段厘金于安阳停车场之直豫厘金总局征收,南段厘金于汉口停车场之豫鄂厘金总局征收,通过时概不征税。津浦线亦依照办理,以直鲁为北段,以宁皖为南段,各段亦征收值百抽二点五之厘金。京奉路沿线无厘金,奉天省内之铁路货物,于装运以前课出产税值百抽一点五,于卸货后课销场税值百抽二。沪宁路运载之土货亦有出产销场二税,税率均为值百抽二。由此观之,铁路运送之货物在沿途课税之法,有改于运货地或卸货地征税之倾向,每路至高税率不超过值百抽五云。

之六处厘局,移归海关管理,此时总税务司照会户部,询问税则,户部之覆文极其暧昧,其言曰:①

> 查厘金始于咸丰初年就地筹饷,因军务倥偬,随收随支,各省向不报部。嗣虽将每年数目,笼统造报,而各项章程详细条例,仍未能一一奏咨,就其中有案可稽者,大约总局则设立省城各府县,分卡则设立市镇或水陆要区。管理人员,总局则派道府大员,分卡则派州县佐贰,其下有司事巡丁人等。征收,例章或值百抽五,或值百抽二,或按引抽收,或按斤加价,或进口先缴四成,落地再缴六成,或上卡抽厘,下卡验票,一收一验,不再重征……惟各省向来办法,未将地图绘明,无凭贴说送阅。

此种文件,奚啻将厘金之特质与中央政府之无识完全暴露耶?近年来采用统捐制产销税之各省,其一省内之厘金税率,大致虽在从价抽5%内外,而其他各地,则仍用旧例,不免因货物移动之距离与通过税局之数目而有差异焉。惟视一省内厘金税率为从价2%至15%,则无大差耳。② 由此观之,短距离之输送,以旧式厘金制度为公平;长距离之输送,以新式厘金制度为有利。然此仅由制度上观察比较而言,而事实上则各局各卡有多少之附加税与不正之手续费焉,故法定税率云者,实则仅一种架空之税率而已。要之,厘金局以尽量剥削商民为能事,商民则择估价最低之商路而行,两者之妥协点或可于此发见,此则事实上之税率也。③ 且也中国商人,为补充法制之不备,具有强大之团结力,税吏而果贪婪无厌者,则利用停止商业之 boycott 之手段以抗之,故法定税率有时亦不能严格遵守,甚至苛酷之诛求有时亦不能长久继续也。惟

---

① 见光绪二十四年二月二十一日总理衙门下总税务司之札文。
② 参见贾士毅:《关税及厘金税》第三章第二节。但货物贩运于一省以外时,则不免有增至百分之二三十之高率者。又如广西省西江地方,土布(nankeen)神纸(joss paper)高价货物,因厘税过重之故,一经输出香港,则以外国货之资格再进口,作为子口税货物复运销于内地。由进口税,出口税,子口税三者与运费之总数推测之,可知当地厘税之高,至少不在15%以至20%以下。参见 *Returns of Trade and Trade Reports*, 1909, Part II, p. 669。
③ Cf. Jamieson, op.cit., p. 17.

其如此,故厘金税之运用,亦有不少凭多年经验而行使圆滑之方法焉。[1]

四、厘金税与包办制度

关税包办制度,系最原始之关税征收法,古昔希腊罗马时代最通行,中世纪欧洲各国亦多采用此法,即英国关税亦有使外国商人包办之事。[2] 法国在18世纪以前亦有包办制存在,包办人(farmers-general)以博得莫大之利益闻。[3] 中国之财政及经济的组[4],至今仍未脱离中世之状态,则其内国关税有包办制之存在,又何足怪。[5] 且以厘金税征税经费之多,又甚妨害交通之自由,此种制度固未始非一便法也。况于税吏既不足信任,而地方官吏迫于公私之必要又急欲得整数之收入者乎。

全国中厘税收入最多者莫如江苏、广东两省,因而包办征收法最盛行者亦以两省之内为多。包办制度中,有所谓认捐与包捐二法。认捐者,即营业者之同业团体为保护各自之利益计,对于其所经手之货物,预纳一定之税额者是;包捐者,即营业者以外之人,以赢利为目的,以一定之金额包征一定之货物税者是。两者虽均有一得一失,而认捐之法若善于运用,则厘税之弊当可减少几分。[6] 包办制而采取广泛之范围,且举其地域内全部之厘收而亦包办之,则厘金制度可以即于简易且有减少交通障碍之效,但就其实际观察,包办制度未有不营私舞弊,且有划分一小地方限于包征某特种货物之税以为常,故其结果遂

---

① 芜湖每年有一厘金纪念日,此日称为"恩关",此日贩米有免厘之习惯。参见 *Returns of Trade and Trade Reports*,1905,Part II,p. 200。

② Cf.Conrad,*Handwörterbuch der Staatswissenschaften*,3.Aufl.,VIII,S. 1050.

③ Cf.Morse,*Trade and Administration*,p. 81.

④ 此处疑排印掉字。——编者注

⑤ 中国之税制,自其一面观之,一切均可称为包办制度。中央政府命各省分负其解款,各省又命其管内道县分负其解款。即如常关厘金两税,亦由考成条例,限定各关各局征足其法定税额,至超过定额之实征数目,入公入私,听该管官吏自便。唯海关虽无法定数目,然就某种意义说,有似乎外人包办者然。

⑥ Kries将厘金包办制度比之普鲁士都市及行政区域内营业税之租税组合制度(Steuergesellschaftssystem),而主张奖励其发达,此误解也。普鲁士之租税组合,本于同业者之自治精神,中国之包办制度乃因商民为防止官吏诛求或以财利为目的而成者,且一则为营业税而他则为通过税,彼此未可混同也。将来厘金若变为营业税时,中国固不难利用其旧有之同业组合制度以采用普鲁士之租税组合制度,然无如厘税之不易撤废何也。

至于一地方有官办、包办两种厘局并立,而演出竞争征税之怪相。且包办之下又有包办,厘金制度遂至愈趋复杂,此种弊端以广东为最甚。①

要之,厘金税之改正,在先于各省厉行统捐制度,渐将被税货物限于少数之重要消费品及奢侈品,其次则以为课于生产地之消费品,再补课营业税即可完成。② 而此种改正,由中国政府之财政状态及华人税吏之腐败状态观之,固不易于奏效也。

---

① 香港、澳门两处与广东间之帆船贸易在未归海关管理以前,有一种台税之厘金,委诸 85 名之包办人承办。又石油厘金一项,1890 年全年之包办税仅有 9 万元,自归海关管理后,不出半年(自是年 10 月至次年 3 月),并未变更旧税率,即已征足 15.6 万元之多,包办制度之弊端有如此者。

② 东三省及江苏省内所属地方已采用之出产税与销场税之新厘金,实际上亦系在货物起卸时课税者,途中之监视仍未全废;且江苏省内对于货物出入外省时,更须课出省税与入省税云。

第四章　特殊地关税

第一节　香港、澳门帆船贸易关税

一、特殊关税之由来

依中国式帆船举行之贸易,虽以归常关管理为原则,而香港、澳门两地与沿岸之戎船贸易,自 1887 年以来归特设之九龙拱北两海关管理者,系因两地占有特别地理关系而开之变例也。英领香港与葡领澳门两处,其与中国南部海岸,仅一衣带水之隔耳。两地素采用自由港制度,故其与各交通贸易,自昔即已繁盛,此亦自然之关系,而尤以香港为最著焉。至其轮船贸易,自 1859 年以来,虽归通商口岸之海关所管理,而帆船贸易则由旧有之中国税局管理之,故秘密贸易之多,殆无限制,其中尤以鸦片之弊为尤甚。因此之故,两广总督遂于 1866 年遍设鸦片税局于两地周围之水陆要地。其次粤海关监督亦于 1872 年在此等处所设置帆船货物之征税局,实行两重之关税封锁,惟因税吏腐败,制度不备之故,仍未能达防制偷漏之目的,反遗正当之帆船业者以妨害,其结果遂至酿成地方官吏与殖民地政厅间之不和关系。[1] 中国政府为除此弊起见,遂依据 1876 年《芝罘条约》及 1885 年伦敦续条关于鸦片之规定,决于 1887 年取缔鸦片贸易,并将此地帆船贸易,移归海关管理之。至于管理方法,若于两地设置中国海关征税,最能节费又最易生效,无如当时两地均为自由港,颇为发达,故两国政府对于此种征税方法未能加以承认。海关不得已遂继承旧有税局对于帆船贸易征取通过税,此种方法之不便利不经济,固不待言者也。

---

[1]　Cf.*Customs Decennial Trade Reports*, *1882—1891*, Part II, pp. 582-583.

初时总税务司曾拟定三种办法:(一)通商口岸与两殖民间往来之帆船,一切均由通商口岸之海关管理之,进出口货物之税率,则依据海关税则,使与轮船贸易相同;(二)凡由非通商地运赴两地之出口货,概征海关税额之半为通过税;(三)由两殖民地运入非通商口岸之进口货则课进口正税,此项章程曾经立案,并得中央政府之许可,嗣因广东官吏之反对,事遂未果。① 尔后唯鸦片一宗依从条约上之协定,其他一般货物则按旧税则征收,至今仍未得适用海关税则之机会焉。②

二、九龙、拱北两关之特质

中国之海关虽均设置于通商地,而九龙、拱北两关则异于是,既非设置于通商地,亦非设置于生产或消费之地点,乃设在香澳两港周围之荒岛及不毛之境界线上者也。而为管辖此等地点之分局及监视所计,因关务之便,乃将一总局设于香港,他一总局设于澳门,惟总之职分,仅统一统计、会计、庶务等关务而止,验货征税则均于前述之关税线行之。于此两关与他关相异之点颇多,倍宜注意,兹列举于次。

(一)他处海关均管理外国式船舶之贸易,而此两关则管理中国式帆船之贸易。

(二)他处海关适用条约上之税则,而此两关则适用国内法定之税则,并征粤省之厘金税。

(三)他处海关均管理各外国间之外国贸易及通商地与通商地间之内国贸易,而此两关则一并管理香澳两港与非通商地间之外国贸易及非通商地与非通商地间之内国贸易。

(四)向他处海关进出口之商品均有子口税之特权,而经由此两关之进出口货则无此特权。

由此观之,此两关者,与他处海关相比较实具有常关之性质,而就其兼征厘税之一点言,则又与常关异。惟有一例外者,即1911年以后,依九广铁路之

① 参见光绪十三年《粤省华船贸易香澳试办章程》。
② Cf.A.E.Hippisley,*Report on Port Practice at the Lappa Station*,1892.

九龙租借地与本地之进出口货物则适用海关税则是也。凡阅海关贸易统计者,均应于此点首先注意焉。

三、帆船贸易之关税

此两关所适用之进出口税率,即依 1856 年制定之户部税则略加修改之粤省常关税率,故其税率颇低,仅从价抽百分之一二而已。[1] 广东与香澳间之帆船贸易出入品,虽由此两关验查,而其关税则规定于粤省常关征收,故此两关之出入税,大致均由非通商地与香澳两地间之外国贸易及非通商地相互间之内国贸易课征之。其次厘金则由补抽厘金及炮台经费二种而成,补抽厘金与粤省施行之坐厘(terminal likin)相当,大致以从价值百抽一为原则。两关对于出入广东之货物虽仅课征其半额,而其余半额则于广东课征,但对于出入他地之货物,则征收全税。又炮台经费乃系中法冲突当时为充海防经费而创设之关税,1899 年曾经废除,次年复兴,现今之被税货物,仅限于煤油、棉花、棉纱、棉布、煤炭、杂木、火柴、檀香、蜡等重要进出口货物而已。[2]

香澳两港与沿岸各地间之外国贸易,向不适用普通海关税率,而适用课征内国贸易之常关税与厘金。此种差别关税,在条约上并无根据,然既经关系国英葡两国之默认,中国政府固可任意增减其税率,且因此等地方之帆船贸易,概由华人经营,实际上与外人无直接之利害关系故也。惟有一事,帆船贸易之关税率较轮船贸易之关税率为低,有碍于香港轮船贸易之发达,故英国于 1902 年通商条约第三款中有如下之规定:

China agrees that the duties and likin combined levied on goods carried by junks from Hongkong to the Treaty Ports in the Kwangtung province and vice versa, shall together not be less than the duties charged by the Imperial

---

[1]　Cf.Destelan, *Report on the Working of the Canton Native Customs*, 1910, p. 8.

[2]　厘金与经费均属于省之收入,故其一部分常因财政上之便利,有时实行包办制,有时实行直接征收法。例如由广东三角洲地方出口之绢与刺绣类之厘金与经费,以及砂糖之厘金,自 1915 年 2 月起,改用包办制,又杂木之经费,自 4 月起改用包办制,而牛皮之厘金与经费,则自 10 月起则于海关直接征收之。(Cf.*Returns of Trade and Trade Reports*, 1915, Part II, p. 1128)

Maritime Customs on similar goods carried by steamer.

中国允许凡民船载货由香港往来广东省内各通商口岸所纳之税连厘金合算不得少于海关征收轮船所载相同货物之税数。

此条之规定,系预防中国有偏惠于帆船贸易之关税,致于英国不利也。凡片务的协定关税之旨趣,在禁止义务国征课定率以上之税额,此条之规定,则禁止中国征课定率以下之税额,是为变例,宜加注意。惟中国对于此方面之帆船贸易,于两关以外之沿岸各地,更附征各种杂课与手续费,故实际上之税率远在海关税率以上,此帆船贸易所以日趋衰败,而英约之关税条项,在实际上已不足置重也。①

第二节　租借地关税

一、租借地之关税关系

现今中国有租借地(leased territories)五,南之九龙、广州湾,北之胶州湾、威海卫、辽东半岛是也。此等租借地在国际上之性质若何,虽非本编范围所及。然实际上自租借国对于租借地之各种施设观之,与其对于殖民地之施设实无大异。惟就关税之点言,租借国与中国缔有特别之规定,实有承认中国在租借地之关税主权之倾向。夫租借地中国之关税主权,本应随租借条约以俱废,而列国则与以承认者,盖为谋租借地之经济的发展而出于一时权宜之计也。换言之,租借地与中国领土相接,位于海岸之一角,与内地有密切之经济关系,故此种关税关系之缔结,在中国则可以保护其关税收入,在租借国则可以促进租借地之繁盛及内地与脊地(hinterland)间交通之利便也。

继德国而起,强借中国土地者厥为俄国,当俄国租借辽东半岛之时,即于1898 年 7 月《东省铁路公司合同》(Manchurian Railway Convention)第五条规

---

① 1908 年香山县绅商共谋于距澳门东北数英里之沙滩湾筑一良港以与香澳两港相对抗,嗣得两广总督之许可,定名香州,更于 1911 年 4 月依上论作为自由港。但此港虽曾企图许多文明的港湾之施设,卒以缺乏资金之故,无甚发展之可言。(Cf.*Returns of Trade and Trade Reports*,1911,Part II,p. 712)

定关税关系云:①

> 俄国可在辽东半岛租地内自行酌定税则,中国可在交界征收货物从该租地运入或运往该租地之税。此事中国政府可商允俄国国家将税关设在大连湾,自该口开埠通商之日为始,所有开办及经理之事,委派东省铁路公司作为中国户部代办人,代为征收。此关专归北京政府管辖,该代办人将所办之事按时呈报,另派中国文官为驻扎该处税关委员。搭客行李及货物由俄境东站运经该路至辽东半岛租俄国之地段内,或由此租地运赴俄境,概免关税及内地税厘。货物经铁路从中国内地运往租地,或从租地运入内地,应照中国海关税则分别完纳进口出口税,无减无增。

据此可知租借地之关税权属于俄国,中国在其境界线上虽有设关征税之权利,而为便宜计,则将中国税关设于大连而使东清铁路代办之。惟俄国之取得租借地,与其谓为出于经济上之目的,而实则欲于满州行其武断的侵略主义,故此类关于关税之条项与他项协定均未及见诸实行而日俄战争已发动矣。

法国之取得广州湾,英国之取得威海卫,其目的在谋维持其在华之政治的势力与军事之计划,固无借以为经济的活动之意趣也。故中国与此两地之关税关系极简,即中国完全视两地为外国领土,凡由两地出入于各口之船舶及货物,均与由外国进出口之货物受同一之待遇。至于两地与陆上境界线之关税,与海关无关,由地方厘局任意征税。当 1910 年时,中政府曾将广州湾附近之高雷常关移归海关管理,后因入不敷出,寻于 1913 年撤废之,今则仅由地方税局征取帆船装运与陆地运送两项货物之税而已。

中国南部贸易之中心地为香港、广东,九龙租借地则联络此两地之重要地域也。关于九龙之关税制度,如前节所述,完全与对付外国领土等,系采用以关税线包围之方法。且其陆上境界线上建筑竹墙,长亘 60 哩,每隔 6 哩设一监视所,各所设外人税吏一名以为之长,更使用 20 名内外之华人为武装警察,

---

① Cf.Manchurian Railway Convention, 1898, and correspondence relating thereto (*Treaties*, Vol. I, pp. 101–106).

昼夜巡逻,附近人民性质狞猛,密运之奸商与强盗,往往有袭取监视所之虞。[①]因此之故,中国方面不仅多耗征税费,且有害于租借国交通贸易之自然的发达。其不利之点不少,不久必有关税上之协定成立也。[②]

德国当 1898 年租借胶州湾之时,最初即欲设立自国海关,寻决定为自由港,惟鉴于香港方面境界税关之弊,遂于 1899 年 4 月德使 Heyking 与总税务司协议,成立《中德关税条约》,以互相保护本国之利益为目的——即与自由港并生之租借地之经济利益,与中国政府之关税收入——承认于租借地内设置中国海关。[③] 夫自由港之制度,在欧洲发达最早,本以设置于本国内之港湾或殖民地为限,今德国以租借地为自由港,而许中国于其地域内设置税关,以谋两国利益之调和,此则国际法上之新例,同时又可谓为中国关税行政上之创举也。其后德国因租借地之发达,于 1905 年复与中国政府协议,改订前约,废止自由港制度而采用自由区制度。但此旧制度至 1907 年仍被日本采用于关东州租借地焉。故予欲一反设关之顺序,俾便于说明租借地关税之沿革,特先述大连之关税制度,而次述青岛。

二、大连关税制度

日本于 1905 年依《日俄讲约条约》与《中日北京条约》得继承俄国在关东州之租借权,此时日本不依照中俄两国关于大连税关之协定,而将租借地作为自由港,采用青岛海关制度于大连,其理由有二:一因南满铁路公司代办关税,不合条理;一因青岛税关协约结果良好,故徇中政府之请而采用之也。大连之中国税关,系依据 1907 年 5 月林公使与总税务司签订之协约于是年 7 月组织成立。依此协约,税务司以下全部关员均用日人,此点虽与他处海关之国际的性质不同,惟其选择由总税务司从日人关员中独裁任命之。[④] 又其地位虽与

---

① Cf.*Customs Decennial Reports*,1892—1901,II,pp. 22–25.

② 1911 年九龙关税务司与香港政厅缔有 Customs Convention 草案,曾得两广总督之承认,会革命勃发,事途中断。(Cf.*Customs Decennial Reports*,1902—1911,II,p. 166)

③ 参见 I.G.Circ.,No. 894 of 1899。

④ 关于大连关税司之人选任命,总税务司须与日本公使协议之,更迭之际,事前亦须通告于关东都督(税关协约第一条、第三条)。又大连关员,以任用日人为原则,但遇特别情事亦得任用他国人,今大连关关员中有英人帮办一名。

他关同,其适用之税则虽亦与一般税则无异,至于出入货物之课税法,则与他关完全相异。此其主要原因,实因大连为租借地又为中国商埠故也。今就该协约说明大连关出入货物之课税法如下。

(一)进口货。运入大连而在租借地内销售之货物,一概无税。其由租借地而运送于中国内地之外国货则课进口税,若为中国货则课沿岸移入税。①

(二)出口货。由大连输出之外国货,及租借地内之生产品与制造品,一概无税。但由中国内地经过租借地而出口者,则课出口税。②

以上仅以大连为本位而下观察者,至大连与他处商埠之关税关系如何,亦有说明之必要,兹分两段述之于下。

(一)由通商埠输出于大连者,若系洋货则给以戾税证书,若系土货则课出口税。③

(二)由大连输入于各通商埠者,若系洋货与租借地内之生产品及制造品,则课进口税;若系由中国内地经过大连而输入之土货,则课沿岸移入税。④

又经由大连而运赴中国内地之洋货,与由内地经大连而输出外国之土货,其享有子口税之特权,亦与他口同,唯三联单之发行,系海关监督之职务,今因大连不驻监督之故,此项职务则由日人之税务司行之。⑤ 又以大连为起点而航行于沿岸非通商地之轮船,虽应遵照 1898 年内河航行章程及 1903 年中日条约附属书之规定,但因此问题,又与上述之税关协定同时订一特约,故即就此点观之,亦可知大连已占有中国商埠之地位矣。至于大连与中国沿岸各地间之帆船贸易,亦由大连海关管理之,与他口无异也。

---

　　①　参见税关协约第五条、第七条。又日本官吏对于防止租借地境界线上之秘密运送事宜,有尽力帮助大连海关之义务。货物之验查纳税,于大运行之,境界线上之金州普兰店及狍子窝等地,均设有监视所。又旅顺之分关,系在 1910 年以后设立者。

　　②　参见税关条约第六条。凡由中国内地运进租借地之原料,加工之后复由大连出口之制造品,与青岛之同种制造品课同一之说(参见次项)。

　　③　参见税关协约第九条、第十条。

　　④　参见税关协约第八条。大连与各商埠间之进出口货物,须由海关给以纳税证书、载货证书及其他必要之书类以互谋便利,其手续与他处海关同。

　　⑤　参见税关协约第十五条、第十六条。

三、青岛关税制度

青岛之旧关税协约即大连之现行关税制度,如前项所述,系所以调和外国自由港与中国通商埠之矛盾者,故不免有二缺点焉。第一系由中国方面观察之缺点:租借地全部既作为无税区域,而又不设境界税关,无论租借地官吏如何援助,仍不能达到充分防止密运之目的。第二系由租借国方面观察之缺点:租借地之政厅不能随租借地之经济的发展而均沾关税增收之利益是也。且自由港主义虽能保护租借地域内消费人之利益,而不足以增进生产者之利益即不适于促进工业之发展也。

基于上述之理由,故中德两国之目的虽异,然均有改正税关协约之必要。1905年之改正即根据此必要而缔结者也。德国因此约遂抛弃其租地自由港制度(Freihafensystem),而采用其本国所行之自由区制度(Freibezirksystem),以便青岛占居中贸易之地位,俾有利于租借地内工业之发展且更便于为中政府保护其关税收入也。① 约言之,即举租借地以并合于中国之关税领土,学者间所称为关税加盟(Zollanschluss)者是也。租借地之政厅,因此加盟之故,得由中国政府分领青岛进口税之二成,盖假定二成之进口税为租借地内所消费故也。

依据上述协约,则自由区域之划定虽系租借地政厅之权限,而自由区内货物之移动及自由区与外界之交通,则概归中国海关管理;凡出入于青岛之货物,均于出入自由区域时征税,故关税行政上之取缔最能生效,而租借地境界线及他处之监视所(除关于帆船贸易者外)遂从而裁撤之。故就此点而论,实于中国有利,然自租借地之方面观之,亦有二利益在:第一,条约上之无税货物以外,凡在租借地内使用之多数进口货,均得有免税之特权;第二,为谋租借地内工业之发展计,对于制造品之出口得有减税及免税之特权是也。

(一)特殊免税品。

(1)军队之用品。如陆海军官吏直接定制且得有政厅证明之军用武器、

---

① 欧洲之自由港制度,因保税仓库之发达而渐次减少,现今多有被自由区制度所缩少,故自由港制度至今犹存者唯限于殖民地而已,Gibraltar, Malacca, Aden, Penang, Singapore, Hongkong, Macao等其著名者也。

弹药、被服品,以及将来遇有必要即须购入之食品等货物是也。

(2)公众之用品。如制造、工业、农业上所必需之机械机具,以及公共工事所必需之建筑材料附属品及其他货物是也。①

(二)制造品之减税与免税。②

(1)租借地内之生产物及用为原料之制品,免纳出口税。

(2)租借地内制造之物品得依子口税单输运于中国内地。

(3)以制造为目的而使用由中国内地移入租借地之原料制成之物品,出口时依原料品之税率课税,但运货出口商人如认为于己有益亦得依制品之税率纳税。

(4)凡使用由外国或中国内地运入之原料制成之物品,当再出口之时,税关须返还其已纳之进口税或移入税。

(5)对于使用于出口制造品之原料,其课税上之比例,由海关及政厅商定之。

又日本因参加欧战之结果,于 1914 年占领胶州湾敷设军政,1915 年 8 月 6 日由日置公使与总税务司缔结复设青岛海关之协约,日本得完全继承中德间关于青岛海关之协约,遂自 9 月履行设关征税。③ 故现今中国租借地中与中国缔有关税上之协约者唯日本一国而已。青岛特殊关税制度之存废随胶州湾租借地之处分问题同时解决,故胶州湾既复归于中国领土,则此种特殊制度亦随之消灭也。

第三节　陆路贸易关税

一、北方陆路贸易关税

邻接各国间之陆路贸易,系不问政治的境界线之如何而自然发生者,故其

---

① 他口之邮送小包,其价格在 15 元以下者虽免税,而青岛免税之邮送小包须在 20 元以下(见改正协约第三条),此虽小事,殊于公众不便。

② 欲知其详细手续请参见 1907 年 4 月德公使与总税务司之协定及 Verordnung, *betreffend das Verzollungsverfahren im Schutzgebiete von Kiautschou*, 1907, S. 14.

③ 原书此处有注释标记,但并无注释内容。——编者注

始也无税,后因交通发达而有税,惟对于旁界居民上所必需之货物则有减免关税之事,此则欧洲各国关税法及通商条约上所规定者,学者所谓"Kleine Grenzverkehr"者是也。① 中国与俄国之陆路贸易亦其一例,自 1689 年两国间缔结最初之国际条约以后,其采用绝对无税主义殆亘二世纪之久。② 盖因中俄国境人烟稀少,其交通关系,亦仅为附近农民猎夫之物物交换而止,固不如海路贸易有归结关税协约之必要也。迨至 19 世纪中叶,始决定对陆路贸易课税者,因此时边境通商日益发达,已由原始交易而进于货币交易,恰克图与天津间亦见有商队之交通故也。据 1862 年之《陆路贸易章程》观之,一方对于边境地方交易,而将沿线 100 华里、50 俄里以内地带及蒙古全部定为无税地域,同时对于经过一定商路而运入天津之俄货,设减税三分之一特例,且对陆路贸易之重要进口货而协定为从量税率焉。③ 其后 1869 年及 1881 年《之陆路通商章程》亦曾根据此原则续订详细之协定,而由关税上观之,不过扩张无税地域于新疆主要地方,将减税之特权普及于新疆商队所到达之终点之兰州(嘉裕关)而已。④ 降至 1869 年俄国取得东清铁路敷设权之时,其铁路之进出口货,亦享受减税之权。⑤ 中国政府认为特惠关税之地域过于广大,不惟不适于日后发达之贸易状态,且大损及关税之收入,故于 1911 年迫求俄国改订前约,俄国以其不利于自,仅承认国境 50 俄里无税地域之互惠条项而止,于 1913 年 1 月率先宣言废弃其本国方面之无税地域。于是中政府不得已亦于 1914 年 6 月废止中国方面之百里无税地域焉。⑥

　　由此观之,当时中俄两国之陆路贸易,盖施行下列四种之关税协定焉。

---

　　① Cf.Grunzel,*System*.

　　② 参见 1689 年《尼布楚条约》第六条,1727 年《恰克图条约》第四条,1851 年《伊犁条约》第三条,1858 年《爱珲条约》第二条,同年《天津条约》第四条,1860 年《北京条约》第四条。

　　③ 参见 1862 年《陆路通商章程》第一条至第六条、第八条。

　　④ 参见 1869 年《陆路通商章程》第一条、第五条,1881 年《中俄条约》第十条、第十一条,同年《陆路通商章程》第一条、第五条。

　　⑤ 1896 年《东省铁路合同》第十条云:"货物由俄国经此铁路运往中国或由中国经此铁路运赴俄国者,应照各国通商税则,分别交纳出口进口正税,惟此税较之税则所载之数三分之一交纳"(后略)。

　　⑥ Cf.I.G.Circ.,No.2198 of 1914.中俄陆路贸易,俄国之由中国进口者常比其出口额为多,故百里无税地域之废止,于俄国之关税收入有利。

（一）蒙古及新疆进出口货之无税。

（二）天津及兰州两处俄国进口货之减税。

（三）由东清铁路运送之进出口货之减税。

（四）无减税特权之北满陆路贸易关税（旧税率）。

第一项所谓蒙古及新疆之无税贸易，实际上今尚在中俄边境人民所谓"Kleine Verkehr"之程度而止，故他国无要求适用最惠国民条款之理由。将来经济发展之时，或有问题发生亦未可知，而就目前交通状态言，固无多大注意之价值也。① 又第二项所述天津、兰州两地俄货之减税，其旨趣本在于谋俄国进口贸易之利便，但近因海运业日益发达，耗费冒险以绕道经商者大见减少，故此问题亦不足注重。惟第三、第四两种特惠关税于开发满洲有重大之关税，且日本贸易亦以此区域为市场，实应特别注重也。

至于日本在南满所有之陆路贸易特惠关税则比当时俄国在北满所有者大有不同，惟自 1913 年 6 月以来，对于经由安奉铁路之进出口货渐得均沾东清铁路减税之利益而已。但即就此点而研究其减税协定之内容，亦有不利于日本者二事焉。②

（一）关于进口税依照 1902 年改正税率规定一事，两铁路虽有同一规定，而俄国铁路方面之免税货物，则适用 1881 年《陆路贸易章程》第十四条之规定，此即与旧进口税表相等，其范围颇广，安奉线方面则无此特例。

（二）东清铁路各重要车站中，曾划定铁路附属地之范围，俾得以减税三分之一，输运货物，而安奉线之铁路附属地则无此协定。③ 故由安奉线运送于安东及满洲市场以外各车站之进出口货物，对于完纳内地税事宜，往往发生

① 1881 年《中俄条约》第十二条及第十六条虽曾规定将来商务发达时须废止无税之特权而采用进出口从价值百抽五之税则，因未得俄国之同意而止。

② 1907 年《北满洲税关试办章程》第三条，规定"各货物按照陆路通商章程不免税者，即应按照海关新定税则三分减一征税"。而 1913 年《安奉线进出口减税之协约》第一条，则规定对于一切进出口有税货物均课海关税率三分之二云。

③ 参见《北满洲税关试办章程》第二条。例如哈尔滨车站周围 10 华里，满洲里、扎赉诺尔、海拉尔、札兰屯、富勒尔基、齐齐哈尔、阿什河、一面陂、海林、乜河、穆林、绥芬河、双城堡、老少沟、窑门、宽城子各车站周围 5 华里，以及他各小站周围 3 里，定为减税区域，各货仅纳减税之进出口税，不征子口税及他种内地税。又子口税额系正税三分之二之半额，即三分之一，此两铁路所同者也。减税之进口货若转运于满洲以外区域之时，则须补纳其已经减纳之三分之一。

311

纷纠。

如上所述日本所蒙之不利,系归结减税协约者之过失,固应忍受,至如1909数年之间岛问题,日本对华让步且承认中国有领土主权,仅约开放数村通商而止,当此之时,日本乃不知要求与中国订结特惠关税之约,此日本之失计也。[①] 因此之故,边鄙小地之间岛税关,竟亦与他处海口海关同适用改正税率于进口税,至失其与北满之平衡。溯查1902年之改正税率,原仅适用于海路进口货,乃中国海关对于间岛之陆路进口货亦适用之,此明明违反条约也。故为日本计,宜速要求中政府,使间岛贸易与北满陆境贸易相等,而采用旧进口税率。否则即须进一步要求均沾于南方贸易所有减税之利益。

北满与南满间关税上之失其均衡,虽尚未引起世人之注意,而于日本有不利者一事,即为水路运出谷物之减税问题是也。关于水路之出口贸易,南北满双方条约上虽无若何协定,而据1910年《松花江通船及货物进出口之临时规则》第二部第五条观之,由哈尔滨、三姓、拉哈苏苏及松花江沿岸而输出俄领之谷物,如大麦、荞麦、荞麦粉、高粱、粟、小麦、小米、燕麦、豆、豆粕之类,均与由陆路出口者相等,三分减一征税。[②] 至南满方面由鸭绿江输出朝鲜之谷物,则以无特别协约之故,均纳正税。是由日本政府所宜要求利益均沾之重要问题也。

二、南方陆路贸易关税

南方陆路贸易之适用特惠关税者有二:其一为滇桂两省与法领东京及英领缅甸间之贸易,其一为西藏与英领印度之贸易是。此二者均在19世纪后半期此等地方脱离中国而归英法领有之时,与划定国界同时协定者也。即中法两国当1885年时为解决关于东京境界之争议,缔结所谓《Patnôtre条约》,此约曾规定进出口货物减税(见该约第六条);故于次年之《通商章程》,协定进口税五分减一,出口税三分减一(见该约第六条、第七条);迨后1887年《缔

---

① 其可称为特惠者,唯协约之第五条许韩民得以输出其在图们江北杂居区域内所产出之谷物而已。

② Cf.*Harbin Customs Notification*, No. 18 of 23, Aug., 1900.

Constance 条约》时更加修改,决定进口税减征三成,出口减税征四成①。其次,中英两国于 1886 年缔结《北京条约》,划定中国与印度、缅甸之境界,并约定商议陆路贸易章程(第三条、第四条);后遂根据此约于 1893 年之《Sikkim 西藏通商章程》中,约定开放亚东,免税 5 年(见该约第一条、第四条);次年又于《伦敦条约》协定对于经由蛮允盏西输出云南之货物,6 年以内,与法领东京贸易为同一之减税(第九条),至今仍未改更如故也。②③

由此观之,南方陆路贸易之特惠关税,由西藏之免税及滇桂边境之减税而成,大致与北方蒙古、新疆之免税及满洲之减税两相对待而又相类似者也。然其相异处亦有下列三点。

(一)北方之减税,系混用 1902 年之税率及 1858 年之税率,南方则反是,乃始终用 1858 年之税率者也。④

(二)满洲子口税虽为减税率之半额,而南方则无此特权,故为正税之半额。⑤

(三)满洲之减税,一切进出口货物均适用之,而南方之减税则以税则所载之货物为限,未载者则课值百抽五之税。⑥

要而言之,税则所载之从量货物,60 年以来,物价已经变异,其实际之税率既已减低,又受减税之特惠,故南方陆路之特惠关税,其税率不过从价值百

---

① 法国依此约使中国开放广西之龙州与云南之蒙自,1895 年之条约开思茅、河口二地为开市场。此等都市若为陆路开市场,则法国无有如上海等口岸设置租界之权利。

② 英国根据 1897 年之《北京条约》第十三条,不开蛮允而开腾越,又根据一九一四年之拉萨条约开西藏之江孜、噶大克二地为开市场,又关于与印度之贸易亦约定不加限制。亚东地方,在 1894 年时虽暂设海关,数年前即已废止矣。

③ 1896 年 1 月 15 日之英法协定,关于法领印度、中国之境界,于解决两国间之争端以外,其对于云南之规定云:"两国中若有一国由中国政府取得在云南之特权及利益,对手国亦得均沾之。"故英国为对抗法国之云南铁路计,有延长缅甸铁路于云南之权利。

④ 1901 年 11 月,蒙自关征税办法,依拳匪事变最终议定书第六条戊项之规定,以从价值百抽五之税率为基础,实行减征,而对于旧日之多数免税品则实行征税。嗣因法国政府根据法文条约向中政府抗议,不许陆路进口货适用该约第六条戊项之规定,海关不得已遂将已征之差额返还,尔后仍依 1858 年之税则课税焉。此系中政府误会所致,因法文为 les importations maritimes...而汉文仅译为"进口货税增至切实值百抽五"云云故也。

⑤ 参见 1886 年《Cogordan》条约第六条、第七条。

⑥ 参见该约第六条。

抽一二而已,持以与满洲之特惠关税相较,则英法所得之条约为有利,概可知矣。[1]

南方陆路贸易虽享受极低之特惠关税之利益,然仍不如满洲贸易之发展者,此或由于地理上之关系以及交通机关不完备之故,而其主要原因,实由于法领东京采用苛酷之保护关税所致也。[2] 东京政厅征税方法十分复杂,(一)对于由滇桂陆路进口货物,既课进口税;(二)而对于陆境与中国他口间之通过货物复征与进口税之二成相当之通过税;(三)又已纳进口税之华货若输出于中国以外之别国时,更课出口税;(四)关税以外,又于海防征收所谓 droit de statistique、droit d'accostage、droit de manipulation、plombage 等杂税。因此之故,至使通过贸易几无发达之余地。[3] 加以中国政府刻尚未辟云南府为市场,以致为联络云南、东京之唯一文明交通机关之滇越线沿路出入货物,复被征取烦杂之内国关税,其损及交通之利便与减税之效果者实不少也。[4]

---

[1] 南方陆路贸易特惠关税虽比满洲之特惠关税甚为有利。而上海英人之 The China Association 仍反对安奉线之减税与运费之减低,于 1914 年上一长意见书于该国外务部,意欲阻止日货与英货竞争(参见 *The North China Herald*,Aug. 1,1914)云。

[2] 参见 *Customs Decennial Reports*,1902—1911,II,p. 365。

[3] Cf.*Decennial Reports*,1892—1901,II,p. 474.英国于缅滇采自由贸易主义,除进口盐与出口米之外,一概免税;又为便于云南矿业之发达起见,凡装载各种矿物以上下 Irrawaddy 河之中国船,均给以与缅船相等之航行权(参见 1794 年《伦敦条约》第八条、第十二条)。又据 1895 年《中法条约》第四条之规定,对于经过法领东京之南方陆境与他处海口间之通过贸易,中国海关本应给以与内国贸易同一之待遇,但因距离辽远,而东京税关又征取重税,故通过贸易难望发达也。

[4] 参见 1910 年《云南府海关分关章程》第一条至第六条。

第五章　特殊品关税

第一节　违　禁　品

一、违禁品与条约之关系

在昔十七八世纪 mercantilism 全盛时代,欧洲各国均于进出口及通过贸易设多数之违禁品,以期国内产业之发达,而谋保持有利于本国之贸易的平衡,今也不然,各文明国家均以国际交通之自由为原则,故不设违禁品而采用关税政策焉。虽然,违禁品亦未尽废也,今亦有因经济的、财政的及社会的理由而设有少违禁之限制者,如依社会的理由设违禁品,依卫生及道德的理由设进口违禁品,此皆各国之通制也。① 劣等国家,为维持国内公安计,实有比文明国多设违禁品之必要,例如亚洲、非洲、中美南美诸邦,多有禁止军器、弹药出口,欧战以前之俄国,亦设有多数违禁品,非得财政大臣之许可,违禁品不得入口。中国亦然,其违禁品之限制,不仅进口货有之,即往日之出口货中,禁止出口者亦占多数,此其特质也。② 故列国每逢与中国缔结通商条约之时,不仅协定有税品之税率以束缚其税权,且对于违禁品之设置,亦必加以限制,此其目的,盖在防止中国实行闭关的经济政策而增加违禁品以阻碍通商之自由也。1858 年《中法条约》第二十七条之规定,即阐明此议者也,其原文如下:

---

① Cf.G.M.Fisk,*International Commercial Policies*,1917,pp. 78–83.

② 海通以前,中国禁止出口货物约分五项:(一)米谷、麦豆、杂粮,(二)头蚕、湖丝、绸缎、绵绢,(三)黄金、黄铜、铜器、铁、铁锡、白铅,(四)军器、火药,(五)纹银、铜钱等。诸如此类,均为民食官用之必需品,禁止出口者,所以防物资之外溢也。

Le Gouvernement Chinois renoncantá la faculté d'augmenter par la suite le nombre des articles réputés contrebande ou monopole, aucune modification ne pourra étre apportée au Tarif q'apres une entente préalable avec Gouvernement Francais et de Son plein et entier consentement.

即限制中国不得于约定货物以外增加违禁品或专卖品,此应注意者也。以下予特据条约之规定,分进口货与出口货二项说明现金中国违禁品之内容焉。

二、禁止入口之货物

海通以前中国禁止贩运之货物,大致重在出口货一方面,当时外人亦无贩运此项违禁物出口者,故中英两国于《南京条约》成立后之次年协定通商税则时,禁止入口之货物仅硝石一项而已。至于鸦片一项,在当时非特许商人不能贩卖,又成两国开战之直接原因,因中国国法上之违禁物也,然在缔约时反未揭载违禁物之中,因此之故,鸦片一物,遂于洪杨倡乱之时随武器弹药秘密输入,殆无限制。于是中政府恐危及国内之安宁秩序,遂于1858年之《中英通商章程》中,将鸦片定为有税品,实行解禁,同时又开始禁止贩运、火药大小弹子、炮位、大小鸟枪、硫磺、硝石、亚铅等军用品,又从新禁止贩运食盐以谋维持其专卖制度焉。现行之进口税则即1902年之税表,亦继承此种之限制,其附则第三款之规定如下:

Except at the requisition of the Chinese Government, or for sale to Chinese duly authorized to purchase them, import trade is prohibited on all Arms, Ammunition, and Munitions of War of every description. No permit to land them will be issued until the Customs have proof that the necessary authority has been given to the importer. Infraction of this rule will be punishable by confiscation of all the goods concerned. The import of Salt is absolutely prohibited.

即税则上所列之违禁品,仅为盐与军需品二项而已。而军需品究系何等货物,英文之 Arms Ammunition、Munition of War,汉文则译为洋枪、枪子、硝磺并一切军械等物,此盖列举其重要者已耳。至决定军需品之内容及范围,则以条约上并未规定之故,当然由中政府决之。而中政府之规定,又当然以不妨害外人谋生自卫及军器以外之营业为限,故海关之禁止军需品入口规则,为外人设有下列三特例焉。

(一)外国驻屯军队之军用品,不加制限,许其免税运入。

(二)外人义勇团、个人之自卫及娱乐用之枪器弹药及附属品,在一定条件之下,许其进口,但须纳值百抽五之进口税。

(三)医业、药业及工业用之药品虽列入军需品之范围,但许其于一定条例之下贩运进口,并课值百抽五之进口税。

食盐亦同,外人食用之盐及用瓶罐盛载之食盐亦得入口,但数目有限,并须纳税。①

除上述税则中所载之禁止入口货物以外,其后又因国际协定而定为违禁品者,则为鸦片、morphia、cocaine 等麻痹药。鸦片一宗,除《中英条约》外,其他各种中外条约,大致均列为违禁品,惟华人之吸食鸦片已成第二天性,欲谋禁绝,事属难能,故至最近尚占进口贸易之大宗也。日俄战争以后,中政府始从改革政治,于 1906 年下谕禁烟,断然实行所谓禁种禁食禁运之三事,以十年为期;即于次年与英国缔结鸦片协约,约定于十年之内,每年减运印度鸦片进口额之十分之一,同时厉行国内禁烟;又于 1909 年之上海鸦片会议与 1912 年之海牙鸦片会议,得各国之援助,期于 1917 年 4 月完全禁绝。② 惟有一事可虑者,中政府一方虽厉行禁烟,而同时使用 morphia 及 cocaine 以代鸦片者又日见增加是也。于是中政府遂得各国公使之同意,于 1909 年 1 月起禁止鸦

---

① 上海海关所列各种违禁品之种类,及其特例,详细规定于 1915 年 7 月 10 日上海海关告示之"List of Contraband,Prohibited and Restricted Articles"中。

② 除印度以外,各处进口之鸦片,已于 1912 年禁止(参见 I.G.Circ.,No. 1820 of 1911)。又关于禁烟问题,请参见 Report of the International Opium Commission,1901;International Opium Convention,1912(Cd. 6038)。

片,于 1910 年 12 月起禁止 morphia 及 cocaine 焉。① 至于外国医院医师、药师及国内官立医院之用为医药者,当然可以购入,惟分量须有一定并须有保证书或政府之护照然后可行耳。

又此外如猥亵之出版物、赌博用之鸟类、假造货币、铜圆货币铸造机、空白银行券纸等物,均在违禁品之列。② 此等违禁品之规定,虽未经条约载明,各国以其不妨害通商贸易,故亦默认之。

三、禁止出口之货物

条约上最初规定禁止出口之货物者为 1858 年《中英通商章程》第三条及第五条,普通违禁品为武器弹药、盐、铜钱、谷类,特别违禁品为豆与豆粕。其后 1863 年,豆及豆粕二物解禁,故现今条约中列为违禁品者,唯上述四种之普通违禁品而已。③④ 夫武器与弹药二者之不须由中国贩运出口,不言可喻,盐之禁输,在于维持专卖制度,铜钱之禁输在于维持货币制度,其利害得失即不具论,亦与今日之外国贸易无重大关系可言;唯对于谷类之禁止出口则有加以说明之必要。原中国禁止谷类出口之政策实始于海通以后,由保存民食之经济思想产生,盖惧谷米出口过多,将危及人民生活,甚至惹起暴民之骚扰也。日本当海通之初,当局亦持此陋见,就庆应二年之“运上目录”观之,米麦及米麦粉均列为违禁品,后始悟前非,遂于明治六年至十年之间,自行弛禁。然中国人则多存闭关时代之偏见,固不知谷米弛禁可以促进农业之开发并足以增加农产物之供给也。中国以农立国,今既许谷米免税进口,复禁止谷米出口,

---

① 参见 1902 年《中英条约》第十一款,1903 年《中美条约》第十六款,I.G. Circ., No. 1578 of 1908;No. 1590 of 1909;No. 1741 of 1910。又 morphia,cocaine 之类似品复制品及注射器亦作为违禁品(Cf. I.G. Circ., Nos. 2321,2334 of 1915)。

② 当满清及袁世凯为大总统时代,多禁止反对政府之出版物入口,近年来言论出版较为自由,此等禁令亦未实行。

③ 牛庄及芝罘向不许贩运豆与豆粕出口,洪杨倡乱之际,英法两国援助中政府之处不少,故中政府将此二物解禁,以表谢意,同治二年与丹麦订约时,即已将此禁令删除之矣。(Cf. I.G. Circ., No. 667 of 1894)

④ 据乾隆四十六年之户部则例,谷类与铜铁器皿及铜钱均列为违禁品。(Cf. *Native Customs*,1902,1,p. 97)但《南京条约》及其次年之通商章程,均未载入违禁品之中。故在 1855 年上海道发布禁令以前,各地实皆自由贩运出口者。后因洪杨倡乱,供给减少,故于 1858 年之通商章程中禁止之。

实属矛盾之至,唯此项禁令,迨后稍弛。1881 年中俄缔结《陆路通商章程》时,除米一项以外,其他杂谷皆弛禁,以故杂谷之输出于西伯利亚者颇多,日本沿利益均沾之利,亦于 1908 年以后,屡次迫求中政府将小麦、高粱、苞谷、粟、荞麦及麦粉等物解禁。[1]　近年来满洲农业之急速进步,实出自谷米弛禁之赐。其次云南方面,因奖励人民于以前栽种罂粟之土地改种谷物之故,自 1910 年以后,遂亦许可小麦、苞谷出口焉。[2][3]

此外不经条约规定而禁止出口之货物亦有二种。其一为一定游猎期以外之保护鸟兽及其羽毛,其二为铁锅是也。第一种系由 1899 年上海外侨之野生鸟兽保育会运动各国公使使中政府颁布禁令者,其旨趣固无不可,且亦与通商无关者也。[4]　至于限制铁锅出口者,系因铁锅为民食之要具,且因袭往昔禁止铁及铁器出口之旧法而来,今则铁之出口久已解禁,而海关尚视铁锅为违禁品,实违背条约者也。[5]

第二节　免　税　品

一、进口免税品

方今多数文明国家,均采用保护贸易主义,原则上无不对制造品课税对原

①　Cf.I.G.Circ., Nos. 1549,1550 of 1908;Nos. 1607,1613 of 1909;No. 2457 of 1915.但遇凶年,中政府得预期通告施行防谷令。又谷物出口税,北满与南满之间略有不公平之处(参见本编第四章第三节第一目)。

②　Cf.I.G.Circ., No. 1715 of 1910.1889 年以后,许运米 50 万担、麦 100 万担出口作为香港、澳门两地华人之粮食,但每担须抽税银 83 仙,亦可谓重矣。

③　依中国旧例,谷米与铜钱两项,即在国内亦不许自由输送;移出之际,经过海关时亦须提出不运出海外之保状然后放行。(参见 1858 年通商章程第五款)又一省之内一地与他地之间施行禁令者亦不少。

④　Cf.I.G.Circ., No. 922 of 1899;No. 1473 of 1907;No. 2117 of 1913.但供研究学术之用者,定期以外,亦许出口。

⑤　*General Tariff of 1868*(5th Issue, p.15)载有"外人在通商口岸制造之铁锅,禁止出入"之事,由此推察,华人自制之铁锅即可以出口耶? 1883 年时,英法商人在厦门经营制铁事业,贩运制品出口,当时中政府谓铁锅为古来之违禁品,遂向英德两国公使抗议,将该工场封禁之。上记之税表,盖因此沿革的理由而列铁锅为违禁品者,然自马关条约以后,外人在中国有经营制造工业之权,且中政府于条约所规定者以外亦未增加违禁品,故禁止铁锅出口之旧则,已无遵之必要。

料品免税者,是皆不外于助长本国产业发达之目的也。中国自古不知此种政策之必要,专以增加国库收入为主,故不依照此原则而对于一切进出口货均课税焉。故列国而不依条约使中国设免税品,则阻碍外国贸易之发达者必不少。故免税品之规定并非出自中国之经济政策,而专以保护外国通商之利益为目的,与各国大异其趣,此吾人所当注意者也。

中国最初与外国缔结之条约,如 1843 年之《中英通商章程》及其次年之中美、中法条约,其中关于免税品之规定,极其简单,进口货中仅以洋米、洋麦、五谷、金银类、金银洋钱之数种为限,至 1858 年之《通商章程》遂大见增加,其第二款云:

Gold and silver bullion, foreign coins, flour, Indian meal, sago, biscuit, preserved meats and vegetables, cheese, butter, confectionery, foreign clothing, jewellery, plated ware, perfumery, soap of all kinds, charcoal, firewood, candles (foreign), tobacco (foreign), cigars (foreign), wine, beer, spirits, household stores, ship's stores, personal baggage, stationery, carpeting, druggeting, cutlery, foreign medicines and glass and crystal ware.①

凡有金银、外国各等银钱、面、粟米粉、砂谷米、面饼、熟肉、熟菜、牛奶酥、牛油、蜜饯、外国衣服、金银首饰、挽银器、香水、碱、炭、柴薪、外国蜡烛、外国烟丝烟叶、外国酒、家用杂物、船用杂物、行李、纸张、笔墨、毡毯、铁刀、利器、外国自用药料、玻璃器皿,等等!②

如上所列,进出口免税品混淆不清,其分类亦漠然不定。其旨趣无非对外人日用所需之一切物品免税而已。缔约人之目的,仅对外人自用物品免税,至商业用品当然不在此限,第以条文暧昧之故,免税品之规定致被滥用;殆与土耳其及埃及相等,数十年来中国关税收入之损失必不少也。③

---

① *Despatch of Lord Elgin to Lord Malmesbury* (Blue Book, No. 222 of 1857—1859).
② 原文此段文字只有句末标有感叹号,段内文字间的标点符号系编者所加。——编者注
③ 在土耳其之外国教士,其为学校医院慈善事业购入之物品,一律免税,中国亦然,此类物品,在 1902 年以前,即已有免税之特权。

1901 年拳匪事变最终议定书第六款将前项免税品之大部分均列入有税品,其目的虽在使中国获得偿付赔款之财源,但由国际正义言,此亦属当然之处置也。因此之故,1902 年之改正进口税表附则第二款所列之免税品,仅以外国米、谷类、谷粉、金银块、金银货币、印刷书籍、海图、地图、新闻杂志九种为限。然而海关之进口免税品则与此不同,今据当时税则签印后八月念九日列国改正税率委员致中国委员之公文,及当时总税务司征求外交团意见所下之数次训令而综合观察之,则现今之免税进口品中,除上列九种外,实更有下列之九种焉。[1]

(1)由外国运入之公使馆用品。

(2)外国驻屯军用品。

(3)外国政府送致领事馆之官用文具。

(4)中国政府之官用物而有免税专照者。

(5)有特别契约之铁路建筑材料及用品。[2]

(6)非贩卖之少数样货。

(7)商会商店分发之非卖品印刷物。

(8)旅客之手提包。

(9)非贩卖之自用旧服物及旧家具。

(10)税银在五钱(价格十两)以下之邮寄小包。

二、出口免税品

出口免税品据 1843 年《通商章程》之规定,其数亦少,仅以金银洋钱、瓦砖、瓦片、造屋材料之数种为限,而瓦砖与造屋材料之所以免税出口系因供给香港建屋之用故也。至 1858 年之《通商章程》,其数增多,与进口免税品并

---

[1] Cf. *Treaties*, I.

[2] 铁路材料完全免税之规定实始于 1896 年之《东清铁路契约》,其第七条云:"Tous les objets et marterieux necessares pour la construction, exploitation at repanation de la ligne seront exempts de tout impots et droit de douane et de tout impots et droit interieux." 而现今与该路同样契约者有正太、汴洛、道清、南满、龙州、滇越、沪宁、胶济、关内外、陇秦豫海、十线。此外之铁路材料免税者则仅以外国制造之建筑材料及机械为限(参见 I. G. Circ., No. 1655 of 1909; No. 2080 of 1913; No. 2158 of 1914,及 1912 年 9 月签印之《陇秦豫海铁路契约》第十六款)。

列,泛泛规定,盖亦以谋外人之便利为主也。至于进口免税品改正之结果,出口免税品究将如何变更,据条文上之解释言之,出口免税品不能改正,故不论进口免税品之如何,而前项章程所列之免税品,出口时仍不得不继续免税。然中政府专以收入为主,故乘进口免税品改正之机会,并缩少出口免税品之范围。今就海关所用之出口税表观之,免税品以下列六种为限:①②

(1)金银块,外国货币。

(2)中外书籍。

(3)海图,地图,新闻杂志,教育用之图画。

(4)少量之样货。

(5)木炭及薪。

(6)山东之金砂及海南之铜。

其中之木炭与薪,自1917年改正进口税率以后,亦实行征收出口税,此虽违背约章,而以其出口额不多之故,尚不足成为重要之实际问题也。至出口免税品须经条约协定之理由,亦与进口免税品同,所以防止中政府苛征出口税以阻碍出口贸易也,故当改约之际,列国务宜将1858年《通商章程》第二款之昧暖规定更正之,并确定出口免税品之项目焉。

近年以来,中政府为奖励出口贸易计,举凡仿制外货之华货,如果品类、罐头糖果、饮料汽水、葡萄酒及各种 drawn thread works,laces 博览会出口等,均列为免税品,惟输出无多,尚不足重视耳。③ 又税银5钱(价格10两)以下之出口邮政小包亦免税,系由特别之规定而来者也。④

---

① Cf.*General Tariff of 1858*,5th Issue.但山东之金沙与海南之铜之免税,并未经条约规定,此盖由中政府数十年前奖励矿业之旧法转载而来,而今则此等矿物,实际上并无有出口者。将来产额增加时,其亦将课出口税乎?

② 南方陆路贸易及北满陆路贸易所列之免税品,系依照1858年之旧法规定者也。

③ Cf.I.G.Circ.,No.2338 of 1915.上海泰丰公司及协和号所制之 biscuits 虽免纳出口税,而其罐头则仍须课税。税其外皮而不税其内容,中国以外,无此税法。(I.G.Circ.,No.2626 of 1917)

④ 邮政小包在税银五钱以下者免税,故对外之进出口货在价银十两以下虽得免税,然在国内各口岸输运时则须课值百抽五之移出税,课值百抽二点五之移入税,合计之达税银五钱仍须课税。换言之,价银在六两七钱以下者虽得免税,然超过此限时,则须于移出之际同时完纳移出移入两税于当地之海关。又由一口经过他口转送于内地时,则移出税移入税通过税三者同时并纳,合计须课百分之十,故三税合计若为五钱,即其价格若为五两则课税,不及者免税。

第三节　新工业品

一、新工业之发达

中国物资丰富、劳力充裕,而工业不发达者,其理由盖有多端,如资本之不足、企业家之缺少、科学智识之缺乏、交通之障碍等事,不遑枚举;然其根本理由,则实因华人守旧排外之思想所致,盖惧机械工业之发达足以胁迫手工业者之生活,而外人之企业又损及本国之利权也。例如1876年上海吴淞间开始敷设铁路时,地方人民多不欲,后因一愚民被辗身死,遂大起骚动,政府因取其轨条流之于台湾;又如最初之纺织机械输入上海时,附近农民不肯供给棉花,又如纺纱机械在广东方面扩张销路时,旧日之以纺纱为业者遂群起而破坏之。[①]甚至政府亦曾禁止机械类之人口以谋避免经济上之变动焉。[②]要而言之,中国当甲午战争以前,除革新派之督抚李鸿章张之洞在其辖境内创立机器局织布局以外,而政府之政策与人民之心理则仍取反对新工业之态度者也。

然自中日战争以后,中国之守旧政策与思想大生变化。据《马关和约》第六款,日人得自由运输各种机械来华,并得在通商口岸自由经营各种制造业;而其制造品之课税法,则按照1896年之中日特别协定,须与华人之制造品受同一之待遇,故中国之工业至此始入于转换时期。[③]换言之,即外人在中国通商口岸所得之工业权足以刺激华人之企业心是也。至于新工业之种类,自当首推纺织业,因纺织物占进口货之大宗,而其原料又出于中国故也;其次则为制丝业,因丝业为中国固有之工业,占出口货之大宗,亟待改良者也;其次则为烟草业、肥皂业、火柴业、蜡烛业、纸业、油业等类,因此类工业仅须少额资本与

---

① Cf.S.R.Wagel, *Finance in China*, pp. 317-318;"Chinese Guilds", in *Journal of N.Ch.Branch of the Royal Asiatic Society*, Vol.XXI.

② 光绪十九年十二月十七日总理衙门,下总税务司之札文中有一节云:"洋商贩运机器进口……若洋商贩运机器有妨华人生命有碍华民生计之物,又为税则所载者不准进口,盖中外政教风俗有别,外洋机器层出不穷,中国顾念民生,不得不申明自主之权,以辑邦交而免歧误。"(Cf. I.G.Circ., No. 613 of 1894)

③ 1896年10月19日签字之中日议定书第三款云:日本臣民在中国境内制造之货物,日本政府允诺中国政府加以课税,但应纳税额须与华人所纳者同等。

简易智识即可举办故也。①

二、新工业品之特别关税

有税品之中,如外国贸易之进出口货物,沿岸贸易之移出入货物,及内地与各口间之子口税货物等,其税率均于通商条约中规定之;至于他项货物,则中政府有自由课税之权。此种内国关税之烦苛,如前章所说明者,课税法复杂已极,毫不统一,但亦有例外者,如上述对于各地仿制之洋货施行特别课税法是也。此种课税法始于1882年,当时北洋大臣李鸿章当上海创设官民合办之机器织布局之时,为讲求保护奖励之政策起见,奏准将该项制品按照进口税率表课税一次,以后转运各地应免纳一切内地税。其次1890年湖广总督张之洞,亦于武昌开办湖北机器织布局之时,亦予以同一之特权。② 其后中央政府鉴于新工业勃兴之状况,遂依据总税务司之提议,一面谋增加收入,一面谋保持利权,决定对于一切机器制造品,一律课离厂税百分之十;此光绪二十二年(1896年)五月之上谕也,后因张之洞、廖寿丰之反对,事遂中止。③ 其次1902年《中英通商条约》(第八款第九节),又存规定课值百抽十之出厂税以代内地税,但因该款关于关税之事项未邀各国同意,新设之消费税亦未见诸实行。于是中政府又讲求临时之方法,其大要可分四项:(一)对于纺织公司之棉纱棉布,则依1858年之税率表课正税,以后一切内地税均免除之;(二)对于他种工场之棉布及杂货,值百抽五课税,以后一切内地税免除之;(三)又对于特别规定之制造品,在其一定年限内,免其关税之全部或一部;(四)或适用原料品之税率于制造品而不免除其内地税,因此之故,课税方法愈趋愈杂。1917年4月,总税务司为谋免除此种不统一不公平之课税方法所生之弊害,遂提出下列

---

① Wagel,op.cit.,Appendix 曾载有欧战前之中国新工业工厂一览表,政府公报亦时有创设新工厂之报告。唯归华人所计划经营者,资本甚少,浮沈无定,故此类表册仅能供参考而止,多与实际不符。

② 参见光绪八年三月北洋大臣之奏文及光绪十九年正月湖广总督之奏文。又中国最初用机械制成之棉布,由1889年设立之上海织布局造出之;最初用机械制成之棉纱由1891年创设之上海轧花纺织局造出之。(Cf.I.G.Circ.,No.539 of 1801)

③ 参见光绪二十二年五月二十一日总理衙门之奏文及次年二月二十日张之洞之奏文。

之议案,呈准政府实行之。①

　　(一)棉纱棉布。(1)出口税表未经揭载者,先照该表课税;(2)为该表所无而已经揭载新进口税表者,则照进口税表课税表课税;(3)各税表均未经揭载者,值百抽五课税。②

　　(二)他种工厂制造品。新进口税表已经揭载者按照该表课税,未揭载者值百抽五课税。

　　此类制造品若在制造地点消费时固当免税,但上述税额一经完纳于当地海关或附近之内地税局以后,得有特别证书者,即可转运全国各地,免纳一切内地税。③ 惟须经沿途税局之查验与监视耳。

---

　　①　参见 I.G.Circ., No. 2666 of 1917 及民国六年四月二十六日政府公报。

　　②　凡外国式棉布,不分机械品与手织品之别,均有减税之特权,旧式土布则不在此例,惟得免于沿岸移入税而已。

　　③　对于通商各口岸间之输运,则给以特别免照(Special Exemption Certificate),对于各口与内地间之输运则给以运单(Conveyance Certificate),即可免纳各种内地税;但贩运于北京时,则课崇文门落地税。(参见民国四年十一月十日税务处命令,民国五年海关与厘金各口卡发给机制洋货运单办法修正简章及 I.G.Circ., No. 2652 of 1917)

第六章　关税货物流通之便宜方法

第一节　总　论

就现今各国商业政策之一般原则言之,对于进口贸易,大致依据保护国办产业或增加国库收入之必要以征课关税而加以限制,至对于出口贸易与通过贸易则完全免税,或更直接间接谋种种之便利以讲求奖励之方法者。为达到此种目的起见,采用关税政策,于免除出口税以外,更有(1)出口奖励金,(2)自由港,(3)戾税,(4)保税仓库,(5)加工贸易免税等种种之手段,现今文明各国未有不适当采用此类方法以谋外国贸易之发展者也。

惟是中国关税制度,绝对以增加收入为主,不惟出口税不能废止,即各种烦苛之内地税亦处于不能裁撤之状态,其妨碍货物之流通与贸易之发展者良非浅鲜。此列国与中国订约通商时所以不仅束缚中国关税之主权,且更进而协定使货物易于流通之方法也。故现今中国关于此类之便利方法与各文明国家所施行者全异其趣。因此系列国强制中国采用之消极规定,非出于中政府之自动而用以促贸易之发展之积极规定也。惟其如此,故中国仅能实行戾税与保税仓库二法,其他如出口奖励金、自由港、加工贸易免税等法之不能存在,又奚足怪。且即就戾税之内容而言,亦系一种"关税戾税"(customs drawback, Zollrestitution),不过于再出口时发还其已纳之关税已耳,并非以奖励出口贸易为目的,如所谓发还内国消费税之"消费税戾税"(excise drawbacks, Steuer-restitution)者也。又如保税仓库亦极不完全,其目的并非便于进口贸易,通过贸易或仓库内之加工,实际乃在便于再出口贸易。唯中国有一种特别方法为各国所无者,即关于各口间进口货之流通之免重征制度是也。即戾税制专适用于进口洋货再输出国外之时,免重征制度专适用于进口洋货再移出于国内之时,将来保税仓库若能发达,内国关税若能废除,此种制度之必要或将减少。但就现今中国关税制度言之,此二法实保护外国贸易之重要规定也。

第二节　戾税制度

中国之戾税分两种:第一为洋货之进口税戾税;第二为土货之沿岸移入税戾税。第一种戾税之目的在免除本国不能销售之洋货进口税,他国亦有其例;至第二种戾税则系于土货由一口经他口而输出国外时发还其移入时已纳之税,此盖依据条约之规定,对于通商口岸之出口货除征出口税外不另征他税者也。二者虽同为关税戾税,而根据则不同。

(一)进口税戾税。进口税戾税又可分为二种:其一为发还再出口货所已完之进口税额,其次为发还再出口原料已完之进口税额是也。前者为自古通行之戾税,后者为较新之方法,现今文明各国均用以奖励出口贸易焉。中国之进口税以第一种为限,其进口时所完之税额,全部发还,至关于第二种戾税额之定率则颇为烦琐,兹详述于下。①

关于进口税戾税最初之规定,载在 1858 年之《中英条约》,据该约第四十五款第二项云:

British merchants desiring to re-export duty-paid imports to a foreign country, shall be entitled, on complying with the same condition as in the case of re-exportation to another port in China, to a drawback-certificate, which shall be a valid tender to the Customs in payment of import or export duties.

即戾税之办法,仅以进口货之再输出于国外者为限,其有再输出于国内他口者,则给以免重征证书而不给戾税证。惟此种方法不特于商人之交易上不便,且自中政府观之,此项进口税收入被二三中外互市之大港口所吸收,于各

---

① 北美合众国发还进口税 99%。意大利关于此点,曾于 1896 年 2 月 27 日下一敕令,对于棉纱及棉织品则给以原料之进口税以上之戾税。

自为政之财政组织颇不适宜。中政府为补救此二缺点起见,故于 1863 年之《中丹条约》第四十五款,规定对于已纳进口税之洋货,不分其再输出于国内与国外,均给戾税证。惟已得戾税证之洋货若再输入于国内他口时,则须另课进口税耳。

戾税发给之条件,须先经海关检查,以再出口货与原进口货相同而存有进口时之原记号(original marks)者为合式。① 并要求戾税之期间,各约均无规定。据 1876 年之《芝罘条约》第三款第五项云:

> Article XLV of the Treaty of 1858 prescribed no limit to term within which a drawback may be claimed upon duty-paid imports. The British Minister agrees to a term of three years, after expiry of which no drawback shall be claimed.

1858 年所定条约第四十五款内载英商若将已经完纳税项洋货复运外国,禀明海关监督发给存票,他日均可持作已纳税饷之据等语。原约并未定有年限,今订明三年为期,限满不得将此项存票持作完纳税项之据。

但用语极其暧昧,所谓三年之期限,果系由进口至再出口之期限耶,抑系由再出口时至请求戾税时之期限耶,殊难明了。② 据当年德使 Von Brandt 之要求,虽曾决定请求戾税之办法,以进口以后三年之内再出口之进口货为限,但其他之点至今仍未决定,故戾税一项得于再出口以后若干年请求之,戾税证亦得于若干年后作用之。③④

（二）移入税戾税。据 1861 年之沿岸移入税法观之,凡欲贩运土货再输

---

① 《天津中英条约》汉文第四十五款,对于原记号曾用原包原货之字句。又轮船中所用石炭与他项用品,则不须核对原记号,盖因另有特别规定故也（见 1902 年进口税率附则第二款）。

② 汉文中有"今订明三年为限,限满不得将此项票据作完纳税项之据"之字句,其意义比英文更欠明晰。

③ 参见 Cordier, *Histories des Relation*, II pp. 152-160,及光绪二年十月二十七日总理衙门下总税务司之命令。

④ 《中英天津条约》第二十四款及《中美条约》第二十一款虽曾规定惟贩运进口之原所有人得请求戾税,但此于进口货之转售不便,故自一八六三年以后,总理衙门始打破此制限,决定再贩运出口者亦得请求戾税。(Cf.I.G.Circ., No. 5 of 1863)

出外国者,当其由一口移入他口时须完移入税。作为一种保证金,该项货物自移入之时起三个月以内不变更原状而出口者,则发给戾税,逾期出口者,不惟不给戾税,且须再征出口税,此种税法实可谓为绝对以收入为主者也。[①]　迨后1863年《中丹条约》成立,始对沿岸移出入税加以限制,同时将移入税之戾税期间由三个月增至一年,且当再出口时亦不必核对其为原货原包与否(见该约第四十四及第四十五款)。[②]

由此观之,移入税戾税与进口税戾税之差别,约有二点,即请求戾税之期间缩短及许可货物改装是也。盖期间之所以缩短者,实因出口货物在出口港口候船时期不久之故;又许可改装出口者,实因由内地购集之货物,参差不齐,打包亦不坚固之故。惟改装一事,虽经海关员之监视,但不限于保税仓库内行之,即私设仓库亦可改装,此中恐不免有弊窦发生也。[③]

戾税发给之手续,先由商人向海关呈请,后由征收进口税或移入税之海关于三星期以内给以戾税证书(drawback-certificate)。[④]　戾税证书亦分两种,一为普通戾税证,一为现金戾税证。关于进口税戾税之办法,听商人自由于二者之中选择其一,惟移入税戾税则不发给现金。[⑤]　现金戾税证,得向海关银行换取现金,于一般人民颇为便利,但普通则多用第一种之普通戾税证。此项证书在纳税时与现金有同一之效力,唯不许用以完纳子口税或吨税。[⑥]　盖因此两税与进出口关税之性质不同,又有特别之会计故也,但二者既皆为海关之收入,斯无限制之必要,故此项规定在今日可谓毫无意义。

又各地海关,对于(1)装载未完之货物(shut out cargo),(2)起卸未了之

---

①　Cf.*Regulations rel.to Transit dues*,*Exemption Certificate*,*and Coast Trade*,1816,Section III.

②　1864年《中西条约》第四十四款,1865年《中比条约》第三十四款,1866年《中义条约》第四十四款,《中奥条约》第三十款等,均有同一之规定。

③　关于改装之规则,海关曾有 Regulations under which native produce arriving at a treaty port in transit may be repacked 之规定。

④　1902年《中英条约》第一条即有戾税之规定,为除去向日戾税证延迟发行之弊害计,遂将海关监督发行戾税证书之事务移归海关洋员管理。

⑤　从前进口税之现金戾税证,常经内外商人请求,但因未经条约规定之故,致被中政府拒绝,迨后1876年经德使 Brandt 强硬要求,始得允可。此时移入税戾税亦同时发给现金,至1884年,中政府根据上海、汉口、宜昌、九江、芜湖等处海关监督之意见,以保护关税收入之名义废止之。惟对进口税则给现金戾税,对移入税则拒付现金,可谓毫无理由。

⑥　参见1902年《中英条约》第一款第二项。

货物（short landed cargo），（3）海中损失之货物（sea-damaged cargo），（4）过征之税金（over-paid duties）四项，均有发给戾税之习惯。然此项戾税办法与固有之戾税性质不同，此不过发还其误征之税金而已；且实际上又附有种种之限制，鲜有发行戾税证者，如对于第一项许其趁次期轮船免税出口，对于第二项免税，对于第三项减税等方法是也。

第三节　免重征制度

所谓免重征制度（exemption certificate system）者，即使已纳税之货物当再移出入于各通商口岸时得不再纳关税之便法也。此种制度与子口税制度相同，均在于使进出口货物得自由流通于各通商口岸。为使再移出货物得享有此种特权起见，于移出口岸发给证书，称为免重征执照（exemption certificate）；此项执照与对免税品发出之免税单，护照或专照等不同，乃证明其为已纳税货物不再课税之证书也。

条约上关于免重征执照之最初规定，即 1858 年《天津中英条约》第四十五款第一项。此种办法，在当时仅以进口洋货之再移出者为限，后中政府认定土货之转运于各口者亦应享此特权，故于 1861 年制定免重征税法，并取得各国公使之同意。① 免重征执照既可省发行再移出品之戾税证之烦，又可以免除移入口岸重征之累，且就海关而论，亦可防止不正商人滥用戾税法，致损及关税之收入。据《中丹条约》第四十四第四十五款之规定，凡外人之请求戾税证者，海关虽不能加以拒绝，而海关之方针，则有使商人不请求戾税证而请求免重征执照之间接的压迫方法焉。例如免重征货物得在移出入口岸得少受验货之烦累是也。②

免重征证书，如前所述，系于货物再移出时使用者，此证之发给，系由移出口岸之海关连同该船装货证书（cargo certificate）同时送交于移入口岸之海关，并不直接交付商人之手。免重征证书发行之条件亦与戾税证书同，再移出之

---

① Cf. *Regulations rel. Transit Dues, Exemption Certiflcates, and Coast Trade*, 1861, Section II.
② 参见民国四年二十日税务处命令。譬如上海商务虽盛而关税警察取缔不严，保税仓库之设备又不完全，故戾税法易被奸商滥用。

货物必系已经纳税且须原包原货方能照准,至请求发行证书之期限,条约上亦无何种规定。但免重征证书与厫税证书两者原有关联,听商人自由选择,其期限亦与厫税同。

以上所述,系各地通行之免重征制度,至对于(1)机械制成之工业,与(2)满洲及沪宁铁路之货物,则有特别之免重征制度焉。关于第一项本国货之办法已于前章第三节说明之,兹不赘述,今第就第二项之免重征制度略述于下。

满洲与各地不同,通商地颇多,而已开放之地点,又多未设海关,欲使货物流通于此等地点与进出口各港之间,则亦应均沾与他口相同之权利,故关于陆路之转运,实有特别规定之必要。所谓"洋土各货运往东三省各埠免重征专照试办章程"(Manchurian Special Exemption Rules),即为适应此项要求起见,根据英公使之要求于 1907 年开放满洲各口时制定者也。其后曾依英日公使之要求略加修改,至今仍沿用之,兹举其大要于次。①

(一)天津、秦皇岛、牛庄、大连、安东、满洲里、哈尔滨、爱珲、绥芬河各关,对于由此等地方再移出于满洲商埠之,(1)已纳进口税之洋货,及(2)已纳移出入税之土货,得发给免重征专照。

(二)商人在专照发行后四月以内,须向货物到达地点之内地税局,要求盖印证明,仍送还于发专照之海关。

(三)凡请求发给专照者,须出具原书,载明货物之记号、种类、数量及运送地点,并须提出保证书,声明逾限不缴还专照甘罚该货物之半数之三倍。但依商人之便利,对于一年以内之运送,亦可仅提一通之保证书(annual guarantee)。

(四)货到后验得专照与货物不符时,得收没其货物,并照前记之保证书课取罚金。

(五)商人为便利计欲将专照所载货物之全部或一部,由原运货地点转运他处时,须将旧专照改换新专照;此时,若当地有海关则须将此旨呈请于海关,若无海关则须呈请于发行旧专照之海关。②

---

① Cf.I.G.Circ., No. 1472 of 1907;Nos. 1499,1544 of 1908.

② Cf.I.G.Circ., No. 1730 of 1910;No. 1784 of 1911.奉天海关虽不理征税事务,而在便宜上得处理发行专照事宜。

东三省之专照制度,本非依据与满州贸易多有利害关系之日本之要求而制定者。当其始也,仅施行于南满地方,日本政府不欲,谓南满州无特别设定此种严密烦杂之规则之理由有违背于条约,故要求中政府修正,因此之故,遂将此制推行于北满。① 但地方官吏则以货物多借专照流通之故,殊有损于地方收入,曾有起而反对此种专照制度者;然由局外公平观察之,则专照制度之有利于货物之流通者实不少,惟手续过繁,专照不直接缴还运货地之税局而缴还于发行地之海关,且须提出保证书,对于犯规者不仅收没其货物,又并课罚金,未免过于苛刻耳。②

沪宁铁路之免重征法,亦不过根据英公使之要求,采用满州之成例而已。惟其相异之要点亦有下列四端:(一)免证之发行仅限于已纳税之洋货而不及于土货;(二)缴还免证于发行地海关之期限定为两星期;(三)保证书须由铁路公司代商人提出之;(四)罚金与该货物半税之二倍相当,货到后如核与货单不符,则仅收没其货物,不另课罚金。③ 满洲之与沪宁一带,其地域虽有广狭之差,交通情形虽亦略有不同,而制裁之方法,两地竟有宽严之别,未免失之不公。即使满洲方面之制裁与沪宁等,固亦足以防止偷漏而有余也。

1916年1月交通部向财政部提议云:"通商各口之间,国货之由轮船运送者得享受免重征制度之利益,而由铁路运送者则于沿线受各种之课税,殊失平允;轮船归商办,而铁路则多归官办,今因此种水陆两歧之课税法之故,铁路货物多被轮船吸收,损失国有铁路之收入者不少,京奉、南满、中东、沪宁诸路既适用免重征制度,则沪杭甬及津浦两路亦当沿用之。"此种要求可谓至当,乃财政部与税务处在主义上虽表赞同,卒以厘税收入之关系,致未能采用此种事理明白之便法,殊可惜也。当时总税务司曾就此问题提出下列三条件以答复税务处之咨询,兹列举于次。

(一)铁路运送之货物亦应与轮船运送之货物同,其与海关以绝对管理权

---

① 关于此点,日本阿部代理公使曾向中国政府抗议,并要求修改章程,详情参见 I.G.Circ., No. 1544 of 1908。

② Cf.I.G.Circ., No. 1950 of 1912.

③ Cf.Provisional Rules for Issue of E.C.For Import-duty-paid Foreign Goods carried on the Fu-Ning Railway between open ports(I.G.Circ., No. 1568 of 1908).

当如南满及中东两路之旧制,且须排除其他内地税关之干涉。

（二）对于铁路之通商场与非通商场间,及非通商场与非通商场间往来之货物,向归内地税关征税者,今应举其征税权委之于海关。

（三）须使铁路局建设特别仓库为保税仓库,并将其全部管理权移归海关。

总税务司声明上列三条非见诸实行,虽欲采用免重征制度于国有铁路,亦徒使征税机关愈增复杂而已,交通部之提议,遂被排斥。[①] 政府方面既因财政上之关系,不克完全裁厘,又不欲将统一之权委之海关,其欲谋铁路运送之发达与收入之增加,亦可谓矛盾之至矣。

与免重征制度相似而实非者则有红箱制度（Red Box System）,扬子江沿岸地方行之。所谓红箱制度者,即已纳进口税之零星洋货,由一口再移出于他口时,不发行正式免重征专照,须以之装入海关已登记之特定红箱中运送,则与以免税之待遇之方法是也。此制度起源于 1893 年,对于由上海再移出于宁波与温州之外国杂货行之,此系由条约以外之习惯发生者也。1902 年南京、芜湖、镇江之杂货商人,因进口税率之改正,税率加重,营业困难,特请求各关采用此种制度,依英国商务官 Jamieson 之斡旋,凡自上海再移出于此三处之洋货亦得均沾此制度之利益,迨后 1911 年遂得以汉口为中心而扩张于岳州、长沙、沙市、宜昌四地焉。[②] 盖红箱制度其手续不如免重征制度之烦,且不须核对原包原货,于小口岸之小本杂货店及外国人之生活实属利便。近年来邮送小包制度发达,其便利虽与此相等,但运费过高,不及红箱远甚。此种便法若能推行于全国,于满洲,其便利于小商人而资助杂货贸易之发展当不少也。

其次有与厍税及免重征制度相关联而须附记者,则为上海之派司制度（Pass system）。派司者,即已纳税之货物为谋于再出口或再移出时取得厍税

---

① 　Cf.I.G.Circ.Nos. 2470,2531 of 1916.

② 　Cf.Provisional Regulation for the Introduction of the Hung-Hsiang System between Shanghai and the Yangtse Ports,1902;I.G.Circ.,No. 1849 of 1911.红箱制度之要点有五:（一）红箱之形式由海关制定,其表面须填明码号,发货商店及送达地点之类;（二）使用红箱之人,须于移出口岸造具发货单,船载证书及呈请书两通,送交海关,听候查验;（三）一箱内之货物,每种不得超过价格 30 两;（四）货物运到后,经该地税关验明其有漏税情事者,将货物没收,并处该发货商店以 50 两之罚金;（五）红箱之往还,由海关加封盖印。

证或免重征执照计,而证明该货物为原货之同一证明书(Identitätnachweis)是也。据条约之规定,此项证明书亦无必要,唯再出口呈请书须与该货物在海关之原进口货之记录相符而已。故进口货物若由原贩运进口之人再贩运出口之时虽不须使用派司,但货物一经转卖之后而由他人再贩运出口时,若使用派司,则有防止呈请书之误谬之利益。因此之故,贩运进口之商人若于其进口货物附加派司,则便于出售,且本人之进口货所有再出口之特权,亦不致受他人所妨害。当1871年此制度始采用于上海之时,重在保护进口货商人之特权,谋进口货流通之便宜,故派司之发行,完全委诸进口货商人之手。① 结果所至遂发生两种流弊,一则进口货商人之中,有对于一种进口货而制成派司数通发卖者;一则仅购派司以包装与之相合之货物,希图以非原进口货之货物为再出口货物而取戾税或免税之利益者。因此上海海关遂于1884年严加取缔,限制进口货商人发行派司之数目。② 今举其现行法之要点于次:

(一)进口货商人,不问其贩运之货为洋货或土货,亦不问其种类如何,所有一切进口货均得发行派司,但进口时须连同进口呈请书,船载证券与派司提出于海关,受海关登录验印(此称为原派司 original pass)。

(二)进口货物若分交多数商人贩卖时,进口货商人得于原派司之外添具数个必要之副派司(sub-pass),提出于海关,由海关登录验印。

(三)已进口之货物欲再贩运出口时,须于再出口呈请书添具派司提出于海关,请海关验货,并须将再出口之数量记入派司,又全部均再运出口时,其派司即取消之。

(四)派司经海关验印后,若发见其记载之事项有误谬时,须即时呈请海关订正,若私自改订者,作为无效。

(五)再出口之货物若与派司所记载之货物有不同时,其派司作为无效,不给以戾税证书及免重征证书之特权。

(六)派司遗失时,须自遗失之日起一星期以内登报声明,然后请求海关发给复派司(duplicate pass)。

---

① Cf.*Shanghai Customs Notification*, No. 102 of 1871.

② Cf.I.G.Circ., No. 289 of 1884.

派司制度非根据条约而来,故派司之利用与否,听商人自便,惟商人于取得再出口之特权时而欲免手续上之错误,则在再输出商人观之,自以利用派司为安全而有利也。上海为中外通商之总汇,殆占全国贸易总额三之一,派司制度之流行,职此之故。至于他口,虽尚未采用此制,而如天津、汉口、广州、大连、胶州等大商埠,若均能采用此制,则其便利必有不胜言者矣。

第四节　保税仓库

进口鸦片收容于船库(Hulk)而贩卖之方法,是为海通前后盛行之习惯,1876 年之《芝罘条约》(第三条第三节)虽亦有鸦片保税之规定,而对于普通进口货则无保税仓库之设备,外商之中认定有保税仓库之必要者亦在 1860 年以后。1869 年之《Alcock 条约》,虽曾约定于通商各口设立仓库,但该约未经英政府批准,故保税仓库之条项亦未见诸实行。嗣后 1880 年之中德条约(第二条第三条),亦曾使中政府约定于各口设立保税仓库,德公使亦屡次督促中政府实行,而中政府不悟保税仓库之利益,降至 1887 年始制定《上海关栈试办章程》焉。① 此为中国最初之保税仓库法,然中政府复设立种种限制,如:(一)保税货以进口洋货为限,土货不在此列;(二)仓库内不许改装货物;(三)保税仓库特权惟招商局之南北两栈得享有之,外国人之仓库不与焉;(四)应入保税仓库之货物不许在他口起卸。诸如此类,无非妨碍保税仓库之发达,于条约所预期之效果殊相远也。②

然关于槽油(tank oil)一项,则依特殊之情事而促进保税油槽之发达焉。其始外国商人,主张已纳税之石油当改装移送他口时无须再征税课;而中国政府则主张按照约章,凡再移出之货物欲获得免税之特权应以原色原货为条件,槽油而改装箱油,当然有课税之权;至 1894 年中国政府与列国公使曾讨论此事,争议不决。翌年,俄德两国公使因石油贸易于自国更有利害关系之故,向中政府严重抗议,中政府遂亦承认私设油槽为保税仓库,箱油之运送不再征

---

① Cf.I.G.Circ., No. 395 of 1887.
② Cf.I.G.Circ., No. 437 of 1888;No. 450 of 1889.

税,事遂解决,而所谓火油池栈专章,亦于是年制定。[1] 据该章程之规定,油槽之设立,以在地方官认可之地方为限,欲得保税仓库之特权者,最初须纳 250 两之许可费,以后每年纳规费 50 两,且须负担海关员出张费每月 100 两云。

中国政府对于保税仓库之态度其顽固有如此,即令有外国人之要求,亦无自行设立之资力焉。其阻碍外国贸易之发达,阻碍再出口贸易之发展者实不少,故 1902 年《中英条约》之规定,比《中德条约》更进一筹。不待中政府设立保税仓库,而以外国人已设立之仓库为保税仓库也。据该约第六条(1903 年之《中美条约》第六条亦同)云:

中国允准在通商口岸多设关栈以便屯积洋货及拆包改装等事,俟出栈时始完税课,凡英国官员请将某英商之栈改为关栈,应由该口海关查明实系谨慎坚固,保无偷漏税项之虞,始准所请。该栈须遵海关订定关栈专章,输纳规费。至此项规费应纳若干,按栈离关远近,屯何货物,并工作早晚,酌情核定,惟所定之章,应实于税务商情两有裨益。

据本条之规定,即不分洋货、土货之别,虽系外人设立之仓库,若有一定之设备,便可享受保税仓库之特权。自此约发生效力以后,上海方面之保税货物略见增加,惟入库出库查验纳税等项手续纷繁,如非不得已情形,亦少有利用保税仓库者。上海如此,他处之保税仓库亦未见发达,则虽谓为全国共通保税仓库法尚未制定亦无不可。此外保税仓库不发达之理由亦有三点:第一,商人因进口税低廉之故,其纳税所受金利之损失,大致比利用仓库之手续费之损失少;第二,华商习惯喜购已纳税项之进口洋货,不愿购保税货物,以其纳税手续繁杂故也;第三,因外国裁判制度之关系,仓库证券不甚流通是也。

---

[1]　Cf.I.G.Circ., No. 658 of 1894; No. 673 of 1895.

第七章　吨税及河港修理税

第一节　吨　税

吨税由出入本国港湾之船舶征收之,乃一种交通税,与自货物征取之关税异其性质。吨税之收入,其原则在用以维持并改良便于航运之各种设备,凡沾受此等设备之特别利益之船舶均须担负一部分之费用,此当然之理也。然吨税之征收亦有以增加国库收入为目的而苛取者,或分别船舶之国籍,定税额之轻重,亦可得与关税相同之效果者。在昔欧洲各国重商主义(mercantilism)全盛时代,吨税之征收亦曾有被利用以为海运政策之事实。即如美国现行关税法第三十六条之规定,凡自美国各港及 Newfoundland、中美、西印度地方港湾入口之船舶,每吨均课吨税 2 仙,自其他外国港湾入口之船舶,每吨均课吨税 6 仙。中国之吨税(tonnage dues)虽非根据此种政策而成,而在海通以前,对于出入洋船所课之船钞则与前述之第一项相当,与近代文明各国之吨税异其观念。此项吨税其性质似系对于贸易特权之报酬,或似外商直接担负之关税,其税额亦极其苛重。《江宁条约》订约人 Pottinger 于 1843 年协定进出口关税时,同时对于吨税亦加以限制以保护外国贸易者,职此故也。

吨税协定成立以后,从前不规则之船税及各项规费,一律废止,150 吨以下之船舶每吨课税一钱,150 吨以上之船舶每吨课税五钱。至于吨税收入之用途,在当时则并未受何种拘束也。然而贸易发达,则出入船舶随之增加,而各处港湾及沿岸灯台浮标等项设备,于航运均属必要之图,而当时中政府对于吨税收入之使用,固未顾及此一方面也。① 迨后中英缔结《天津条约》及新订

---

① 据确实调查,当 1855 年至 1860 年之间,中政府拨款设灯台及灯台船者仅 6 万元而已。且又不实行吨税之规定,如对于装载米谷入口之船舶则免之,对于空船入口而载货出口者则减征半税是也。

《通商章程》之时，英国政府为谋改良此种状态起见，遂使中政府将 150 吨以上之船舶每吨减征四钱，并规定将吨税收入拨作灯台浮标等项维持费之用。此中政府吨税课税权与关税权俱受束缚之由来也。

现行吨税法（光绪八年《通商各关征免船钞章程》）以《天津条约》为基础，于 1882 年制定者也，其后亦曾略加修正，今举其大要于次。①

（一）下列各船不问其经由沿岸航路与外国航路，凡出入于通商口岸之海关者，均课吨税，如中外轮船、帆船、曳船（tug-boats）、趸船（hulks）、小艇（boats）、拨船（cargo boat）是也。

又下列各船均免税：（1）军舰，公务船，领港船，游船；（2）商埠区域内之拨船，舢板船，艀船（lighters）；（3）一区域内或一口与他口间装运乘客，手提行李，信件，食品，及其他无税货物之小艇。

（二）入口后 48 小时或开启船舱之时即发生纳吨税之义务，但下列两种船舶得不纳吨税：（1）入口后仅起卸手行李、金银块货币及上陆船客在 20 名以下而在 48 小时以内出口者；（2）为避难及修理而入口不起卸货物及乘客而出口者。

（三）吨税之完纳，凡船舶在登簿吨数 150 吨以上者每吨纳税四钱，在 150 吨以下者每吨纳税一钱；至于登簿吨数之计算，若系外国船则以所属领事馆之报告为凭，若系本国船则以交通部所发船牌为凭。

（四）已纳吨税之船舶于其出口发给船钞专照，此专照于该船出口后四月之内，在全国各地均有效。②

（五）对于因修理而入船渠之船舶，其船钞专照之有效期间须加入该船入渠中之日数计算之；又对于碇泊于一口岸至 14 日以上之帆船，其专照之有效

---

① 吨税法亦有三种特例。第一，松花江内往来之船舶不征吨税，但因其货物之性质，数量及航行距离另课江捐（river dues）。此即根据松花江航行权专属中俄两国船舶之规定而来者也（参见 1858 年《爱珲条约》第一款）。第二，法国船及安南船之上下松吉河、高平河经广西而由东京之一地航行他地者每吨纳税 5 分，其出入货物无税（参见 1887 年《中法条约》第六款）。第三，出入于青岛、大连之轮船及出入九龙、拱北两关之中国船不课吨税。

② 据《天津条约》，航行中国沿岸间及沿岸与香港间之船舶，每次入口不课吨税，纳税一次，四月有效。1864 年法国公使要求将此项特权扩张于交趾、中国及日本各口间航行之船舶，其次更依 1880 年之《中德条约》第二条，而航行内外各口间之一切船舶亦得均沾此项特权。

期间则加入该船自第 15 日起至出口前日止之日数之半计算之。

(六)外人雇用之中国式船舶,其航行沿海各口之间者则课吨税,其航行于扬子江各口之间者则由内地税局课征船税(port dues)。

如上所述,中国政府对于吨税收入之使用虽受条约拘束,然无举全部吨税悉充维持灯台浮标等项用途之义务。故中政府按照总税务司之提议,自 1865 年以后,提出十分之一充此项用途,自 1868 年以后提出十分之七充此项用途,其余数目悉作他用,沿江沿海航运之各种交通行政等设备则均置而不顾也。故其结果所至,苟非外人提倡改修港湾水路,则自然之良港终听其自然破坏而已。河港修筑事业之所以见诸国际的协定者,职此故也。

第二节　河港修筑税

中国沿岸海线长亘 5000 哩,又有大河扬子江能通行海洋航行之巨船,各地形势便利,自然之良港决不在少数。若施以近世文明的修筑之方法,则其资助交通贸易之发达者必不少。如德国之于青岛、日本之于大连,港湾之设备完全,又有铁路通行其地,从前之荒僻渔村,一旦成为繁华之大都市,遂得以开发脊地之富源。然而中国政府除昔日仅投少许经费防阻黄河之暴威以外,固未尝留意于此也。近年来因受各种刺激,始悟及河港修筑之必要与其利益。然以财政穷乏之故,卒无举办此项大事业之余力,故交通事业而欲望中政府之倡办,与百年俟河清无异。此列国所以干涉河港修筑事业以开发中国而便于出入其门户也。但河港之修筑与采矿筑路迥异,固无何种独占之性质,且列国之利益关系亦不必一致,中国官民无论如何顽迷,对此当亦无反对之理由。此种事业,向由中外国际委员会(Joint International Committee)计划而成,其经费亦归中外人平均担任,而由海关管理之,此各地共通之现象也。现今中国所举办之此类事业,虽仅有天津、上海、牛庄、芝罘四港,而今后各地如实行此项计划,当亦不至变更此国际的原则也。

此项国际委员会开端于天津白河改良事业。当 1897 年之时,英法两国领事与外国商会会长,因白河水路之土砂堆积,水深之度渐减,遂与当时直隶总督会商办法,组织白河修筑委员会(Haiho Conservancy Commission)之机关,投资 25 万两,建立修理之计划。此委员会由中国方面派出海关道台税务司及招商局开平矿局之代表,由外国方面派出外国航业代表,英法侨民会代表及商会代表组成之;惟实际上各委员并未集会,当其局者仍为三名之执行委员,即海关道台、首席领事、及税务司是也。至于经费则暂由直督拨出 10 万两,由英法租界募集市债 15 万两充此用途,即于 1899 年着手修改,其市债之偿还方法,则按照中国政府与列国公使之协定,增征海关税 1% 为附加税,由进出口货物征收之。迨后拳乱发生,联合军都统衙门代垫资金,仍继续此项事业;其后工事进展,遂增发市债若干,附加税亦增征数次;现已增至 4% 矣。①

然河港改良问题之见于国际条约之规定者,则以 1901 年之拳乱最终议定书之第六款为始。该款末项有"白河及黄浦江水路以中国经费任之"之规定,第十一款关于白河之规定云:

> 1898 年经中政府赞助而创办之白河航路改良工事,由各国委员管理,继续办理,今天津之行政既归还中政府,则中政府即得自派代表加入该委员会,每年须支出维持费 6 万两。

又关于黄浦江之规定云:

> 黄浦改正及水路改良工事之指挥监督,设置水路局掌理之;该局由代表上海海路贸易之中政府之利益及外国人之利益者为委员组织之;至经营此项事业及一般事务之必要费用,在最初之 20 年,每年估定 46 万两,由中政府与有关系之外人各支出半数;关于水路局之组织职权及收入等项之细则,于附属书中记载之。

据该附属书第十七号所载,黄浦江修理局(Whangpoo Conservancy Board)由上海海关道台、税务司、领事团代表二名,外国商会代表二名,出入黄浦江船

---

① 此外溯航至天津之船舶,每吨征税 1 钱,其他船舶每吨征税 5 分,起卸货物,每吨征附加税 1 钱。

舶年满 5 万吨之航业家及商人代表二名,公共租界代表一名,法国租界代表一名,出入船舶每年超过 20 万吨之各国代表各一名组成之,黄浦江之水上行政及沿岸设备与土地之处分,其所有权限颇为广泛,与向来属于海关之港务行政权多抵触之点。① 中政府以此种协定有损国权,于 1905 年与列国公使议决将黄浦江修理工事之费用,完全归本国担任,而收回工事管理权于上海海关道台及税务司之掌中。其后 1911 年革命发生,预定之经费不能支出,遂于次年再与列国公使商议,缔定新约。依此新约,由交涉使税务司及海关港务长为水路局执行委员(Whangpoo Conservancy Board),另设评议会(Whangpoo Conservancy Consultative Board),由出入上海之船舶吨数最多之五国公使各自指定之代表五名,由中国商会选定代表一名组织之,而经费之来源则由进出口货课一定之修理税(conservancy tax)充之。

辽河修理工事,起源于 1907 年,当时中外商业团体自集资金,筑水门于双台子运河,截去上流之弯曲地点 Duck Island Bend,浚渫河口之浅濑。时逢地方愚民激烈反对,事遂中止。1909 年,外国商会谋加征进出货物及船舶之附加税,以其收入着手修理事业,向中外官吏运动立案,至 1911 年遂由领事团与道台订立一协定案。然辽河修理委员会之见诸成立,实际工事之着手办理,则根据 1914 年中政府与列国公使所缔结之辽河及河口修理协定而成。据该协定所载,改修工事分上流与河口两段,前者之经费由牛庄常关征取出进货物之附加税充之,后者由海关征取进出货物之附加税充之,其会计虽各有分别。而修理委员会,两段合组为一,由海关监督税务司、各国领事、外国商会代表一名,日本商会代表一名及中国商会代表一名组织;各委员中,由领事团选定一名为执行委员,其余委员则作为评议员。技师则奉天省官吏任命之。

芝罘之筑港问题,系因挽回贸易之衰象而生,因青岛之贸易发达,芝罘商场受其影响故也。自 1905 年建立最初之计划以后,即成悬案,迨至 1913 年,经中国政府与列国公使商议之结果,遂设置芝罘港改良委员会(Chefoo Harbour Improvement Commission)。由海关监督,税务司、领事团代表及中外商会代表一名组成之,于是年 7 月征收附加税以充经费,自 1915 年 8 月起工。

---

① 参见 1901 年最终议定书附属书第十七号第十三款至第二十四款。

以上所述四地之河港修理事业,其共通性质可分四点:第一,管理之权,属于不受中政府支配之独立机关之国际的委员会,为谋事务敏活起见,以海关监督、税务司及外国代表为执行委员,而在事实上则使税务司掌握其实权;第二,技师任命外人充之;第三,大部分经费借外债充用,加征出进货物及船舶之附加税以偿还之;第四,附加税与关税之百分之几相当,由海关于征关税时征收之是也。至于附加税之多寡虽因各地工事之大小及贸易之差等不免略有异同,而税率极低,至多不超过关税之一成。上海工事虽大,而贸易繁盛,故附加税率极低,有税货物仅为关税 3%,免税货物仅为从价 1‰。芝罘则反是,因贸易额少,故税率最高,定为关税 6.5%,遇必要时得增征 7.5。① 至上海以外,其他三港,对于出入船舶,每吨约征二成之吨税附加税。要之,中国关税税率极轻,即征收此项附加税,于进出口贸易之担负亦不为重。各地河港改良事业之能著著奏效,就中国言,就通商列国言,均可谓为庆幸之事也已。②

---

① 营口附加税,对于进口洋货定为进口税 2%;对于内国移入货中之从量课税货物,定为移入税 8%;对于从价课税货物定为 4%,对于出口货中之从量课税货物定为出口税 4%;对于从价税货物定为 2%;对于免税货物,进出口均课从价 1‰,对于常关出入货物,从价值百抽五。又吨税附加税,每次入口,每吨纳税 2 分 5 厘;内河轮船及民船每吨纳税一分。

② 1902 年《中英条约》第五款曾规定加征附加税以改良广东港,然未见诸实行。又关于宜昌、重庆间航路之便宜亦曾有所规定,但需费过多,难期实行,故无论何事非作为国际的事业办理必不易成功也。

第八章　通关手续与条约以外之特权

中国关税制度受条约上严密之制限,已如上述,故凡有与外国贸易有关系之关税法规,皆不许超出条约范围以外者。至于在条约以外而予外人以方便,此则中政府之自由,列国不得加以干涉也。向来海关对于船舶出入及纳税手续之规定,原以 1858 年之《天津中英条约》为基础,其后各国之条约率皆继承援例规定之者也,惟当时此项规定以帆船贸易之状态为标准,迩来交通发达,其中不适用之点颇多。盖帆船货少,停泊之日多,故得从容了清入口手续,完纳进出关税;至于汽船贸易,寸阴是惜,前项之规定即不能适用。加之各口交通常在不完全之状态,实际上确有不能遵照条约之规定者。海关而果厉行此规定,即有妨于贸易之发展,必至损失其关税收入。故各地为谋免除此种不利不便之事实,遂产生一种特别习惯,即予所谓条约以外之特权(extra-treaty privileges)是也。此等特权,大别之得分为三种:第一为关于船舶之出入者,第二为关于货物之装卸验查者,第三为关于法定时间以外之装运者是也。凡经条约规定之领事裁判权保护之外国船舶及外人,海关若欲强其遵守关税规则,使履行关于关税税率,纳税手续及与海关有关系之事务,则其最有效之手段,惟有许以此类特权而已。

(一)关于船舶出入者。据条约之规定,外人船出入之手续,概经本国领事之手行之。

(1)入口手续。船长或船长代理人须于船舶入口后 24 小时以内提出船舶书类于所属领事馆,报告该船入口;领事须于 48 小时以内向海关提出领事报告(consular report)载明船名,登簿吨数及载货之性质,并提出所载入口货目录(import manifest)。此项手续了清以后,即向海关取得普通起货证

(general discharge permit)开舱起货。①

（2）出口手续。船钞及出入货物税完纳以后，船长或船长代理人即将出口货目录(export manifest)提出于海关履行出口手续，取得出口证，再将出口证提出于领事馆领收前此寄存之船舶书类，然后出口。②

船舶之出入所以必经领事之手者，盖因领事裁判之关系，船舶有犯海关规则者，领事得以强制科罚，且使领事充间接保证人之任者也。③ 然而领事对于本国船舶完纳关税之义务，不能一一负责，且船舶在税课未完以前不许出口，于交通贸易亦大有不便。于此为谋除去此种不利不便之事实起见，遂生出一种保护关税收入之办法，即船舶保证(annual guarantee)制度是也。依此制度，船舶代理人得请本国保人两名与本国领事具一保证书，每年向海关提出一次，约定对于该项船舶负纳税之全责。④ 中国人或无领事国之船舶，则由税务司证明之。海关对于此项已缴保证书之船舶，得不援照前述条约之规定。第一，入口时由船长向莅船关员提出入口货目录，同时由该关员给以普通起货证，在领事报告未提出以前，有开始起货之特权；第二，出口时如尚欠入口货税而未纳者许其于出口后一定时期内完纳，出口货纳税终了，无论何时，即给该船以履行出口手续之特权。

此外尚有可以认为随船舶发生之特权者，即于船舶入口以前验查其出口货物许其纳税，许其提前履行出口入口之手续是也。但享受此类特权者，须为每年提出保证书之定期邮船，或限于停泊地点与海关交通不便之地。⑤ 此项

---

① 参见 1858 年《天津中英条约》第三十七款第三十八款，及《中美条约》第十九款、《中法条约》第十七款。无领事国之船舶与中国船舶同，又长江西江及内河航行之汽船则有特别之规定。

② 参见《天津中英条约》第四十一款、《中美条约》第二十二款，及《中法条约》第十八款。

③ 《天津中美条约》第二十二条规定在关税吨税未完纳以前，领事若许船舶出口时，领事须负责任。1883 年美国帆船 Pearl 号装运木材赴沪，入口后因购货之英商复升洋行破产，不能纳税。因此争议不决，延迁日久，美领事不经海关允许，迳令该船出口。中政府遂根据条约要求美领纳税，后经美国公使谢罪了事。(Cf.I.G.Circ., No. 242 of 1833)

④ 现今各口出入之汽船，殆皆每年提出保证书。保证书有一定形式，约分三项：（一）完纳关税船钞及特别许可证之手续费；（二）遵守海关规则；（三）犯规时代船长完纳罚款，或遇必要时得使船长出席于领事法庭。此外更有一种习惯，即不具保证书之船舶，若提出与所载入口货物税金之二倍相当数目，存放于海关，亦得于入口税未完纳以前出口。

⑤ 在上海之船舶而欲取得此项特权，须提出特别保状。至于小商埠，则仅须船舶之代理店先期将船舶入口时日之电报提示于海关，即可取得此特权。

方法能使船舶迅速装运,晚间及休息日亦得有出入之特权,其利便于交通贸易实非浅鲜。

(二)关于货物之装卸验查者。据 1858 年《中美条约》第二十二款之规定,进出口货物之验查,须于船舶装卸货物之时行之;至对于他国之条约,则无此项规定,且货物应于何处起卸,由何处装载,其所纳之税最后应保存何地,条约并未规定。故对于此点,中政府为保护关税收入计,当然可以采用适当之方法(参见《天津中英条约》第四十六款),实际上各地海关各依本埠规则(port regulations)规定之。然而海关之码头及仓库,设备多不完全,实有不能验查一切出入货物收容未纳税货物之事实。即不能不于一定条件之下,实行下列之二事:(1)私设之码头及仓库,亦得与海关所设者享同等之特权;(2)采用省略验货之方法是也。

(1)进出口货物不经海关码头,得由私设之码头直接与他汽船拨运,既可省费,又可防破损而期保管之安全。凡取得此种利便与特权之船舶业者,固应提出前项所述之保状,此外更须提出指定停泊所之码头保证书(wharf guaran-tee)。该项保证书须记明下列二事相约:①无海关许可证之货物不得交付于他货主;②犯规时代货主负纳税义务。①　其货物须经出张于该码头之关员验明,完纳税课以后始能交易,故此种码头实与临时保税仓库相似。

(2)任何国家税关,对于进出货物,未必一一查验,且实际上亦无查验之必要。譬如对于从量税之货物,仅选择同一之货物几成而查验之,即可推知其全体之数量;对于从价税之货物,则可由发票契约书或税关所定之价格表而查定其课税价格。中国海关设备既不完全而查验员又少,故为外人谋利便计,多采用此项方法。至此项免验通关特权之予夺以及查验之宽严,海关自有权卫,唯遵守海关规则及信用昭著之商人得享受之耳。

(3)关于法定时间以外之装运者。各地海关办公时间,条约上无明文规

---

①　进口货物纳税已毕,则由海关发给放行单(release permit),又盖印于该货物之船载证书或提货票据,使货主交易其货物。出口货物纳税已毕,由海关发给载货许可书,或盖印于轮船公司所发行之下货单(shipping order),许其下货。但当纳税之际,各地海关向不发给收条,故海关及外商雇用之华人不免有舞弊情事。上海外人商会曾请求海关发给收条,但税务司以其手续过繁却之。收条之发给,仅以书面行之,而海关竟借口手续繁杂拒不发行,殊有不合。

345

定,内班各课自午前 10 时起至午后 4 时止,外班各课自午前 6 时起至午后 6 时止。苟能于关税警察上无碍之范围内许商船得于法定时间以外起货下货,则货物易于流通,不惟于公众有必要,抑海关之利也。至所谓法定时间以外之时间,即为晚间,星期日及休息日,商船在此等时间内起下货物者,须由海关取得特别许可证,且须支付一定之手续费然后可。

第九章　关于关税争端之解决方法

第一节　关于课税处分之解决方法

外人不服海关课税处分应以何种手段救济之？条约上对于此问题之规定约有二方法：第一为依第三者评价，第二由领裁仲裁是也。据《天津条约》之规定云：

（一）至税则所载按价若干抽税若干，倘海关验货人役与英商不能平定其价，即须各邀客商二三人前来验货，客商内有愿出价银若干收买此货者，即以所出最高之价为此货之价式免致收税不公（《中英续约》第四十二款）。

（二）关于从量税货物之包皮或从价税货物之估价，商人对于海关之决定有异议时，则须于 24 小时以内申诉于领事，由领事与海关监督协议定之（见《中英续约》第四十三款及《中美条约》第二十款）。

按第一方法极其简单，实则一无意义之愚则也。何以言之，海关无购货之权利，且条约中亦未规定强制买收定价最高之货物故也。第二方法在贸易幼稚时代诚属利便，但贸易日趋发达，交涉烦繁，领事每遇本国商人告诉，即须向海关监督交涉，不胜其烦。故 1868 年制定之《会讯法》（Joint Investigation Rules）规定，凡海关与外商发生争论时，均由领事与税务司协议解决之；又 1902 年之进口税率表附则第一条，规定对于易起纷争之从价课税货物之评价法，由国际的仲裁委员会（Board of Arbitration）裁决之。

仲裁委员会之开会，须于纳税报单未提出以前而进口货未行交易时，即商人对于货物之价格类别不能提出反证海关评价之交易契约时举行之；本委员会委员定为三名，由海关员一名、进口商人所属领事选定之商人一名，及与进口商人国籍不同之首席领事选定商人一名组织之。委员会一经委托办理此项事务以后,须于 15 日以内(休息日在外)取决多数,给以最终裁判,此项裁判有拘束进口商人及海关之效力。又委员会决定之价格若较进口商人报告之价增高二成或二成以上时,海关在该商未完纳税项以前得扣留该项货物,并得科以与图谋脱税之税额四倍相当之罚金。

至于因课税发生之争端应交仲裁委员会与否,则听商人自便,不加强制。进口商人若认为于己不利,得报由其本国领事向税务司开陈意见,更得将此案移交北京,求得本国公使外交之援助。① 无论采用何法,商人为经商机会计,均得提存税金于海关,或提出保证书,先期交易其货物焉。

第二节　关于犯规处分之解决法

对于秘密贩运希图脱税之制裁方法,经条约规定者约有二种:收没与罚金是也。今就中外条约关于此点之共通规定,列举于次:

(一)关于收没者。

(1)未得海关许可而自行装卸之货物(《中英续约》第三十八款、第三十九款)。

(2)未得海关许可擅自动拨之货物(《中英续约》第四十款)。

(3)为取得再出口之特权而报告不实之货物(《中英续约》第四十五款)。

(4)未得特别许可而在非通商地私行贸易之船舶及货物(《中英续约》第四十七款)。

(5)未得特别许可而起卸之违禁品(《中英通商章程》第五款)。

(6)违犯子口税则而搬运之货物(《中英通商章程》第七款)。②

---

① 参见 1868 年之《会讯法》第七条。但据各地习惯,商人对海关查验员之估价有异议时,得向总务课要求复验,复验后如仍有异议时,得直接向税务司开陈意见以解决之,实际上对于纳税问题而烦及领事,要求仲裁委员会或外交的援助者甚少。

② 兹所引者虽仅为《中英条约》,而其实与他国所订各约,均有同样之规定。又关于收没一项,列国条约中亦有特殊之规定者,例如《中德条约附属通商章程》第五款之规定;凡华船滥用德旗,或德船滥用华旗,其货物均罚入官;又陆路贸易货物不经一定商路私行贩运亦收没之(参见 1881 年《中俄陆路通商章程》第八款,1886 年《中法陆路通商章程》第十款,1894 年《中英缅甸通商条约》第九款)。《中英续约》第四十八款规定英船有秘密贩运者,其货充公,并禁止该船在中国各口通商。

（二）关于罚金者。

（1）船舶进口后 48 小时以内而不提出报告时，该船长每迟一日罚金 50 两，但所罚之数不得超过 200 两（《中英续约》第三十七款）。

（2）提出不正之舱口单时，该船长应罚金 500 两，但该项货单若系笔误而于 24 小时以内改正者不在此项（《中英续约》第三十七款）。①

（3）未得海关许可而开舱下货时，该船长应罚金 500 两（《中英续约》第三十八款）。

以上所述，其原则有二，即对于脱税货物则没收之，对于犯规船舶则处罚其船长是也。此外对于货物之数量价格报告不实而违犯规则时，究应加以何种处分，关于此点，中国政府为防止偷漏慎重收入起见得采用适当之手段，此为中外条约所规定，故中政府对于一切违犯关税规则，当然保留其处罚权，外人亦当依据此条项而服从者也。② 至于处罚违犯关税规则之刑罚，在原则上仅以财产刑为止，以收没船货为最高限度，并不如他国之用体刑，且收没船货亦不得并科罚金。然遇有犯规及违约之事实发生，列国果任中国官吏处分而使外人绝对听命乎？ 又如中国缺乏公开审查机关，官吏之处分多属专断，外人对此果不讲求救济之法乎？ 即令中国政府为此问题设立特别裁判机关矣，而外人果甘愿服从其裁判否乎？ 关于此点，条约上多未规定，惟 1858 年之《中法条约》第七款略有规定，如对于在非通商地私行贸易之船货，中国官吏若宣告收没，事前须就近通知法国领事是也。此外各国所订条约并未规定特别救济之法。至于课税之争议而许领事干涉，如前所述，乃系条约规定，若夫海关之犯规

---

①　据 1858 年《中美条约》第十九款及 1861 年《中德条约》第十三款，关于此点并无处罚船长之规定，但中国政府于 1863 年与美国公使，于 1867 年与德国公使交涉之结果，两国政府均承认遵从英约，处船长以罚金。惟英约规定罚金 500 两，而德约则规定依犯规程度，有处罚 500 两者，亦有处罚在 500 两以内者，且其罚款得要求中德官吏会审决定之，中政府亦表示同意，故船长有因提出不正之舱口单而课罚金时，最高额仅为 500 两。（Cf. I. G. Circ., No. 10 of 1807; No. 24 of 1868）

②　据 *China Order*（1904）观之，英国政府曾有下列之规定：（一）英国臣民若由中国私运中政府课税之货物出口，或有此项企图者；（二）欲脱漏中政府所应课之关税而私运进口或有此企图者；（三）贩运中国之违禁品出口入口或有此企图者；（四）未得正当许可而于中国贩卖中政府之专卖品或有此企图者，处六月以内之监禁或百磅以下之罚金，且收没其货物。即此可知英国对于本国人民已设有本国法律处分之，固不同中国海关之处罚如何也。

处分,则案情较为重大,外人对此苟持异议,自可求领事之援助以解决之也。①

然而领事仲裁之法亦有不便之处,在商人则无充分陈述之机会,在海关监督与领事之间则因争议真相难于调查之故,常不免坚持成见。故总税务司为祛除此弊计,遂提议中外官员会审之办法,以期审查之确实与裁决之公平。此法初由总税务司于1864年在上海试办,结果颇佳,后遂于1867年以此法推行他口,并采纳英美公使之意见略加修正,征得各国公使之同意,乃颁行1868年之《会讯章程》(Rules for Joint Investigation in Cases of Confiscation and Fine by the Customs Authorities)。据该章程观之,每遇犯规事件发生,领事与税务司可不经监督之仲介而直接协议,或用口头,或用文书解决之;若协议而无效,则由会审办法处决之。② 至于收没与罚金,则其手续与裁判之主任者各异,前者由海关监督判决,后者由领事判决之。

(一)收没之手续。海关官吏抑留外人货物或船舶时,税务司须急速报告海关监督。监督若认为正当,即令税务司将处分之理由通知该外人,并声明六日以内,若该外人所属领事不要求复议,则将抑留之物入官。若外人对此发生异议,则于此六日以内直接向税务司申辩,监督如以此辨明为满足,则发还所抑留之货物。否则外人即宜申诉于本国领事,领事若认为正当,即得要求监督会讯。会讯之时,须传集当事之海关员及当事之外人与证人,由监督领事及税务司行之,监督斟酌领事与税务司之意见加以判决。若三方面各持己见不能一致,则将此案移交北京,由公使与总税务司协定之。在北京方面未决定以前,该外人虽得提出与抑留物之价格相当之保状,先行交易,但无论决定之如何,外人不得向海关要求损害赔偿。

(二)罚金之手续。外人犯规,若其性质不在收没船货之列,而依条约及海关规则应课罚金者,税务司须以其事报告于监督,同时并通告于该外人所属之领事。领事接通告后,定期裁判,通知税务司与当事之外人,税务司届期带

---

① 在美国,关于从价税问题有不服税关之处分者,得向鉴定官会(General Board of Appraisers)提出异议;又对于与关税有关之各种诉讼,则设有特别关税裁判所之机关,此机关由主席判事一名及陪席判事四名组织之。日本则不许为行政之诉讼,有异议时得申诉于税关长,欲请愿者须经由税关长提出于各大藏大臣。
② 青岛关及大连关之会审,由税务司与租界司法官行之。

同证人出席领事法庭,偕领事会审此案。如领事判明有罪,须令该外人照章遵罚,至于减少罚金额与否,其权在监督与税务司。若领事判明无罪,经税务司同意,则由税务司通告监督,发还抑留之货物。倘领事与税务司意见两歧,则将该案移送北京,由公使与总税务司决定之。此时该外人得提出与罚款相当之保状于海关,先期取回该货,但不论北京方面之决定如何,不许向海关要求损害赔偿。

依上述关于收没与罚款之规定,其裁判之权,前者属于监督,后者属于领事。而由收没与罚金所得之收入,则按约归中政府所有,然则领事所有之此类权能,亦可视为领事裁判权与否,殊为疑问。此项疑问,若以片务的领事裁判权置于代理说(theory of agency)而说明之,即领事所行之裁判非权利国之法权乃代理义务国(中国)之法权者也,依此说明,自易了解。然领事裁判权之为物,若为在义务国所行之权利国之法权,则唯有裁判权属于权利国,所得之效果,则归他国所有,诚为矛盾,故《会讯章程》中规定罚金由领事裁判之权,实与普通之领事裁判权不同。此事在理论上实为有兴味之问题,予辈研究关税问题者,实无详论之必要。何以言之,《会讯章程》在今日绝少实行,实际上多由海关单独处分故也。船舶之收没与入口之禁止,实系一种严重处分,即令条约中有此规定,而海关则未见实行。寻常遇有犯规情事,或由当事人直接申辩,或由领事间接申辩,海关轻课罚金了事,此已成海关习用之原则,而收没船货之事则绝无而仅有。故犯规者通例不烦领事之助,听从海关之处分率以为常。而总税务司之训令,亦常令各地税务司尊重犯规者之申辩,轻与处罚了事,务期回避《会讯章程》之规定焉。

外人之权利,其受充分之保护有如此,然回顾华人方面,则大有迳庭。海关对华人处分,俨如最终之判决,华人绝无申辩之余地,如遇密运武器、鸦片者,除将该件收没外,更送交中国地方官加以体刑。然华人有时亦得由口头或书面直接向税务司提出异议者,又如近年以来,各处有力商人亦有借商会及其他商业团体要求救济者。① 此项请愿,税务司亦加以相当之注意,惟不如外人

① 各处海关门首均设禀箱(petition box),收受华人之请愿书。禀箱之键则归税务司或外人帮办掌管,华人书吏无舞弊之余地。

之有公开审查法,故华人一遇发生关税上之争端,常感不便,较之外人实处于不利之地位也。一日华人觉悟,则必发生权利思想,他日实有为华人讲求特别救济方法之必要也。

第　五　编

关税制度之影响及将来

第一章　财政上所受之影响

中国关税系由外部关税与内部关税之二种组织而成,故欲知其所及于财政上之影响如何,亦宜由此两方面研究之。外部关税虽为一正确之财源,而其税率受中外条约所拘束,有不能适应逐年增加之财政的必要之缺点。内部关税则反是,其收入虽无一定,而税率可以自由伸缩,适应乎财政上之必要,而成就其不规则之发达。两者虽具有许多相反之性质,而亦互有密切之关系。兹特就两种关税之影响述之于次。

第一节　外部关税之影响

关税,以赋课之目的为标准,分为财政关税与保护关税二种。财政关税专以国库之收入为目的,故贸易增进时,其收入自然亦因而增加。保护关税固亦以关税供岁入之目的,然当制定关税之时,必加以政治的、经济的考虑,故就极端之情形而论,有时因防遏某种特别外国货进口之故,而关税收入反见减少者。然征之各国实例,固不问其为财政关税或为保护关税,均无不以关税为国库之一财源者也。[1] 即如现今采用保护关税之各国中,其所以采用之以增高税率之动机或机会,多因战事等项财政上之必要,以期增加收入之故。[2] 近年来各国国费均已膨胀,他项租税收入亦显然随而增加,然关税一项在各国岁入部门中仍占居重要之地位。今

---

[1]　Cf.Bastable,*The Theory of International Trade*,1903,p. 110.

[2]　国内组织巩固之商工业者,因欲使国家采用保护关税,常利用国内政治的变动以达其目的。而战后财政上之穷困,政治家甚不欲增加直接税以塞民望,遂授保护贸易论者以绝好之机会。近代北美合众国之保护政策,直可谓为内乱之遗物,在以前,该国之关税固有自由贸易主义之倾向者也。国费既因内乱而增加,而所得税又为该国宪法所不许,故高额关税与消费税同时采用,后消费税停征,唯进口税独存。法德之关税,其原因大致相同,即国债随战争而增加,且又迫于军费之难措,故保护论者遂取得机会以达其目的。

就欧战前各国之总岁入与关税之比例言之,英国为25%,法国为12%,德国为47%,意大利为13%,俄国为23%内外。① 美洲诸邦,其比例尤高,甚至有占岁入60%以上者。② 德意志与北美合众国,本为联邦组织之国家,虽其直接税归各州收入,中央政府以关税及消费税为主要之财源,故其总岁入与关税收入之比例,不免较高,然就各国之数字上观察之,关税一项均不下于岁入中10%—20%者也。

今就中国关税收入与总岁入之比例言之,据中国在1913年之预算表所列,岁入为33394.8万元,而海关税为6822.4万元,其比例在20%以上,似不下于各国。惟各国关税收入殆完全由进口税而成,中国则不然,中国海关税收入中,除进出口税以外,更含有沿岸移出入税、子口税、鸦片厘金等内国关税及吨税,故欲与各国之比例对照,应由海关税中仅抽其进口税一项而比较之。③而是年中国海关之进口税仅为1993.8万两,每两以1.5元计算,约为2990.7万元,与前记之岁入总额比较之,其比例不足9%,与欧美各国之比例对照,则中国为最低。④ 且岁入之实征额,比上列预算表之数字更多,若就进口税之实

---

① Cf. Bastable, *Public Finance.*

② Cf. Grunzel, *System der Handelspolitik.*

③ 本节所举之数字,虽依据政府之预算表列出,而是年海关贸易统计报告所载之海关税数目,实如下表(单位:两)。

进口税	19938860	吨税	1534878
出口税	13984315	子口税	2289501
沿岸移入税	2439166	鸦片厘金	3819133
合计	43969853		

又出口税中,约含有4878332两之沿岸移出税。

④ 欧战以前十年间进口税与海关税总收入,如下表所记,前者不及后者之半(单位:千两)。

年份	海关税	出口税
1902	30007	12388
1903	30530	11493
1904	31493	12259
1905	35111	15336
1906	36068	16100
1907	33861	14879
1908	32901	13134
1909	35539	14084
1910	35571	14087
1911	36179	14042
1912	39950	16045
1913	43969	19938

数观察,则中国岁入与关税之比例必更少可知矣。

中国关税收入如此之低者,实因贸易额过少,且近年来国费逐渐增加,而关税又不能自由增征故也。关税之不能增征,实因受条约上之束缚而然。税权之被束缚,其不利于中国政府之收入者,约有下列三点,今分论之如下。

(一)中国外部关税,均以从价值百抽五为原则,而从量税则自1858年以来,仅于1902年修改一次而止,名目上之值百抽五,在实际上今已低至3.5%内外,而增高税率又为条约所不许。中国前次参与欧战,取得实行值百抽五之交换条件,而从量税率协定之标准,战前战后市价不同,恐不免有不合实际之情形发生者也。因此之故,中国关税制度,若注重财政上之利益,则进口从量税至少必须数年改正一次,否则因从量税而产生之不公不利等事,不能免也。

(二)其次为由陆路贸易上片务的特惠关税而生之损失,此种损失每年达数十万两之多。在陆路贸易不发达交通不便利之时代,减税或系一种促进贸易之方法,今则铁路开通,交通利便,减税之理由已不存在。况如南方陆路贸易之进口税,更由60年前之旧率而减去三四成,其不利于中国亦可谓甚矣。

(三)由财政上之目的观之,关税为一种消费税,故务期以最少之征收费获得最大之收入,而如奢侈与嗜好品与必须品,又如原料品与制造品均宜区别轻重以定税率,以期负担之公平。如英国课进口税之进口货仅数种而已,而收入颇巨,即其例也。中国政府受协定关税之拘束,故于税目之分配税率之增减,均不能适用租税之原则,关税之分担固难望公平,而关税征收之手续又繁,关税之赋课又不能弃其实际收入之少者而专就实际收入之大者,此皆于中国政府不利者也。

外部关税处于此种不利状态之下,不便极矣,所幸者征税事务委诸外人管理,得以节省征税费,此则中国财政上差强人意之措置也。若将征税务委诸华人自办,则其腐败必与内国关税同,收税密输之弊在所难免,政府之纯收入必较现时更少无疑也。

第二节　内部关税之影响

　　中国外部关税之失于单纯而过轻与内部关税之失于复杂而过重,实有因果之关系。中国政府,近年因国费逐渐增加,又不能增征外部关税,势不能不增征他种赋税,即不能不别觅新财源或增征旧租税也。然欲创办新税,又为财政上之组织与政治上之状态所不许;欲新设所得税、营业税、继承税等直接税,又恐招官吏与绅商阶级之激烈反对,故政府不得已依从旧习择其最易实行之方法而出于增征内部关税之举也。因此之故,凡有可以由关税形式征取之财源,虽涓滴之微,亦所不遗。于是各地内部关税之名目及种类,愈趋愈繁,中央政府且设征收考成条例之恶法,公然奖励税吏之诛求而不为怪。据民国二年份之预算观之,内部关税中主要项目之厘金税之收入为3271万元,又据五年份之预算表观之,厘金税变名之货物税之收入,达4029万元,二年之间竟增至十分之二以上[1][2],然此仅为内部关税之一部,此外如(1)海关税之一部分,(2)常关税,(3)正杂各税正杂各捐之一部分,均应认为内部关税,故通盘合计,国民之内部关税负担额,每年当不下8000万元也。[3]

　　此项内部关税由全国人口分负之,每人虽仅占两角内外,然此项负担额,仅由预算表所列者计算而出,实际上恐尚不止此数。因中国税制恶劣,税吏腐败,供征税用之经费亦甚多,故人民真实之负担额,当在三四倍以上也。[4] 世固有因内部关税以外之消费税及直接税过轻而断定华人纳税义务不重者,然此系表面之观察,于中日战役以前之状态或相符,而与今日之实情不合者也。何以言之,近年中国政府之岁计较中日战役之前已增四倍,而一般人民财富之

　　① 参见 *The China Yearbook*,1914。

　　② 参见《民国行政统计汇报》财政类第二章。

　　③ 1916 年之海关税中沿岸移出税 4798812 两,移入税 2399406 两,子口税 2187281 两,鸦片厘金 287064 两,合计 9672563 两,每两以 1.5 元计算,当为 14508845 元,此内部关税也。又是年常关收入有 12997110 元。又正杂各税捐中可认为厘金税者有 10800000 元,此外归中央政府直接收入厘金增收 6110000 元,与货物税收入 40290084 元,合计之,内部关税收入当共有 84706039 元。

　　④ Cf.Morse,*Trade and Administration*;Beresford *The Break-up of China*.

程度,不见增高,至今多数人有一家以一角内外之生活费暂延生命者,由此观之,可知每人负担数角关税之义务固非轻也。① 况于内部关税之课税范围,普及于盐米、薪炭、蔬菜、鱼肉等日常生活之必须品,而其负担又轻于富人而重于贫人者乎。

① 欧战以前,各国人民之租税负担额,据中国国务院法制局之调查,则如下表。此表虽未举年月及其所采用之资料,而亦不无可供参考之用。中国之数字,系由民国五年份预算表采集之。

国别	直接税(元)	间接税(元)	行为税(元)	合计(元)
英	13000	14500	2000	29500
法	9500	16500	7000	33000
德	5000	10500	1700	17200
俄	1300	8000	0700	10000
日	3000	4400	0600	8000
华	0341	0619	0050	1010

据此表观之,中国人每人之负担额仅为一元,比各国最轻,但实际之负担额当为三四倍,以华人之生活程度较之,其非轻可知。其中更可注意者,间接税占六成以上,而间接税之大部分即内部关税是也。

第二章　经济上所受之影响

中国外部关税，依国际条约协定，税率最低，殆与自由贸易主义相近；内部关税则反是，近年来迫于财政上之必要，愈增烦苛，妨害国内交通贸易者最大。自由贸易主义之关税与妨害贸易主义之关税互相并合，遂构成关税制度之特质，此两者虽互相矛盾，而亦不无共通之点者，即关税上无所谓经济政策而绝对以收入为主一事是也。现今文明各国中，程度虽有等差，而采用保护关税者居多，即在采用财政关税之国，亦不仅恃此关税以为岁入之一项而止，且其所以采用此种关税之理由，实认为可以适合于本国经济政策上之目的故也。至于中国之关税，并无何种政策上之考虑，而专以收入增加为目的，所不能满足者，在外国贸易范围内受条约上之限制，不能畅所欲为而已。苟无条约上之限制，则中国必将采用如何不法之关税，此盖可想而知者也。

绝对以收入为主之中国关税，其不合于财政上之原则，已于前章述之矣。中国关税之不能适应于国民经济上之要求固无足怪也。低率之外部关税与高率之内部关税，二者并存，且外国货流行国内时又不能征课以与本国货相同之内国税，而内国货之对外输出，又受人工之限制，在此种关税制度之下，当然发生以下三种之弊端，即（一）国内产业发展之障碍；（二）外国贸易之逆调；（三）外国贸易额之过少是也。而此三种事实，又有连续的因果关系，内国贸易不发展，则成为出口贸易不振之原因；而出口贸易不振，又不能增加国民之购买力，此入口贸易所以无由增进也。

第一节　国内产业发展之障碍

中国天然资料充足、劳力低廉，而产业则不甚发展者，其原因颇多，如交通机关不发达、资本缺乏、近代教育之不完备、度量衡货币之不统一、政治之恶劣等等虽不遑枚举,而内部关税之妨害各地交通贸易,实一最重要之原因也。国内分为无数关税区域,各省各道各县固无论矣,即一河一路之隔,货物流通,即行课税,甚至同一地方,都市与都市之间,不许搬运货币,又禁止谷米出入。故一地方生产业之经营,仅以供狭小范围内之需要为标准,而不能以供全国之需要为目的者也。换言之,处 20 世纪之今日,使中国不能超过地方经济时代而进于国民经济时代者,由于内部关税存在之故也。① 加以外部关税税率极低,外国货易于输入,故中国虽具有丰富之劳力与原料,而欲与十分进步之外国货对抗以发展新制造业,实一最难之事也。况于内国货之原料与制品均负担两重关税,而资本又不充足,经营又极拙劣,技术又不娴熟,更能使事业不易维持耶。出口贸易,亦因内部关税与出口税存在之故,除茶绢等特产及低廉之农产物以外,无有能在外国市场与他国货相竞争者也。又中国本以农业国著名,乃对于入口谷类免税,而禁止本国谷类出口,此诚矛盾之陋策也。欲期农业之振兴,应以奖励谷物之出口为先务,今舍此不为而固执其阻碍农业发达之政策,诚可谓为根本上之谬误也。②

今试就欧战前 1913 年之贸易统计,各列举主要进出口货十种于下:

货名	进口税（两）
绵制物	182419023
鸦片	41023012
砂糖	36306470
金属及矿物	29156086
石油	25402845

---

① 以生产与消费之关系为标准而观察经济状况,世界之历史可分为三阶段,即:第一为自足经济,第二为商业经济,第三为资本或工业经济。而第一期又为孤立经济时代,第二期可称为地方或村落经济时代,第三期可称为国民经济时代。中国所以尚未由第二期而进于第三期者,实因通商上采取闭关主义之故,而近世产业革命之机运未成熟故也。至于今日,闭关主义虽因几次之战争,久已抛弃,而闭关主义之余弊仍多存在也。

② 自 1908 年至 1913 年,五年之间,中国全国之贸易额,约增进十分之五,满洲各埠之贸易,增加二倍。其主要原因,盖由于铁路交通便利,内部关税课税法之简单,而谷类亦弛禁出口之故也。

货名	进口税（两）
谷类	18844344
染料	17511075
鱼及海产物	12974540
纸烟	12589300
麦粉	10300612

以上十种皆进口货

货名	出口税（两）
丝及茧	83176282
茶	33936769
豆粕	24962787
豆	23296876
丝织物	21718532
棉花	16235604
牛皮	15184344
芝麻	12372194
植物油	11414192
锡	10916906

以上十种皆出口货。

由上表观之，入口货仍以棉制物及鸦片为主要贸易品，出口货仍以丝茶为主要贸易品，数十年来，始终未变。而进口物中有大部分货物，其原料均出自国内，或可在本国境内制出者，若更具备他种之生产条件，则此项货物均可在本国制造之。若使中国得采用保护的进口税而将内部关税完全废止，则欲谋本国工业之勃兴以与外国货竞争，固非难事也。且出口货中殆皆为农产物及农业副产物，若果能废止内国关税与出口税者，将见不出数年，而出口贸易必倍蓰于前也。近年中国政府有鉴于此，对于模仿外国货之机械制造品，采用内国关税之单一的课税法，以为抵制进口外国货之政策，故其结果虽不提高进口税,虽不损及外国货之竞争力,而此项仿造商品之出产额,已有逐年增加之势。至于全产额究为几何,中国统计不备,其详虽不得而知,而就现时海关贸易统计所列之国内各埠间之移出额,则如下表(单位:千两)①。

货名	1904 年	1908 年	1913 年	1915 年
疋头(疋)	△ 89	△ 212	461	692
纱(担)	△ 141	△ 350	503	779
麦粉(担)	△ 538	1208	2220	3723
洋纸(担)	△ 32	△ 44	40	46
蜡烛(担)	……	△ 2	34	58
纸烟(担)	4	36	94	87
肥皂	……	……	122	325

然此仅对于制造品减税而止,而对于制造此类货物之原料,则并无减免内国关税之办法。故就现状而论,唯有使用制造所附近产出之原料时,始得轻减其关税之负担,若其原料来自远方时,则须完纳高额关税,即成本不能不大也。例如棉花一项,上海纺织工场与其采用陕西、河南等省之原棉,反不如购用印度或美国输入之外国棉较为有利是也。何以言之,中国内地棉花输出国外时,照章本完纳子口税从价 2.5%,与出口税 5%,合计只须完纳 7.5%足矣,但自原地方移出上海时,又须完纳移出税 5%及移入税 2.5%,共须完纳 7.5%于沿岸各关,此外又必须缴纳 5%或 10%—20%之厘金税。② 此种矛盾关税之必须

① 摘录 *Returns of Trade and Trade Reports*,Pt.II。有△记号之数字,虽系由上海移出之额,而由他地方移出之类,极占少数。又此表所列以经由海关者为限,其在制造地附近之消费额及经由他税局之移出额,不在此内。此外须注意者,欧战以来,外国货输入困难,对于此种制造品既设保护关税,则其产额必因此影响而急剧增加者。

② 日本不产棉花而纺织工业大发展,中国产棉花而纺织工业不发展,其所以然之故,专在于两国财政制度之不同。日本极力为此项重要工业请求奖励之法,棉花之进口与棉制品之出口,一概免税,而对于外国棉制品之进口则课以重税,以保护国内纺织工业使能与外国货竞争;中国则不然,其目的在尽量向工商业征税,除此以外,政府以不施干涉为原则。因此之故,可得由棉纱之精粗,分为两种观察。中国棉花,纤维较短,不能用以纺织 20 支以上之纱,故欲纺细纱,非购用印棉美棉不可。而此项棉花之购入,每担须纳进口税 6 钱,棉纱每担课内国税 7 钱。假令外国棉花 3.45 担能纺出棉纱 3 担(即一捆),则每捆棉纱,共计须课税 4 两 1 钱 7 分。然日本纱

免除，国内制造品之原料之必须免税，不言可知；而原料免税之能促进国内新工业之发达，又可不言而喻矣。要之，中国果能完全废除内国关税，统一货币制度，改良并推广交通机关，则即不采取保护的进口税，而中国之工业，将亦有大发展之希望也。

第二节　外国贸易之反调

外国货进口额超过本国货出口额，是为中国对外贸易之一特征，中外互市以来，除 1864 年及 1872 年至 1867 年之 6 年间出口较入口稍多以外，近年来连年平均入口超过 1 亿两以上。[①] 今为免除烦琐起见，特将 1901 年至 1916 年间之进出口表列举如下（单位：百万两）。[②] 1917 年 4 月以降，鸦片禁止入口，入口超过之倾向或稍见缓和，然大势实无变动也。

年份	纯入口额	出口额	入口超过额
1901	268	169	99
1902	315	214	101
1903	326	214	112
1904	344	239	105
1905	447	227	220
1906	410	236	174

输进中国时，每担仅纳税 9 钱 5 分，即每捆仅纳 2 两 8 钱 5 分足矣。单就此点而论，中国纺织业者比日本纺织业者，每捆须多纳 1 两 3 钱 2 分之关税。次就粗纱言之，中国棉花，例应课厘金等杂税，故由国内某地采办棉花经过海关时，每担移出税 3 钱 5 分，移入税 1 钱 7 分 5 厘，共须纳海关税 5 钱 2 分 5 厘。但中国棉花运至日本时，仅纳出口税 3 钱 5 分，且有纳子口税代厘金税之特权。由此观之，仅就海关税而言，中国纺织业者中，除能利用附近所产棉花者之外，须比日本纺织业者每担多纳关税 1 钱 7 分 5 厘。虽日本纺织业者，因购入华棉纺纱后复运至中国销售，一往一来多耗运费，此中国纺织业者之较胜处也。然中日间运费因有日本政府航路补助金之故，极其低廉，1916 年时，每一捆纱之运费仅须日金 1 元（7 钱 2 分 4 厘），故此点亦不足置重也。1915 年中国棉花出口额为 725955 担（内运销日本者 551332 担），外国棉花进口额为 364390 担；1916 年出口额增至 851037 担，进口额增 407644 担。又中国棉花之品质均须改良，否则将来纺织业发达与细纱之制造增加时，外国棉之进口必更见增加也。

　① Cf.*Returns of Trade and Trade Reports*,1878,Pt.I,p.5.

　② Cf.*Returns of Trade and Trade Reports*,1903,1913,1916,Pt.I.

续表

年份	纯入口额	出口额	入口超过额
1907	416	264	152
1908	394	276	118
1909	418	339	79
1910	463	380	83
1911	471	377	94
1912	473	370	103
1913	570	403	167
1914	569	356	213
1915	454	418	36
1916	518	481	35

　　贸易上入口之继续超过,固不足虑,英、德、法等工业先进国之贸易,亦常见入口超过之事,秘鲁、暹罗(San Domingo)等贫弱国之贸易,亦常有出口超过之事者。[1] 在先进国中,对外债权可抵偿贸易上之进口超过而有余,在后进国则不能不借出口超过额以抵偿外债。然在中国,贸易以外之贷借账目不仅不能抵偿贸易之逆势,且陷于连年借债之财政状态中,贸易上之进口超过固未可乐观也。[2]

　　中国对外贸易之所以连年失其均衡而陷于不利者,其理由固有政治上、财政上、经济上种种之原因,而其主要原因则不得不归诸矛盾的关税制度。何以言之,现行关税制度,有许多处所以使外国货易于输入,使本国货难于输出是也。详细言之,则有下列之四点:(一)进口税极低,协定为从价百分抽五,而欧战前数年以来因银价降低物价昂腾之趋势,各货之从量税多降至5%以下,故外国货所担负之关税,愈益减轻;(二)出口税对于从量税诸货物虽已大见减低,而基于财政上之必要,至今仍不能完全撤废;(三)国内关税妨碍交通贸易之程度,在出口货方面者必输进口货方面为尤甚,尤以丝、茶等重要出口货

────────────

[1]　Cf.*Seligman*,op.cit.,p.550.

[2]　中国在贸易上以外之贷借账目,海关统计局长 Morse 于 1904 年时始从事研究,后来常于海关贸易统计中改正揭载之。

为尤重①;(四)因谷类禁止出口之故,阻害各种农产物之出产与出口之增加。

欲避免贸易之逆境,其方法不出以下二种:一为防阻进口贸易之消极的手段,一为增进出口贸易之积极的手段。国家欲挽回此种情势之政策,固有多种,而关税政策上之手段,第一在提高进口税,使外国货难于输入,以助长国内产业之发达;第二在为出口贸易讲求直接间接之奖励方法。而提高进口税一事,唯有有关税主权之国家始能实行,中国因受协定关税之拘束,固不能采用此政策者也。至于中国若能直接、间接讲求促进出口贸易之发达,此系采用文明各国之制度,列国必不至反对,且必欢迎者无疑矣。故中国政府而欲讲求方法,挽回此种对外贸易之逆势,抵偿外债之本息,以免国家财政破产之危险,则进口税之增加与否,可不具论,先务之急,固莫如完全撤废有害之出口税与国内关税,更进而用一切手段讲求助长出口贸易之政策也明矣。②③

第三节　外国贸易之过少

中国对外贸易,逐年增加,1864 年以来,五十余年之间,其增加之步骤,有如下表所记,约增 8 倍,亦不可谓不速。④ 唯以中国国土之广,人口之多,而贸易额如此其少,斯为特别而已。

---

① 进口货之因子口税单而免于苛酷之内地税者,比出口货之因子口税单而免于苛酷之内地税者为多,约在二倍内外。此盖因子口税单发行之手续,进口货比出口货简易之故也。

② 中国之面积人口与文明程度,殆与印度同,而中国之出口贸易不及印度出口贸易三之一。印度有统一的货币,而中国则因商业之中心地不同,汇兑率各见差异,常不免激剧之变化。印度不但无妨碍商业之出口税与国内关税,且有铁路与良好之道路,便于货物之运输,出口贸易与一切工业均由政府助成之,而中国政府之干涉,仅限于征税而已。若使两国在此诸点,置于对等之基础上,则中国之出口贸易,(今虽不及日本),当大见增加可知也。

③ 中国出口贸易中以丝、茶及丝织物为大宗,其出口额之情形若何,统计局长 Taylor 曾于 1916 年海关贸易报告中著一文论之,其文曰:1872 年日本之出口额,仅占中国 17%,至 1905 年,日本则超出中国之上,至 1913 年,则地位颠倒,中国仅占日本 63%。1905 年蚕病条例施行以后,日本之出口额,8 间年增加二倍以上,此种良好之成绩,皆法令与教育之结果也。世界丝业中,品质之佳良者无有过于无锡产,日本丝之抗张性与耐久性虽不及中国丝,而日本无厘金税与出口税,此日本之利也。中国若仿行日本之政策,以耕种桑树,改良养蚕法,则蚕丝之出口贸易固不难增加二倍也云云。要而言之,自 1872 年至 1915 年之 43 年间,中国丝经之出口额仅增三成而止,而日本之出口额则增至 10 倍以上,此皆因两国经济政策不同之故,而中政府之重征丝税,亦其重要原因也。

④ Cf.Wagel,op.cit.,pp. 454–455.

年份	进口额(百万两)	出口额(百万两)	合计(百万两)
1864	51	54	105
1874	64	66	130
1884	72	67	139
1894	162	128	290
1904	344	239	583
1913	570	403	973
1914	569	356	925

即中国对外贸易以 1913 年为最高,而 1913 年之贸易为 9.73 亿两,以中国 4 亿人口分除之,每人所占进出口贸易额不及海关两 2.5 两。此其原因虽多,而大致则因出口贸易不振之故,不能使人民增加购买力,加以交通机关不甚发达,又有内国关税存在之故,新奇之进口货不能引起穷乡僻壤人民购买人欲望与兴味也。[1]

由此可知中国贸易额与日本在同时期内之贸易额相比较,实大有逊色也。日本在明治元年时之进出口贸易总额,仅 2600 万元而已,至大正二年则增 13.61 亿万元,较以前增加 50 倍,欧战时竟有增至四十余亿之多,较之明治年间已增至百余倍。夫外国贸易增进之趋势,小岛国与大陆国、新进国与老大国之间,迟速固不相同,因小岛国原料粮食缺乏,不得不致全力于对外贸易,大陆国则反是,国内物资之种类与供给力均甚丰富,即不借外国贸易,亦可以在其本国营自足之经济生活。[2] 又新进国交通发达,工业勃兴,若与已达一定文化程度之先进国比,其贸易上之进步常较为迅速者也。故老大陆国之中国之贸易,若与新小岛国之日本之贸易相比较,或者不当,而与人口面积殆相近似之印度比较,则固无不可也。印度久为英国属邦,其人民之性质远不及中国,且英国之殖民政策又不必有利于印人,然其贸易额较中国加倍者,其故何哉。此

---

[1]　据 1914 年海关贸易统计所载全部贸易额,按 4 亿人口分配之,每人每年须购入外国货 3 先令 9 便士。内 1 先令 3 便士购用棉制物,其余 2 先令 6 便士购金属、石炭、石油、火柴、米、砂糖等必需品,与燕窝、纸烟、鸦片、肥皂,象牙等奢侈品。中国人对于外国货之欲望虽逐渐增加,而欲使素用土货之中国人发生新欲望,非俟交通发达之时不可,而促交通发达之手段,则仅有增设铁路之积极的方法与废止内地税之消极的方法而已。

[2]　参见 Schmoller, *Grundriss d.allg.Volkswirtschaftslehre*, 1908, II。

其故盖在于两国政治之良否不同也。盖政治之良否,常视经济政策为转移。英国在印度广行积极的经济政策,如交通机关之普及、灌溉排水工事之设备、农业之奖励等,无不具备;中国则不仅绝未施行此类经济政策,且于关税制度上采妨害交通贸易之主义,政府几成征税机关。夫以印度外部关税税率之低,虽与中国相似,然印度之内地税早经废止,而中国之内地税固方兴未艾也。①② 中国天然之资源、风土气候之变化、人民之勤勉等等,均远过于印度,而其贸易额所以不及印度者,职此故也。中国固与英、俄、美、伯等同称世界之大国者也,而其人口每人所分配之外国贸易额,除土耳其外,实居列国中之最下位,此其故盖可知矣。③

---

① 英领印度之外国贸易额,自 1851 年以来,其增进之步骤如下表(单位百万磅)。

年份	入口	出口	合计
1851	11.6	18.2	29.8
1860	24.2	28.0	52.2
1870	32.9	52.5	85.4
1880(合计年份)	41.2	67.2	108.4
1890	64.2	78.0	142.2
1914	156.5	170.7	327.2

有人非难英国为本国利益开拓印度,然无事实可以证明。英国在印度举行世界最大之灌溉工事,其所贡献于印度之经济的发展者不少。英国在殖民地所采用之自由贸易政策之效果,已于印度商业之发展上证明之矣。

② 印度在 1860 年以前,对于一切进口货,殆皆课从价 10%之进口税,对于一切出口货殆皆课从价 3%之出口税,至 1864 年始收进口税减为 7.5%,至 1875 年更减至 5%,进口税只限于米、蓝、胶质红染料三种而已。自 1878 年以来,渐将入口税减除,改用自由主义之关税政策,1882年,除盐、酒两项外,一切入口税概行废止。其后又曾将兵器、弹药类列为课税品,此纯系政治上之理由也。至于出口税,除米一项以外,余均废除,大发挥其自由贸易主义,至 1893 年时因银价大跌财政困穷之故,遂使往年从价 5%之进口税复活。1906 年,因英国棉业者之运动,废止棉纱之进口税与国产税,而对于一切进口棉制物,概课 3.5%之进口税,同时对于国内工场之棉制品亦课同率之国产税,此保护英本国棉业者之利益之政策也。去年春,印度政府迫于战时财政之必要,3.5%之国产税仍旧,更将进口税增至 7.5%。

③ 据 1910 年贸易统计所记各国人口每人所分担之进出口贸易额之调查,土耳其最低,输入为 2.4 马克,输出为 1.4 马克;中国次之,输入为 6.8 马克,输出为 5.6 马克。又日本输入为16.4 马克,输出为 18.6 马克;英领印度输入为 7.5 马克,输出为 9.4 马克;暹罗输入为 16.4 马克,输出为 23 马克;波斯输入为 29.5 马克,输出为 15.9 马克;埃及输入为 43.8 马克,输出为53.9 马克。

第三章　政治上所受之影响

中国关税制度在政治上所生之影响,因外部关税与内部关税而异,二者完全相反。兹就其所及于国内政治的关系与国际的关系之影响,分别观察之如下。

第一节　关税制度在国内政治关系上之影响

由对外贸易征取之进出口税,属于外部关税,是为海关税之主要部,海关税自始即由中央政府管辖之。而管理征税事务之机关,在未与列国缔约以前,于广东则有粤海关监督,由北京宫庭任命之,其收入之一部分,则解送中央政府,自《南京条约》成立五埠通商以后,关税征收事务,有委任地方官办理者,而其收入,在名目上仍解送中央者也。1858 年通商章程颁布后,全国海关均任用外人,以谋海关制度之统一,于是海关税在名目上在实际上均属诸中央政府岁入矣。自是之后,海关行政归外人处理,其收入逐年增加,遂成为政府之良好财源,中央政府之能巩固其地位而得集权于中央者,海关税实与有力焉。盖中国政府之岁入,向由地方解款接济,所可视为中央政府之直接收入者固一无所有也;海关税之确定的收入,其所与于政治上之效果,必甚显著可知矣。约言之,海关及海关税所与于国内政治上之效果,共有下列二点。

(一)各省应解中央之款,即在平时亦不能如命实行,每遇变乱之时,各省金以各地减租为口实而停止解款,甚至有向中央要求拨款者;至海关税之收入,不仅在平时为最可信托之财源,即在乱时,其征收亦不受影响。

(二)中日战争以后,政治上常发生危机,财政上常陷于穷困,赖有海关税一宗好担保品,始易于募集外债,中央政府始得因此展缓增征租税,始得避免国内几次所生之内乱之危险。

然而国内关税与海关税不同,其占主要部分者为厘金税,厘金税最初设立之目的,本作为地方之收入,其发达亦为地方财政之必要所左右,今则成为地方财政所必不可缺之财源矣。故厘金税常被地方官利用为中饱私囊之手段,又因主张与维持政治上之地方分权制之故,动辄利用厘金税以为反抗中央命令之武器。此裁厘一事所以虽经中外人士所倡导而终不易见诸实行也。

要而言之,中国之地方分权的势力所以强大而中央集权制所以不行者,其理由固因国土过大,各地情形大不相同,交通又不便利之故,而地方的关税之存在,实其一大障碍物也。试观彼德意志帝国政治上之统一,乃先由关税同盟促进之,而北美合众国独立后亦于 1789 年之新宪法第一条第十节禁止各州征税。此其实例,在具有与德美联邦政治形式之中国言之,若欲巩固其政治上之统一的国家者,则国内关税之必须全废可知也。

第二节　关税制度在国际关系上之影响

中国之外部关税,自税率起以至课税手续,均由通商条约规定之,故如欧洲各国之关税战争或复仇关税等问题,无可以发生之理由。又其征税事务,全国各埠均任用外国人,而委以全权,故关税行政问题上鲜有惹起国际上之争议者。若使海关向归华人管理时,则日常课税上之问题,亦必至与外人发生感情之冲突,主张之误会与条约解释上之差异等事,无谓之争端恐在所难免,而中国政府亦将时因国际交涉所苦矣。

然而中国外部关税之与国际关系有关者,不仅关税行政上之关系已也,此外实有更重要之关系存焉,即中国之紊乱的行政与财政组织中乃独有廉正有能之关税征收机关能博得国际的信用是也。夫以外人而窃据中国一行政机关且享有半独立之管理权,此种事实,在近时之少年中国观之,固为有损独立国体面之国耻;然此机关在过去与现在,于中国之对外关系上实著有伟大之功绩,此亦不可忘者也。今举其二三例于下。

(一)中日战争以后,列国在中国之权利竞争极其激烈之时,列国中为供给债款而谋得重要之政治的权利以为报酬者不少。假令当时若无外人管理之海关存在,则列国供给债款之条件,必至要求分割领土或监督财政,中国早已沦于埃及第二矣。幸有外人海关所管理之海关税可作担保品之故,债权国始相信此担保品与管理之人,中国遂得免于此亡国之危机。

（二）拳匪之变,列国虽要索巨额之赔款,然计算中国之财力,决非短期内所能偿付,遂指定海关税为主要担保品,作为 39 年之长期外债,以减轻中国之负担。当时若无海关之特别征税机关,则列国必不许以此种轻易条件为偿还赔款之法,或至军事的占领中国领土,或瓜分中国,即至少亦必至共管中国财政也。①

（三）当 1911 年革命之时,中国政府之财政机关停止作用,外债义务不能履行,列国此时实有干涉中国内政之权利,而因外人管理之海关存在之故,列国仅使此机关管理关税收入以偿还外债而止,此外并未发生何种重大之国际关系,而中国之政体遂得以和平改革焉。②③

（四）海关在中央有总税务司,在地方有税务司,过去之 60 年以来,直接、间接对于中国外交上给以有益之忠告与援助者,不胜枚举。其中如中英间之云南事件,中法间之东京事件之得平和解决以及拳匪事变中各地之扰乱得以防止并限制者,均其明证也。又革命以后,各地时生内乱而中国能履行其外债

---

① 光绪二十八年正月十三日总税务司上外务部之公文中有云:旋于光绪二十一年间因赔偿日本兵费向他国借款,他国因中国新关夙为人所信服,随指关税为抵,不然,须以地方作押,是即数十年来新关之明效。迨复新款时奉旨允准之合同内有借款未经还清以前,中国新关均照旧关办理之语……嗣于去岁乱后议和,又出有无数之赔款,彼时意见多有欲自行据关征税者,惟因中国自立之新关尚在,章程办法犹昔,是以未经改议,并将各常关委交税务司兼办,此又新关实能维持大局之明证。新关自始迄今将 50 年,于征税外所办各项有益之事更不待言。就以上所陈数节而论,即可知遇此非常之情形必需者也。不但于国课有益,且一遇国家危难之时,应留之主权,即因此而不失……(I.G.Circ.)

② 民国二年十一月八日总税务司上税务处之文有云:各关税款自商人完纳之日起,至交付上海之银行为止,其间保存税款之责,均在总税务司一人……若将此责转卸于他人实属有负政府之委托,即难免外交团有所借口,将谓总税务司既如此不负责任,应将各口税款移交各国所派之银行团委员会管理。且近一年来,颇有一二国亟图将此权转入银行团之手,今我若予以可乘之机,适足使彼方面如愿以偿,则保持国权之办法,一变而为放弃国权之事实。(I.G.Circ.)

③ 凡一国对于他国不能履行其所负之外债义务时,债权国对于债务国有干涉之权利,此国际法上之通论也。又一国人民对于他国所有之债权,若债务国不能履行债务而使其人民受损害时,则债权者所属之国家,得以保护本国人民财产之理由,有干涉债务国之权利。如彼南美各国所主张之 Drago Doctrine,缺乏国际法上之根据,列国所不承认者也。中国在革命中之不能履行外债义务,照国际法实应受债权国之干涉者也。

义务者,亦外人海关存在之效果也。

然内部关税,税率大都烦杂,课税法又无一定规矩,仅依税吏之专恣而定,故内地税局与外国人之间屡起争端。本来外国进口货与本国出口货,有利用条约上之子口税制以免除纷繁之内国关税之特权,然地方税局贪得无厌,对于有子口税单保护之货物,亦借种种口实,留难勒索,以谋增加其公私之收入,外商因此屡受意外之损失。又如对于有子口税单之华人货物以诛求税款时,表面上虽似直接于外人无损,而与此种货物有交易关系之外商,因货价须添减此种被诛求之金额之故,不啻间接受其损失也。且由此种不正当课税所生之纷议,发生于距商埠较远之地,因而官吏所管辖之区域多有不同,故其解决须耗费光阴与金钱,而蒙损失之商人虽求得领事之外交的援助,亦往往得不偿失。此盖因条约上子口税制之规定未能遵行,又乏厉行此种规定之适当机关也(参见第四编第三章第三节第四目)。然其根本理由亦未始非因内国关税之足以妨害货物之自由交通,故此种恶税,即从国交上观之,亦应完全废止,且即令废止,而为防止其复活计,亦有设立相当规定之必要。《中英 Mackay 条约》对于此点,为裁决关于内地各种不正当课税之争议而设中外官会审制度者,诚中肯也。①

----

① 参见第三编第一章注六(即第三编第一章第三节第六个注释——编者注),1902 年《中英条约》第八条第十节第十一节,1903 年《中美条约》第四条。

第四章　关税制度之将来

中国关税制度之极其恶劣,甚阻碍国内之交通及对外贸易之自然的发展,予已于前章述之矣。关税制度之直接、间接不利于中国国民经济者甚多,固不待言,而其与各国对华贸易上究有何种关系,凡欲知中国关税制度之将来者亦均应加以考察者也。何以言之,现在中国无关税主权,外部关税固由国际协定,即内部关税中之一部分亦受国际条约之拘束,故中国关税制度非中国所能单独解决者也。夫以现今外部关税税率之低,固列国之利而中国之不利也明矣。即此可知中国与列国之关系实正相反对者也。世固有人谓内部关税虽直接阻碍国内之交通与产业之发达,而外国贸易货物因有子口税保护之故,故内部关税在中国固有废止之必要而在外国则不认为有必要者也。甚至更有持偏论者,谓内部关税之存在,只阻碍中国工业之发达,适有利于外国进口贸易者也。殊不知此皆粗浅之观察也,直接因内国关税而受损失者虽系流通国内之本国货,而因此减弱中国人对于外国货之购买力甚至进口贸易间接受其损失者,亦不少也。加以至今尚未利用子口税之进出口货多,且有未遵行子口税制之地方者,由此可知内部关税之影响于外国贸易颇大,固不得否认者也。故内部关税之存废,无中国,无外国,其利害固相一致。要之,中国关税制度之改正,不仅于中国自身有必要,实可谓于各国亦有必要之共通问题也。

然则关税制度其将何以改良乎。关于此层有先就中国方面观察,次就各国方面观察之必要。第一,中国人之理想固在于恢复税权而无可疑,先年以大总统令第二十八号公布之国定关税条例,在现时协定关税状态之下,除施用于无条约国之进口货以外,虽为无效之法令,而于此即已表示其理想之一端矣。至于目前之急务,基于财政上之必要,则不外设法增加进口税之一事也。第二,各国之希望,固在于保存协定关税制而废除厘金税,至对于恢复税权一事,则察之中国现时之司法、行政、财政等状态,固不易赞成者也。然保存协定关税制而强行废除内国关税,又当然非中国财政上所能行之事,于此即不能不取折衷办法,而于增征进口税与废止内地税两事求一解决方法也。

目前中国与列国协议之关税改正问题,系进口税中之从量税低至从价5%以下而起,固不外提高至现实百分抽五而已。故由上述改正关税之意义言之,此不过一时的枝叶问题耳。此种改正乃中政府根据条约之正当要求,列国不应向中国索取多大之代价。其可以作为正当之交换条件者,第一仅可要求条约上子口税制之厉行,第二仅可在中政府财政上所能允许之范围内要求废止内地税。虽然,此次从量税之提高,即令按照标准价格公平协定,而中政府之财政上,每年仅能增收数百万两而止,或仅能补偿鸦片税之损失而止,于关税改正问题之根本解决,固未能稍进一步者也。何以言之,根本问题在将进口税增至5%以上而完全废除内部关税是也。

增征进口税与停征内地税二者虽似属两问题,而由关税制度之改正一点观之实则二而一者也,所不能决者实行之,孰先孰后,或应否同时实行耳。由中国方面言,二者宜同时实行,而由列国方面言,增征进口税须以停征内地税为前提。此问题自1902年中英缔约以来所以亘十余年不能解决者,盖因中政府欲二者并行,而各国则不信中政府有停征内地税之诚意故也。又实际上由现在之实际状态观察之,中国政府果有完全废除内税之诚意与否,确属疑问。试就近年来中国朝野所倡导之裁厘加税说而详细考察之,似仅废除厘金税一项,而与厘金税类似之他种内地税依然使其存在,欲借此以博得增征进口税者然。列国之所以必欲以全废内地税为增征进口税之条件者,非无故也。若中国能先行废止内地税,数年之间,著有成效,始断然向各国要求增征进口税,此时增加之程度若不超过保护的进口税以上,列国亦不能加以拒绝者也。

然则不先增进口税,内部关税究应如何废止,此则中国财政上之重大问题也。中国若以其为重大问题而断然实行之,此固非中国之退让,乃中国之名誉也。且不啻博得名誉而已也,即在经济上亦可以促国内交通之便利,产业之发展与外国贸易之增加;在政治上亦即所以促国家之统一而谋恢复税权之准备也。如彼土耳其固一积弱之国家也,昔年且曾于capitulations中协定从价值百抽三之进口税,其后内部关税渐废,进口税竟增至值百抽八,至1907年更能增至值百抽十一。又如日本与巴尔干诸小邦亦曾与中国受同等协定关税之拘束，后因文化进步，均得恢复关税主权，中国固大国也，岂有不能仿行此等小国之先例者乎。然而内部关税废止，中政府失一重要财源，故此问题又须待他种税制改革后始能解决。而中国领土广大，又系地方分权的财政组织，税制之改革诚非易事，苟得其法，岁入不足忧也。赫德不云乎，中国财政只须改革地租，即可处置裕如。且中国税制改革后可以增加收入者固不止地租一项，即如所得税、营业税、承继税等直接税，均可从新设立，合此等收入而计之，其足以抵偿停征内地税之损失也明甚。唯在中国人能觉悟税制改革之必要耳。税制改革，有紧急之条件二：第一为着手改革之经费，第二为实行改革之人物是也。然现在之中国，二者皆缺，于是又将发生雇佣客卿与募借外债两问题。

中国者中国人之中国也。中国人鉴于海关与监务之外人行政，必皆希望出膺此整理税制之责者。然现今之中国人，长于目前政争与私利之输赢，而于公共之财政则缺乏能力，尤以税吏，病入膏肓，不可救药。此种国民性之缺点，固可借教育之普及，代议政治之确立与司法制度之改良等事而徐图矫正，然此亦非一朝一夕之事也。予以为将来税制之改革，唯有借助外人始得完成。而欲借助外人，又非一时的顾问制度所能奏效，非如海关制度之与外人以长期之实权不可。然中国人正欲挽回利权，此种借助外人之形式，必非所喜，而舍此则整理税制之外债又难于募集，将如之何。今更就外国方面言之，供给无理财能力之中国人以外债而不监督其财政，正与供给荡子以游乐费者同。苟有衷心顾虑中国利益之国家，则供给金钱与人才于中国时，自必索相当之条件也。中国官民若非容忍之智虑与雅量，税制固难期其改革也。

将来中国若借外人外债之助改革其税制以废除内地税与出口税时，则列国应允许中国增征若干之进口税，又所增税率与中国国民经济上及列国对华贸易上有何种关系，又如中国将来如何恢复关税权，以及税权恢复后采用何种关税制度为有利，凡此种种，在今日均无臆测之必要，容俟异日讨论之。

致友人论入社会学系事

（1925.5）

（上略）来信对我的入社会学系,虽然表示赞同;可是终有些对于我误解的地方。现在将我所以入社会学系的理由,告诉你。

我来此读书的目的,决不是像中国教育的宗旨上所说的,发展我的本性（我饭早已会吃,衣也会穿,我的脑子也已很会不停地想,并且我的性欲也自己觉得很发展了）。可是也不是养成公民资格（讲选的资格,我早已有了;至于做国会议员去,像我终是没有的吧）,更不是团体精神（这种精神,我自然是极喜欢在校里养成的,但是你必已知道,现在的教育总长正在下令禁止学生集会,所以这事是没望的）。我的目的,是在学,——□学学问,像一般的大学教授所教导我们的——那是学"做一个社会的医生",不是个人的医生;这犹之乎通常的医生决不是眼科或喉科。所以你若对我说,自己都不能医,如何医社会,那是不对的,因为通常的医生也是不知道医自己的喉症,或眼疾的。

以上是讲我的入社会学系的目的——这或者也就是办这系诸先生的目的,或者可以说,一切办教育的人都须有这样的一个目的:"教人做一个社会的医生"。

来信问及我们的功课,要想拿他来作一个自修的模样。我十分佩服你的志气。但是我们校里的功课,因种种的关系,恐很难做你自修的借鉴。现在将我自己的功课来写在下面,在你如以为可采取的,就请这样做。

一、普通社会学。这或者可以说是我们的汤头歌诀,但不能尽同。在这科中我所要研究的:（一）社会学通论及辟误;（二）社会学之哲学的根据;（三）各论（现在社会的组织及其弊病之所在,因须分作多方面来研究,故称各论。此中尤其须注重他所以发生的原因,现在所生弊病的原因,种种改革方法之可能与否等);(四)其他各种社会科学的略论([此]①等科学宜随兴趣所及随时作一个研究的单元)。

二、现代经济学。这是研究病症:(一)一切经济学的通论和其经济学上的学理;(二)各国的现状(如各国生产状况、生产组织的比较研究——与俄国的比较更要紧,各种生产的情形,一切的经济组织都须明了,并且还应有各种的统计);(三)临时问题的研究。

三、社会运动学。这科目是我自己杜造的。在这项科目中应当研究的,不外社会运动的种种方法的研究,详究它究竟哪几种方法是最有效的,哪几种是没效的,它们的原因安在:有效的方法,宜如何注意;无效的方法,在怎么样的特殊环境中也可以施用。我认为这门功课是十分要紧的,宜详细地研究,宜占全体功课中四五分之一。

这正是临诊□呢!

四、比较政治学。这是调养学,同时又是病理学,它能够帮助我们断定宜用怎么方法。但是你若是单单去看北大出版的《政治学大纲》那样的结果一定是这样的:"一无所得"。所以你必须要将新俄国的政治组织,拿来细细研究比较,寻它的理由,这样才是有用的。

五、中国问题。以上四种功课,那是凡要做一个社会的医生的人,都须学的,不论哪一国人。可是中国自己另外有特别的情形,不得不特别提出来研究的。这些问题,固然有些应当附在上面各自一种功课;可是我想,重大一些的,不妨另外独立研究,比较来得好一些。并且还有些中国临时的问题,又可以附在此地。

以上是我的自修的方针,但现在很苦于没有材料来供我的研究。尤其是第三门功科。至于时间的分配,我以为除了第五种时间可以少一些以外,其他相等。

再者,实习一项,本来是十二分要紧的,可是不能实行。我想这事或者在暑假年假里可以实习一些,或者还可以作一个报告给校里,请求校里的指教。不能临诊如何可称医生,所以实习是十分要紧的。

---

① 原文此处为空白,括号内文字系编者所加。——编者注

我望你照此计划自修,我也望我以此计划自勉;同时也下半年在学校里这样进行!

听说下半年校里有一番大改革,或者能这样做,你看可喜不可喜呢!我十二分地喜欢这事的来到!

(附注)你或者要疑心,这样岂不是少了许多的功课么?我对你一些不少:经济史、经济思想史,包在第二种里了;社会运动史包在第三种里了;政治思想史,包在第四种里了。并且这样一来,都将大学讲坛上的科学,拿来或作证据,或作材料,都应用化了。还有各种自然科学,随与□所及也不妨随时研究,吾人原非求博学,但是常识也是很要紧的。至于各人的特性,那不在此范围内了,不说。

1925 年 5 月 13 日书于上海

(原载 1925 年 5 月 21 日上海《民国日报》副刊《觉悟》,署名鹤鸣)

责任编辑:钟金铃

图书在版编目(CIP)数据

李达全集.第三卷/汪信砚 主编. —北京:人民出版社,2016.12
ISBN 978－7－01－016931－6

Ⅰ.①李… Ⅱ.①汪… Ⅲ.①李达(1890—1966)-全集 Ⅳ.①C52

中国版本图书馆 CIP 数据核字(2016)第 269089 号

李达全集
LIDA QUANJI
第三卷

汪信砚 主编

人民出版社 出版发行
(100706 北京市东城区隆福寺街 99 号)

北京新华印刷有限公司印刷 新华书店经销

2016 年 12 月第 1 版 2016 年 12 月北京第 1 次印刷
开本:710 毫米×1000 毫米 1/16 印张:24.25
字数:400 千字

ISBN 978－7－01－016931－6 定价:129.00 元

邮购地址 100706 北京市东城区隆福寺街 99 号
人民东方图书销售中心 电话 (010)65250042 65289539